D0511711

Francis

l'âme prisonnière

Jean-Paul Tessier
Responsable canadien
d'Artistes sans Frontières

Francis

l'âme prisonnière

roman

Éditions de la Paix

Francis
l'âme prisonnière
roman

Éditeur:
Éditions de la Paix, enr.,
125 Lussier,
St-Alphonse-de-Granby (Québec)
J0E 2A0
Tél.: (514) 375-4765

Typographie électronique et conception graphique:
CopieBel enr.
253, Brébeuf
Beloeil (Québec)
Tél.: (514) 464-1397

Impression:
Payette et Simms, Saint-Lambert

Photographie page couverture:
Richard Cyr, photographe

Batik, «L'Âme prisonnière», page couverture:
Roddy de la Tour
président-fondateur d'Artistes sans Frontières

Dépot légal 4e trimestre 1987
Bibliothèque Nationale du Québec
Bibliothèque Nationale du Canada

ISBN 2-9800785-2-2

«Malgré la couche épaisse de nos actes, notre âme d'enfant demeure intacte.

L'âme échappe au temps.»
François Mauriac

Du même auteur, en romans,

la trilogie:
François le rêve suicidé
Francis l'âme prisonnière
Michel... (en préparation)

De la même maison d'édition

technologie:
Je construis mon violon,
par François Trépanier

DÉDICACE

De toutes ces amitiés, de tous mes amis suicidés, ai composé bouquet de roses. Avec cette odeur, leur offre tige de blé. Amis pour l'éternité.

François, fils aîné de cette longue lignée de mes amis partis, je t'offre l'histoire de ton fils Francis. Je l'offre à tous ceux qui t'ont respecté, aimé.

PRÉSENTATION

Francis m'a permis de vous raconter sa vie. Si j'ai parfois changé ses mots, toujours ai respecté l'idée, l'émotion. C'est pourquoi ces pages sont plus que simples élucubrations issues d'un soir d'ennui. Elles vont plutôt jusqu'à la racine profonde, l'écharde fichée au fond d'un lointain passé. Elles triturent des émotions, blessent des sensibilités qui tressautent. Elles peuvent avoir fonction d'exorcisme ou de libération, de revendication ou d'appel d'authenticité.

Cette écriture est extraction pour l'auteur, effraction pour le lecteur. Elle vous bousculera, vous pleurerez. Vécue, elle éclatera de vérité. Intérieure, elle se reconnaîtra tous les jours. Vivante, elle vous parlera de mort. Poétique, de terre à terre. Espoir et désespoir, vie et survie, transgression du présent pour fuite en avant, choix de la mort et choix de la vie, drogue et libération, amour et haine... respect des enfants, tendresse, beauté...

Même si cette triste vie de Francis n'aidait qu'un seul enfant, elle vaudrait les larmes, les tremblements, les dangers courus en l'écrivant.

PREMIÈRE PARTIE

LE PRÉSENT

François, une douce fatigue m'envahit après l'écriture de **FRANÇOIS le rêve suicidé.** Une douce torpeur m'invite à rentrer chez moi, à refermer la porte sur mon silence. Autour de moi, arrondirai ces beaux souvenirs de toi, les réchaufferai au nid de ma mémoire. Peut-être en éclorera-t-il quelque sourire ailé: l'enverrai bientôt habiter ton espace. En planant doucement, sautillant sur tes branches, filant gracieusement ses courbes, te dira ma reconnaissance. Peut-être le prendras-tu entre deux battements d'ailes, le caresseras-tu, lui donneras-tu un baiser?... Je le saurai, si à l'autre bout du souvenir, sentirai naître un sourire. Sur la même portée de musique où évoluera l'oiseau, t'enverrai aussi un battement de mon coeur qui sautillera en chantant jusqu'en bas d'une autre page de nos mélodies.

Douces notes de musique, dans le bec de mon oiseau, dites-lui que je l'invite pour un bal sous les ormeaux. Qu'il apporte son violon et son archet, j'aurai mélodie et maison d'oiseaux.

Et beaucoup d'eau.

François, quand tu es parti, as laissé froid mon nid. Aujourd'hui, je cherche au fond des bois cri venant de toi; de ta chaleur, la mélodie. Je siffle, te demande, t'appelle, supplie. Un rayon de soleil s'égoutte jusqu'à moi, un autre oiseau me sourit. La mélodie du fond des bois me chante sa douce mélopée. Dis, François, où est ton fils Francis...

Tout ce que je sais: son nom, Francis Labrecque, fils de Madame Éric Labrecque de Saint-Valérien. Et quinze ans d'attente. À sa conception, tout ce que voulait sa mère, c'était un objet de chantage pour garder auprès d'elle François, le jeune père de dix-sept ans. François qui était gai refusa et pour quelques autres raisons se suicida. Il était mon amant; il l'est encore davantage. On affubla Francis du nom de Labrecque. L'hypocrisie recouvrit de son mystère les origines réelles du fils de mon amant. Entre une mère lubrique et un pseudo père alcoolique violent, ce fils de mon coeur semblait bien mal tombé. Je ne pouvais aller le chercher, l'enlever à sa mère porteuse. Il ne me restait qu'à attendre. Et espérer. Je m'étais fixé sa majorité, dix-huit ans. Mais je n'en pouvais plus d'attendre son fils. Mon fils. J'étais trop certain qu'il était malheureux... J'arrive, Francis. Heureux, inquiet, mais j'arrive. Je suis responsable de ton bonheur. En quel état te retrouverai-je?... Depuis quinze ans, je me morfonds à me poser des questions; toi, à survivre. C'est assez, je fonce! Je sais que je vais au-devant d'un abcès.

chapitre I

La ferme avait été vendue, les parents séparés, le fils introuvable. Les parents de François aussi méprisants qu'avant. En retard de quelques mois, mon attente si fébrile, ma joie appréhendée étaient devenues inopérantes. Personne ne voulait m'aider, les Labrecque n'intéressaient vraiment personne. Personne ne voulait m'en parler. Je cherchais, téléphonais sans succès.

Francis, comme violon sans archet, gonflé d'harmonies, demeure muet de mélodies, ainsi mon coeur gonflé d'affection, souffre de ne dire son secret et désire ton archet. T'ai cherché au bout de mon chemin pour te raconter ton nom. Serai-je encore là quand tu viendras, car pour moi ce sera bientôt demain? Les cheveux blanchis depuis un certain vingt-quatre décembre - de quelle année déjà?... l'année n'a pas d'importance, seule compte la souffrance - où l'horloge du temps s'est accélérée puis soudain arrêtée, éclatée; je demeure penché au bord du calendrier, auscultant mon destin. Je ne comprends toujours pas. Je n'attends plus rien de toute cette vie, cette errance en désert, et recherche ce point d'eau où verrai ton image. Seras-tu là quand j'arriverai? Et si je n'arrive pas, qui t'enseignera François? C'était ton père. C'était aussi mon ami. Je suis un peu ton père. Seras-tu un peu mon ami?... N'attends plus, car mes chaînes sont usées. Bientôt m'échapperai. Il est long, le désert. Il est sec. Irai rejoindre les bras de ton père qui furent aussi les miens. L'amour de ton père que je veux te donner. Dis-moi ton nom au-delà des dunes, laisse-moi ton cri dans la nuit froide des étoiles, ton image au-delà des mirages. Fils du désert, enfant du mystère, objet de mission, enfant parricide avant que de naître, fils sans mère, extra-terrien... Francis, mon fils.

J'ai visité les centres d'accueil, j'étais sûr de l'y trouver. Évadé lui aussi. L'ai retrouvé entre deux joints.

– As-tu du hasch, du bon?...

Il a regardé Pierre Lalumière, mon compagnon, un enseignant de mes amis, client régulier. Francis lui a demandé:

– Ami?...

On s'est assis, il a compris. Il pendait au bout de la corde des libertés falsifiées... Je n'étais pas encore sûr de son identité. Dans ce milieu: discrétion, ne pose pas trop de questions.

Au milieu de ses amis de garçons et filles, avec lui ai fumé. Surtout regardé, écouté, senti, grâce à Pierre, mon ami. Il était un chef, parlait peu, voyait à tout. Discrètement. Mystérieux. Se retirait souvent comme s'il avait quelque chose à cacher, voulait être seul. Il revenait, jouait un rôle. Mais c'était bien caché. Lui non plus ne posait pas de questions. J'ai quand même précisé:

– Je m'appele Michel Nolin. Je suis un ancien professeur. Congédié.

Il m'a regardé en souriant.

– C'est seulement comme ça que j'aime les profs!

Tout le monde a ri. Moi aussi. Il avait confiance... M'avait-il deviné, comme je l'avais fait pour lui?...

Cheveux noirs mi-longs, mi-entretenus, une tête d'homme déjà au sommet de son mètre cinquante. Large front, pommettes arrondies, légère moustache, lèvres charnues, bouche décidée et menton toujours un peu relevé. Dans cette belle figure juvénile, deux yeux! Noisette, brillants, intelligents, nerveux. Mais pour l'oeil exercé, un voile de tristesse. Il marchait carré, s'activait à ranger, téléphoner. Il demandait quelque chose tout bas: le jeune partait presque fier de lui obéir. Sa bouche souriait, pas ses yeux. Il bougeait un tout petit peu trop, un léger surplus d'activités, une légère fébrilité indiquait qu'il fuyait. Se fuyait-il lui-même?... Quand il s'arrêtait, s'assoyait, parfois le voile s'épaisissait dans ses yeux, les muscles de son visage se détendaient avec un tout petit soupir. Était-ce satisfaction de voir son petit troupeau heureux ou lassitude morale?... Il remettait parfois sa casquette de cuir, allongeait son bras sur la table et le complétait par une bière qui ne s'ennuyait jamais. L'autre bras jaillissait de son torse massif, s'appuyait sur sa cuisse. Jeans serrés, provocants, pieds croisés tout au bout de ses longues jambes avec d'énormes bottines jaunes délacées. Les fesses sur le bord de la chaise, le dos appuyé au sommet du dossier, il rejetait souvent sa tête en arrière. Ses cheveux pendaient, allongeant encore ce si beau corps offert, toute cette force inutile, en perdition. En potentialité. On sentait un besoin d'explosion: cherchait-il un détonateur?... Il relevait la tête pour une autre gorgée, rotait, soupirait en changeant l'ordre de ses pieds croisés et passait quelques fois sa main sur sa poitrine. Cherchait-il à l'effacer?... Puis disparaissait dans l'escalier. En haut, sa chambre. Pour la voir, je n'avais qu'à commander du hasch, un quart d'once suffisait. Matelas par terre, draps sales, taies d'oreiller encore pires. Un vieux bureau, tous les tiroirs entr'ouverts et des traîneries partout. D'une petite commode, il sortait une mesure bien tassée, bien enveloppée, prête à faire rêver. Fuir. Un coup d'oeil aux murs: femmes nues, posters de groupes rocks, une grande feuille de pot encadrée. Je jouais l'indifférent, il souhaitait me voir déguerpir. Francis ne me regardait pas longtemps.

– Quand t'en voudras d'autre, seulement qu'à le dire.

– Compte sur moi, je suis satisfait de tes services.

Je redescendais, un salut de la main.

– À la prochaine!

Le hasch s'accumulait au fond d'un tiroir. J'en fumais si peu. Et me recueillais, concentrais. Dans un état de conscience modifiée, je m'interrogeais: qu'est-ce que j'ai ressenti, vu? Qu'est-ce que je dois faire? Comment est Francis?... Je me laissais pénétrer par toutes les impressions sans juger, classer. Sans le filtre de la logique, sans le poison des normes, les sensations, émotions se présentaient. Oui, c'est lui. C'est le fils de François. Il n'est pas méchant. Il est malheureux. Les impressions sont positives, je reste ouvert à tout autre message.

Francis, j'ai deviné où tu faisais du pouce: sous le dernier lampadaire à la sortie de la ville sur la rue principale. T'ai fait monter. Dans ma main. Combien de fois ai-je passé par ces chemins? Combien d'heures ai-je veillées pour t'y rencontrer? Veilleur de nuit tous les hivers, une heure avant mon travail, mon coeur battait sous le réverbère. Viendras-tu ce soir encore? En attendant, je suppliais tout bas: Francis, cri de François, je t'arrive d'un autre âge, d'une autre vie. Je t'apporte un message qui changera peut-être beaucoup... trop?... N'importe quand, tu peux me dire, non, merci. Je reste sur le seuil et attends maintenant ton accueil. Si tu veux...

Au pied de sa demeure nocturne ai tissé mon secret, revu ma vie. Quelques mailles à l'endroit, tellement de mailles à l'envers. Plusieurs couleurs, souvent criardes. Quelques taches, deux grands trous.

Un de refermé, mais si mal. Plusieurs plaies, une qui suppure toujours. Des absences, un grand vide, puis mon humble silence au seuil de sa demeure. Francis, tu es mon fils que j'ai retrouvé. Mon coeur qui battait au loin. Une manière de survie. Tu es parole au-delà du temps, présence au-delà de la mort. Je te tends la main. Si tu veux... Quand je n'attendais pas pour rien, tu te tournais vers le flot d'autos et levais la main dans l'anonymat. Etais-tu en fuite, toi aussi? Regagnais-tu les ténèbres?... Je démarrais. M'approchais. Un large sourire.

– Bien oui, c'est encore moi. Nos heures correspondent, je crois.

Et je tournais une autre page de mon livre d'heures. Patientes, résignées, toujours nocturnes. De loin, l'ai tenu comme la main d'un ami dont on sent la chaleur sans la toucher. Du bout des doigts, effleurée. De loin, ai deviné sa vie, ses besoins. De loin, ai cherché la voie de son coeur. Fort comme son vrai père, ambigu comme sa mère-porteuse, intelligent, brouillon, déraciné, ballotté. À rescaper. Suis-je trop tard?... Non, il est encore au seuil de sa nuit. Il arrive à pied d'une ruelle mal éclairée, titube, s'approche de la rue agitée. Dépeigné, hirsute. Comme un coup de fouet, claqua dans la nuit:

– Ton argent!!!

Le voile de ma sensibilité s'est déchiré du haut jusqu'en bas. Muette, une douleur sèche a pris la mesure de mon âme. Une sueur froide a recouvert tout mon espace. Un immense frisson m'a secoué. J'ai envisagé l'éternité. Un poignard menaçant s'impatientait au bout de son ressort. En petits ronds concentriques, fouillait la plaie de son espace. Il piquait les limites de sa liberté cherchant ma gorge offerte. Je suis resté sans mouvements. Un ordre et le coup partirait. Je songeais à la brûlure tellement intense! Puis au bouillonnement du sang libéré à grands flots, débâcle de printemps. Une grande chaleur se mêlerait à mes sueurs froides. Un engourdissement dans ma tête, un vide effarant comme ma cervelle s'en écoulant. De même dans ma poitrine à vide, mon coeur blessé. Un vertige m'envahirait, plus douleureux que la brûlure à ma gorge. Tout chavirera. En un éclair, reverrai ma vie: FRANÇOIS!... Mourir de son fils, ce ne sera pas le premier père. Ultimatum. Toujours silence douleureux, silence aiguisé, grinçant. On dirait qu'on change de registre. Un petit bouillonnement dans la tête, un petit étourdissement. Un vertige. Mon esprit sortit de mon corps et regarda la scène. Un calme étrange, un dolent silence... Je vais voir ce qui va se passer... avec une certaine indifférence.

Le poignard mordait les limites de sa liberté, s'exaspérait au fil de sa méchanceté. Il avançait, reculait, menaçait; sa lame s'affûtait aux reflets de la nuit. Lumière froide dans la pénombre de la vie; chaleur brûlante qui fouille les entrailles, ouvre le mystère. Son va et vient émousse un courage même d'émeri. Que sont longs ces longs instants, le regard fixé sur la douleur appréhendée qui s'impatiente au manche du mal partagé! Douleur coupante qui lacère l'espace de plus en plus restreint. Douleur devant le fils qui ne connaîtra jamais le secret de ses origines, la lumière qui brillait aux yeux de son père, ni le relais que j'étais pour lui, le témoin qui lui apportait vérité, amour et vie. La souffrance, l'humiliation d'une vie sans enfance s'agitait toujours à la main menaçante d'un enfant sans lendemain.

Lentement, j'ai reculé la tête, l'ai appuyée sur le haut de la banquette de l'auto et j'ai offert ma gorge comme un agneau qu'on immole.

– Tu me le donnes!... ou je te tue!...

Dans un souffle, ai balbutié:

– François, je t'aime. Par ton fils, Francis, je te reviens.

Le poignard devenu nerveux tremblait au manche de son hésitation. Je fermais les yeux, les rouvrais, répétais:

– François, je t'aime. Par ton fils, Francis...

Désespéré, presque suppliant, un grand cri brisé, brisant me répondit:

– Tu me le donnes?!...

Francis hésitait, suppliait presque. C'est le premier geste qui compte, qui coûte le plus. Avant de le poser, on connaît un petit vertige, se sent basculé. On sent que le poser ou le refuser engagera toute la vie. En quelques secondes, on choisit la prison, le crime, la nuit. En quelques secondes, on évalue son passé, son présent, la soumission. Vengeance ou acceptation? Est-ce qu'on poignarde le passé, déchiquette des parents indignes par personnes interposées? Ou si on accepte l'injustice, le manque d'amour pour ne pas allonger la chaîne du malheur?... À la croisée des chemins, on sent cette espèce de vertige. On sent bien que seul ce premier geste est difficile et que tous les suivants seront faciles... nécessaires, découlant comme de source. Une fois partie, la machine ne pourra plus s'enrayer. Ce sera l'embardée folle, la chute libre. Peu importent les autres. À gauche, à droite, on frappera. Aveuglément. Le mal sera nécessaire, le sang coulera. Le mal s'étendra, croupira, se multipliera comme eau de marécage. Mal nécessaire: ai-je demandé à naître?... et j'ai souffert. Comme le jeune africain piqué par le serpent le long du chemin. Il sait que tout est fini, mais son premier souci est de rejoindre l'ennemi et de le piétiner, écraser, écrabouiller. Même s'il doit se faire repiquer, au moins il aura détruit la cause de sa mort. Il laissera sur le sol une raie sanguinolente et rejoindra sa natte pour mourir seul dans la fièvre et les tourments... Pendant qu'un couteau s'impatiente à la porte de l'avenir. Francis retournera-t-il pour toujours dans le vide du passé, couper des fleurs, tuer des animaux aimés et crever les yeux du bonheur?... Au bout de son hésitation, il tremble, malheureux, ne voudrait pas prendre de décision. Mais il est en situation, Francis doit trancher. Ses parents ont déterminé son passé, Francis doit déterminer son avenir. En un seul instant, à la pointe d'un couteau devant le roc d'un imbécile résistant. Son couteau devenait un total et une fin comme l'éclair dans le filet du pêcheur.

Et le coup prit son élan du pare-brise ostensiblement, s'enfonça dans l'espace offert sans résistance. Mes pieds m'ont refoulé dans la banquette de l'auto, ma tête s'est détournée, ma gorge s'est bloquée. ...Puis à quelques centimètres, le poignard se repentit. Le couteau s'était arrêté comme par le bras d'un ange. Abraham n'a pas pu dire son nom. Le mien, mon bon ange, c'est François. Il a posé sa main sur ma vie, il l'a transformée. Une vertu s'échappait de lui et m'élevait au-dessus de moi. Mon esprit a maintenant réintégré mon corps et respirait. Un grand soupir de soulagement, un souffle reconnaissant. En même temps, une promesse. Si Francis a reconnu la force de son humanité, la faiblesse de sa force, une postérité est possible pour François. Si jamais elle n'est pas nombreuse comme les sables de la mer, elle sera généreuse comme le coeur d'un amant. Le coeur de François battait sur la montagne du sacrifice inachevé.

Sa méchanceté ne se rendit pas jusqu'au bout. Son mal épuisé, il rebroussa chemin et devint un pantin dérisoire, poupée parlante dans les mains d'un ventriloque muet. La peur est son public; la poupée, sa méchanceté. Si la peur ne répond pas, le ventriloque se tait. Au bout de sa malice, il n'a plus d'instrument. Au bout de sa logique, cherche un argument. Décontenancé, un appui. Devant son image brisée, lui ai demandé:

– Où vas-tu maintenant?

– Dans la nuit.

Et presque tout bas, s'est interrogé:

– ...Qui est François?...

Dans ses mains nerveuses, un jouet maintenant inutile, brisé. Sans signification. Peur d'être grondé, puni. Humilié par sa propre faiblesse, son humanité, battu sur son propre terrain, la force, il remit sa violence dans son fourreau. Un grand calme sembla s'établir comme s'il venait de tomber enfin! sur un plancher sûr, solide. Sécurité. C'est qui ça? C'est quoi ça?... semblait-il se demander. Abandonné, résigné, je le sentais me dire au bord de la colère: je suis à ta merci. Je ne suis plus rien maintenant. Curieux mélange d'affection et d'humiliation. Il me semblait que son coeur emplissait tout l'intérieur de l'auto. Qu'il me sautait au cou. Enfin, quelqu'un qui me résiste. Il s'accrochait à moi. Je suis vraiment à cran.

Le mur de sa méchanceté tombé, ne restait qu'un petit garçon sans défense. Avec une bonté souventes fois abusée, totalement démuni, livré. Quelle erreur avait-il faite? Sur quel mur était-il tombé?... Il se sentait intégralement ridicule. Comme celui qui aspire sa cocaïne et qui se rend compte après tous ses rites et sa liturgie qu'il ne goûte que mélange de boules à mites et de sucre à glacer. Humilié. Un peu plus loin, n'en pouvant plus de ce long silence trébuchant, il lâcha brutalement:

– Laisse-moé icitte!

J'arrêtai. Dans un souffle, comme se parlant à lui-même, il a encore balbutié:

– Pourquoi m'as-tu appelé François toi aussi?...

En guise de réponse, ai sorti mon porte-monnaie, lui ai offert.

– C'est tout ce que j'ai. Prends ce qu'il te faut.

Interloqué, désarçonné, il hésita et finit par le saisir brutalement, y prit quelques coupures, le lança sur la banquette et claqua la portière. De mon regard brûlant et douloureux, l'ai vu entrer dans les ténèbres de la nuit. Sa nuit. Avec tout le poids de sa honte. Jamais n'ai vérifié le montant qu'il avait pris.

Je venais de lui voler son image, de le basculer dans l'avenir. Son avenir. Le reverrai-je?...

FRANCIS, maintenant, je connais ton secret, je sais son nom. Je sais où il se cache. Je connais ta faiblesse, c'est ta bonté. Bientôt, tu connaîtras mon secret: j'ai été l'amant de ton père. De ton vrai père. Tu sauras qu'au fond de mon coeur, mon secret rejoint le tien. Les deux bouts d'une même identité, d'une même joie, d'une même peine. Au-travers de ce que tu pourras dire ou faire, nous sommes liés et rien ne nous séparera. Car notre secret est plus grand que nous. Je ne demande pas d'explications, je n'exige pas de promesses. Je reste livré sans défense devant toi comme une plaie ouverte. Tu peux me faire très mal et toi seul sauras jusqu'à quel point. Personne d'autre ne saura rien du beau silence qui nous parlera. ...Si tu veux. Nous aurons beau être très loin l'un de l'autre, entre nous, un beau fil d'argent nous tiendra par la main. Si tu veux.

chapitre II

Francis, fils de François, je sais que tu vagis quelque part dans le bruit et le froid. Tu es tombé sur cette terre par une profonde nuit. Douloureux hasard. Tu te débats dans ses mystères, aspires à la lumière. Démuni, tu recherches chaleur, tendresse d'une mère. Insécure, présence et caresse d'un père. Privé d'étoiles, te contenterais d'un puits. Francis, je te tends la main, t'offre mon puits, mon service. Je crois que tu as compris. Quand tu voudras. Je te fais confiance et t'attends.

Je ne suis pas retourné acheter de hasch de peur de le gêner, l'humilier. L'ai attendu sous le réverbère. Il en avait beaucoup à digérer. Je suis revenu plus tôt, plus tard. Rien à faire, n'était pas mûr; comme un fruit s'offrira le temps venu. À Francis, je ne pouvais pas dire toute la vérité avant d'avoir mérité sa confiance. Je ne pouvais tout de même pas - un inconnu comme moi - lui annoncer que son père n'était pas son père, son vrai père s'étant suicidé avant sa naissance et que moi, amant de son père biologique, je m'offrais pour le remplacer. Tout de même!... Francis, petit voyou à quinze ans, habitué à recevoir tant d'histoires et à les retourner spontanément, il ne pourrait que sourire à mon énoncé. Je venais pour refaire et sa vie et son arbre généalogique. C'était beaucoup. Trop?... Au moins, prudence. D'abord, gagner sa confiance, ensuite l'inspiration viendra. Francis, où es-tu? Qu'attends-tu?...

Après quelques semaines, n'en pouvant plus, suis allé à son repaire pour acheter du hasch, bien sûr. J'ai tout de suite senti un changement. Un de ses acolytes, un mastodonte, est venu m'apostropher hargneusement accompagné de son pit-bull. La violence s'accompagne de violence, la provoque. Il devait sûrement entraîner son chien à l'agressivité, à l'attaque, pour impressionner par ce signe de puissance les bien nantis qu'il jalousait.

– Qu'est-ce que tu veux?

– J'achète de Francis, d'habitude... Est-il là?

– Non.

– J'ai l'habitude de venir ici. Si tu ne me reconnais pas, d'autres pourraient peut-être... J'aimerais voir Francis.

Le rocker s'est retourné vers ses congénères, quelques-uns lui ont fait signe que oui et, du haut de cette montagne au sommet toujours gelé, m'est descendu un courant d'air glacial:

– Il est parti depuis longtemps et on sait pas où.

Je suis resté bouche bée, immobile. Un autre courant d'air m'a secoué.

– S'il n'y a pas d'autre chose...

J'ai murmuré merci et déguerpi. Désemparé. Francis, où es-tu? Est-ce que je peux t'aider? Francis!... Ma nuit de veilleur fut très longue. Mes inquiétudes aussi. Demain, j'irai au Centre d'Accueil d'où il s'est évadé... Pas de nouvelles là non plus. La Police, la Protection de la Jeunesse: négatif. Francis volatilisé.

Ne me restait plus que son lampadaire près du mien. Mon espoir s'est accroché à cette lumière froide et tous les soirs, me suis imposé une heure d'attente. Pourtant, il va venir. Il a été intrigué quand j'ai nommé François. Mon geste de résistance devant son poignard et l'offre de mon porte-monnaie a dû faire son chemin. Comme une semence. J'ai confiance en sa terre. Francis, réponds!... Francis ne répondait pas. Parfois, des ombres venaient faire du pouce en aval. Si j'y croyais reconnaître Francis, je m'approchais et passais tout droit devant ma déception, mais dans mon coeur, elle passait tout croche. Je retournais à mon poste d'attente, inquiet, dans mon auto qui rongeait son frein.

Il m'a fallu attendre près d'un mois et demi – même que le printemps approchait – pour qu'il sorte enfin de l'ombre et prenne sa place sous son lampadaire. Mon coeur s'est débattu avec ma raison, les mains m'ont tremblé comme tout le corps. Je restai là, à le fixer de loin, incrédule. À le savourer. Malheureusement, une auto s'arrêta pour le prendre. Trop tard, me suis-je dit. J'aurais dû démarrer plus tôt. Peut-être ai-je manqué mon plus important rendez-vous depuis celui de François un certain soir de décembre. Une sueur froide me couvrit le corps... Une fois l'auto partie, Francis était toujours là!... J'ai entendu tous les carillons de Pâques dans mon coeur. Il m'attendait. Il devinait que j'étais là et que je l'attendais moi aussi. J'ai pris de grandes respirations et me suis approché, essayant de me contrôler.

– Je savais que tu viendrais.

– Moi aussi.

Qui a parlé le premier? Qui a répondu?... C'était nous deux.

– Ça fait un bon bout de temps...

– Oui. Je me suis demandé...

De grands moments de silence étiraient nos phrases, unissaient d'autres grands moments de silence. Dialogue nocturne. À tâtons, nous nous cherchions, voulions quelque chose, quelqu'un. Mais comment? Qui?...

– Qui es-tu, demanda-t-il?

– Je suis veilleur de nuit.

– Je sais. T'ai vu sous le lampadaire. Tu travailles la nuit. T'ai suivi. Pourquoi me cherches-tu?

– Je passe ici aux mêmes heures que toi. Et toi, qui es-tu?

– Mes parents sont séparés depuis longtemps. Ils ont vendu leur terre; mon père alcoolique la boit. Je reste en ville. Pourquoi m'attends-tu, ici?

– Je voudrais te parler de ton père.

– C'est lui qui t'envoie?

– D'une certaine manière, oui. Mais pas comme tu crois.

D'un ton bourru:

– Il veut me faire surveiller maintenant?

– ...Ton vrai père... veut te faire aimer.

Catégorique,

– Je ne suis rien pour mon père. Je ne l'ai à peu près jamais vu et il était toujours saoûl. Il m'a battu, il me hait; c'est réciproque et c'est terminé.

– Je le sais, Francis.

– Qu'est-ce que tu sais de moi?

– Et toi, que sais-tu de moi? Que sais-tu de toi?...

Nous en étions au même point, au pied de la même question, froide, brutale. Encore un point crucial. Un autre poignard. Dialogue hachuré, incomplet. Court circuité, miné de suspicion. Communication prudente. Sonde. En sortira-t-il un puits, une carotte aurifère... ou un vide profond?... Apprivoisements. Un silence agressif nous séparait et nous unissait tout à la fois. Nous possédions chacun un bout de vérité nécessaire à l'autre. J'ai risqué, timidement:

– Il faudrait qu'on se parle, non?

– Pendant mon absence, tu es allé chez moi, m'as demandé. Que voulais-tu?

– Te voir, te parler. Je m'inquiétais pour toi: j'avais peur que tu sois malheureux, dans le besoin... Mais j'ai dit que je voulais du hasch.

Suppliant,

– S'il te plaît, Francis, accepte qu'on se parle! pour un peu de vérité.

– La vérité...

– Si on pouvait s'aider l'un, l'autre?

– S'aider...

C'est comme si j'utilisais un langage hermétique pour lui; langage dont il ne comprenait absolument rien. Il répétait des mots vides, sans signification.

– Je ne voudrais pas que tu penses n'importe quoi à mon sujet, que tu t'imagines... Je suis veilleur de nuit, j'ai du temps, viens jaser avec moi. On ne sait jamais. Ne t'inquiète pas, ça ne t'engage à rien. Je ne te demanderai rien. Si on devient des amis, ça ne vaut pas la peine, non?

– Au point où j'en suis avec toi... Un peu plus, un peu moins.

– Francis, je te laisse mon numéro de téléphone. Je voudrais seulement que tu saches qu'il existe quelque part sur la planète quelqu'un qui pourrait t'offrir sa main en cas de besoin. Et sans obligation de ta part: j'espère que tu me crois. J'espère t'avoir prouvé ma foi.

Francis, après une hésitation.

– Pourquoi pas?

Il a accepté mon numéro de téléphone. Avec ça, il saura où me trouver quand il sera prêt.

– Là, il faut que je parte, mais avant, pourquoi m'as-tu appelé François, toi aussi... la dernière fois?...

– Je ne t'ai pas appelé François, je parlais à un ami.

– Mais c'est moi qui étais là! Pourquoi François?

– Parce qu'il est toujours là avec moi. Quel âge as-tu?

– Quinze ans.

– Ça fait quinze ans que je lui parle ainsi. Il est toujours resté mon ami.

Francis hésita, fit une petite moue puis, avec l'air de quelqu'un qui renonce à comprendre, de mépriser ce qui le dépasse, il s'éloigna.

Francis s'inquiétait en pensant à moi. Ce Michel est trop. Trop bon, gentil, offert, généreux. C'est inquiétant, dangereux. Les gens trop bons cachent quelque chose. Je me méfie d'eux. Avec des gens méchants, on sait tout de suite où on va, on sait à quoi s'en tenir. Avec lui, on ne sait jamais. Veut-il m'embarquer?... pour où, pour quoi et pourquoi?... Dans la religion? Est-ce une tapette?... Il faudra que j'y voie.

Deux soirs plus tard, il faisait du pouce. Me suis approché.

– Comment ça va, Francis?

– Tu m'intrigues ben gros. Tu veux trop: je me méfie. Faut vider l'abcès.

– Ça revient à ce qu'on disait l'autre jour, il faut qu'on se connaisse. Veux-tu toujours?... On ne risque rien à se connaître.

– Si tu veux, je vais aller avec toi à ton travail comme tu me l'as offert. Pour voir.

– Bien sûr. En attendant, je t'invite au restaurant, il me reste encore une heure avant de commencer.

– Puis, ça fait combien de temps que tu attends ici?

– Un petit bout de temps.

– Comme ça, tu arrives ici tous les soirs plus d'une heure avant ton travail?... Seulement pour me faire monter, me conduire quelque part, me voir!... T'es pas un peu fou, non?... Là, tu commences à m'énerver sérieusement!

Le ton avait monté, le danger guettait. Sur ton menaçant:

– Tu sais, des crosseurs, je connais ça, j'en ai assez vu dans ma vie. Des crosseurs pis des hypocrites. Et ce n'est pas dans la rue, les centres d'accueil que se trouvent les pires, c'est dans les écoles, les grosses compagnies, chez les riches. Les pires crosseurs et bandits ne sont pas dans les prisons. Ils sont cravatés, en belle robe, derrière un bureau, bardés de diplômes. Ils ont bonne réputation et pètent de haut. Ils s'appellent des professionnels de haut étage.

– Je comprends ta sortie, Francis, mais ne t'inquiète pas. À venir jusqu'ici, je ne t'ai pas fait trop de tort?... Je ne suis pas un flic, je ne te surveille pas, je ne veux pas abuser de toi, rien.

– Alors, je ne vois rien d'autre que tu es gai et que tu veux m'avoir pour une job de cul.

– Je suis gai, oui, mais je ne te demanderai jamais pour faire l'amour.

– Ah ben, t'es complètement dingue!...

Au bout de son argumentation, il venait de conclure. Après un bon silence,

– Francis, tu as un peu raison. Et tu n'es pas le premier à me le dire. Je fais un peu cinglé sur les bords.

– Tu ne me feras jamais croire que tu fais ça gratuitement, que tu n'as pas une petite idée derrière la tête. Tu es pris dans la religion, le sexe, la police... c'est le centre d'accueil qui me fait rechercher... Il y a quelque chose en tout cas.

– Rien de tout ça. Si tu cessais de me soupçonner et m'écoutais un peu.

On est descendu de l'auto et entré au petit restaurant.

– Francis, veux-tu t'asseoir là, plutôt. Moi, ici. Voilà.

Intrigué, il semblait se dire: encore une autre bizarrerie. Il s'est commandé deux hamburgers; moi, je ne me souviens pas. Il avait faim parce qu'il dévorait. Vers la fin du repas,

– Michel, pourquoi je devais m'asseoir ici et non pas là? Ça n'va pas dans l'caisson, non?

– Francis, quelques mois avant ta naissance, j'ai mangé ici avec ton père. Il était assis là, à ta place. Moi, j'étais ici, en face. Je le dévorais des yeux. Nous étions heureux.

– Mon père?

– Ton père.

– Mon père ne mange pas, il boit.

– Son oncle et sa tante sont entrés par hasard dans le restaurant. Ton père s'est senti surveillé, est devenu nerveux. Notre bonheur s'était envolé.

– Mon père est un ivrogne, un violent, il est à moitié fou. Je ne vois pas ce que tu faisais avec lui. Et quel bonheur ressentent ceux qui le fréquentent.

– En tout cas, oublions ça pour tout de suite. Plus tard, t'apprendras peut-être des choses surprenantes... Pour changer de sujet, pendant ton absence de la ville, tout a été bien pour toi?

– Pas mal. As-tu porté plainte contre moi?

– Non. Parce que tu m'as seulement fait un peu peur et que je suis sûr que tu ne recommenceras pas.

– C'est *cool.*

– D'ailleurs, je crois que tu t'es fait mal plus à toi-même qu'à moi.

Une petite rougeur a coloré sa figure, ses dents se sont serrées. Je venais de l'humilier. J'ai aussitôt baissé la tête et ajouté comme n'ayant rien vu:

– C'est surtout parce que tu es un maudit bon gars au fond, et que tu ne mérites pas ce qui t'arrive.

Heureusement, Francis a passé par dessus ma gaucherie. Après une petite hésitation, il a enchaîné:

– J'ai dû partir parce que c'était devenu trop *hot*: j'avais fait quelques autres coups en plus.

– Là, Francis, je vais prendre une autre chance. J'espère que tu ne prendras pas ça de mauvaise part: pour te prouver que j'ai confiance en toi, je t'invite à venir passer quelques jours chez moi si ça devient trop dangereux pour toi, en ville.

– Où restes-tu?

– En campagne, à l'Ange-Gardien.

– Tout seul?

– Tout seul.

– Je vais y penser.

– Francis, un autre avantage pour moi, c'est que j'y serais plus à l'aise, détendu pour jaser avec toi. Et peut-être, toi aussi avec moi. Les choses qu'on a à se dire ne passeraient pas entre deux hamburgers, en public.

– C'est possible. J'aime bien la nature, les animaux... As-tu des chevaux, un tracteur, des vaches, un tri-moteur?

– Oui.

J'ai eu l'impression que Francis venait de partir. Ses mots en suspens, son esprit vagabondait quelque part. Il est revenu avec un beau sourire.

– J'pense que j'aimerais ça.

– Alors, quand tu voudras. Je suis prêt. En attendant, est-ce que je peux faire quelque chose pour toi?

Il a hésité, est devenu mal à l'aise. Un peu triste, ne disait rien. Pour recréer l'atmosphère:

– Pourquoi tu ne viendrais pas chez moi dès demain matin après mon travail?

Il hésitait toujours. J'ai précisé:

– Voici notre programme: je finis ici à huit heures, je te prends sous ton lampadaire, ou ailleurs, on se rend chez moi, on déjeune, on fait le train, puis on dort. Tu auras ta chambre tranquille et tu te lèveras quand tu voudras. Qu'est-ce que t'en penses?...

Timidement,

– J'ai besoin d'argent, je suis bien mal pris.

– Tu penses que je peux t'aider?

– Je n'ai jamais vu quelqu'un comme toi.

– Ton père, ta mère?

– Avec ton âge et tes questions, on voit bien que tu ne connais rien à la vie d'aujourd'hui.

– Tes études?

– J'ai été mis en dehors de la Polyvalente.

– Aimerais-tu l'école des Métiers?

– J'aime la menuiserie.

– Tu as toujours mon téléphone? Dans deux jours, rappelle-moi: on verra ce que j'aurai pu faire. Mais j'espère que rien de pire ne t'est arrivé?

Il a hésité comme pour prendre une décision, a réfléchi un peu, puis s'est engagé dans une belle histoire.

– Un ami m'a demandé de lui garder de la coke chez moi. Ça me faisait plaisir de lui rendre service. Puis, je me suis fait voler. Quand je suis arrivé, la grande vitre cassée, tout à l'envers, j'ai couru voir à la coke: disparue. Mille huit cent dollars. Il faut que je rembourse le gars, puis il est pressé. Là, il me recherche.

– C'est grave et compliqué, ces histoires-là. Qu'est-ce que tu vas faire?

– Mes amis m'ont tous prêté un peu d'argent et ont fait des coups partout. On n'a même pas neuf cents dollars actuellement.

– Moi, je ne peux pas faire grand chose pour une si grosse somme. Mais si je puis te cacher un bout de temps à la campagne, tu es le bienvenu.

– Me prêterais-tu un vingt?

– Au lieu de te prêter un vingt, je vais te donner un dix. C'est pas grand chose, mais c'est de bon coeur.

Francis partit avec son dix et moi avec mon inquiétude. Son histoire de vol ne me semblait pas particulièrement limpide mais qui sait?... Quoiqu'il en soit, le lendemain, il n'était pas au rendez-vous. Grosse déception. Ni les soirs ni les matins suivants. Avait-il été pourchassé, pris? Par la police, des voyous? Parti à Montréal?... J'ai refait les endroits susceptibles de le recueillir. Négatif. Ne me restait que mes séances de réverbère. Le printemps approchait à grands pas, je terminerais bientôt le travail de nuit pour le travail rural. Francis ne me retrouverait plus au rendez-vous. Il n'a sûrement pas retenu mon nom de famille. A-t-il conservé mon numéro de téléphone?... Autant de questions pour semer l'inquiétude.

Francis, je t'ai saisi au vol et tenu dans ma main. Tu t'enfuyais, tu te fuyais. Je t'ai pris et dit: salut. Tu m'as reçu et dit: ami? Tu n'as pas compris tout de suite, tu t'es défié. Tu m'as regardé, sondé. Tu m'as deviné, testé. J'ai accepté ton jeu: je te comprenais. Je suis resté là: je n'ai pas fui. Tu as paru intrigué, mais tu n'as pas parlé. Mais la semence était en terre: elle devait germer. J'avais confiance en sa fertilité. J'avais foi en ta terre. Je lui parlais de loin. Pousse, pousse, petite semence, ne reste pas petit point souterrain. Ouvre-toi bien lentement dans le silence. Travaille son intérieur, fais ton chemin. Répands-toi dans son sol si fécond. Sors une petite tête chercheuse si inoffensive pour lui, si peu provocante pour sa sécurité. C'est bien ta nature, la lente gésine. C'est ce qui fait ta force. Elle finit toujours par s'imposer. Qui pourrait te résister ?

De cette graine morte sort une poussée de vie. Irrésistible. Elle bouge à peine, se fait oublier. C'est ce qui fait son danger. Elle bouge à peine, en cachette. Souterraine. Puis se répand peu à peu. Lentement. Elle n'est plus grise, noire, couleur de mort. Maintenant, c'est un point blanc, un point qui, prenant racine, devient virgule. La vie, silencieusement, humblement, se fait oublier dans son évolution. On pourrait s'inquiéter: que sera cet enfant? que deviendra parole semée?... Puis le germe, en point d'interrogation maintenant, pousse une tête qui s'entête. C'est le doute pour Francis qui pense à moi: m'a-t-il eu? où veut-il m'emmener?... Le soir en se couchant, ou plutôt le matin – qu'importe à la semence, elle sait tellement s'adapter – l'interrogation travaille sa terre, son petit espace fragile. Que me veut-il? qui suis-je pour lui?...

Et au réveil, un beau matin, – ou plutôt, en plein soleil – une petite tige blanche, pure comme sa terre, têtue comme la vie, irrésistible comme la vérité, est sortie dans un petit coin de son jardin. Point d'exclamation. Au soleil, s'est imposée, mystérieuse comme son alchimie de la vie. Puis en transition, Francis se dit: qui est-il?... Mais je pense toujours à lui! Comment, pourquoi est-il entré dans ma vie?...

La semence venue de nulle part, dirait un Petit Prince, avait fait son chemin. Le coeur aussi. Le coeur rejoignait maintenant la pensée. C'était là son danger, c'était là sa force. Quand le coeur dit à la tête quoi penser, on s'éloigne des mauvais chemins. On s'approche de la vie, de l'essentiel: le respect d'un ami. Francis, propriétaire du jardin, sentait bien qu'une nouvelle pousse s'implantait d'autorité. Prenait un peu trop d'espace. Est-ce un baobab? Est-il trop tard? Il ne pourrait peut-être plus l'arracher, car ses racines feraient éclater tout le jardin. Pris au jeu du témoignage, de l'authenticité, pris au souvenir de sa bonté qui résurgissait d'un lointain passé, il se sentit un peu gêné. Honteux. Honteux avec son grand H aspiré. Pourquoi ce trait d'union, ce joint entre nous?... Il n'est tout de même pas mon pote!... Impatienté, trop tard, Francis conclut en serrant les deux poings.

chapitre III

En hiver, les travaux de la ferme me le permettant, j'étais toujours veilleur de nuit. J'avais besoin de ce revenu. La disparition de mon salaire de professeur avait beaucoup changé mon rythme de vie. Quand on est gai, on est parfois forcé de s'adapter... aux moqueries des gens étroits d'esprit, aux insultes, voire aux congédiements. Je me retrouvais seul à la maison; Guy, le fils du voisin, était parti depuis longtemps. Quelle merveille, ce Guy Martel! Il m'a vraiment sauvé: ma vie physique et ma vie psychologique. Quand François, le père de Francis s'est suicidé, j'ai tenté d'en faire autant pour suivre mon amant. Guy m'a deviné, amené inconscient à l'hôpital et sauvé. Après, il s'est attaché à mes pas et partagé mon destin. Il m'a délicatement invité à lui, – l'irrésistible – encouragé, soutenu, attendu. Puis, j'ai délicieusement succombé. Il a partagé ma vie deux bonnes années. Quelles merveilleuses saisons avec lui! Il n'était pas François, mais il était Guy, par exemple!... Guy, mon merveilleux Ami!...

Après deux ans et quelques mois ensemble, Guy s'est résigné à me quitter pour se sauver à Montréal. Se cacher. Il n'en pouvait plus d'endurer les sarcasmes et le ridicule dont il était l'objet parce que vivant ouvertement sa vie de gai avec moi. Il y a quinze ans, la civilisation, l'ouverture d'esprit n'étaient pas ce qu'elles sont aujourd'hui. Guy n'a pas résisté aux moqueries, il est parti. Dilué dans l'anonymat d'une grande ville, il a vécu librement sa vie de gai. Mais la promiscuité, le travail aux usines, la pollution, la froideur de l'anonymat l'ont asphyxié. Il lui manquait d'air, d'espace. J'allais souvent le voir, l'encourageais.

– On ne peut tout avoir dans la vie: la ville et la campagne en même temps, l'anonymat urbain et la chaleur des relations rurales.

Autrefois, le respect des gais dans les petits villages et les campagnes n'était pas un modèle d'intelligence et de tolérance. Àla ville, Guy s'asséchait, en campagne, ne pouvait supporter l'étroitesse d'esprit envers les gais. Déchiré, il souffrait. Nostalgique, s'ennuyait. Trois ans plus tard, n'en pouvant plus, Guy revenait. Ses parents qui l'avaient toujours soutenu, encouragé, l'ont accueilli à bras ouverts. Sa mère surtout, un modèle de bonté, fut aux petits soins avec lui pour lui remonter le moral.

– Mais je suis gai, maman!...

Sa mère, impuissante, souffrait. Il n'y avait rien à dire, se taisait; il n'y avait rien à faire, se résignait. C'est à mon grand fils de prendre sa décision, pas à moi, se disait-elle.

Guy, pour avoir la paix – comme beaucoup d'autres – a brisé sa vie: s'est marié. Un gai marié par obligation n'est pas particulièrement heureux... et sa femme?... Et souvent, les enfants subissent les contrecoups. C'est ainsi que pour avoir la paix, se soumettre aux normes, certaines personnes brisent leur vie, celle d'une femme et, parfois même, celle de leurs enfants. ...Parce que certains esprits étroits ou jaloux refusent aux autres de vivre leur être propre qui ne fut d'ailleurs pas choisi. Guy connaissait Marie Poisson depuis longtemps; ils se rencontraient déjà à l'occasion avant la mort de François. Mais au moment où Guy est venu demeurer chez moi, Marie est devenue une de mes adversaires acharnées. Sa jalousie dépassa toutes les bornes. Elle s'est ingéniée à me dénigrer tellement que, même ses amis, lui demandaient parfois de changer de sujet de conversation. Àson retour de la ville, Marie est tout de suite allée rejoindre Guy et lui faire la cour. Guy était prêt à prendre n'importe qui.

– Je veux être vu avec une femme, m'avait-il confié, en manière d'excuse.

Ils se sont tout de suite épousés et ont acheté une terre à Saint-Césaire, Haut de la Rivière, Côté Nord. Entre d'excellents voisins comme les Deslauriers et les Ouimet, Guy était sûr d'avoir la paix au moins avec eux.

Ils ont maintenant deux enfants. Le plus vieux, neuf ans, son père a tenu à l'appeler François mais sa femme s'est acharnée à refuser. Quand il a timidement suggéré Michel, le regard seul de Marie a foudroyé l'idée. On s'est entendu sur Daniel. La plus jeune, Sylvie, a maintenant six ans. Guy a exigé de continuer à venir me voir à l'occasion. C'était tellement compliqué de négociations, suspicions, interrogatoires au retour, que Guy vint me voir parfois en cachette de sa femme. Peu de temps après, Marie a compris qu'elle était mieux de l'accompagner. C'est ainsi que toute la famille se retrouvait souvent chez moi, bien sagement, le dimanche après-midi.

Guy et moi, on s'échangeait beaucoup de temps, de services, à l'occasion des corvées saisonnières. J'allais lui donner trois journées, il venait plus tard me les remettre. Quand le travail se faisait chez moi, Marie arrivait avec les enfants, préparait les repas... et me faisait parfois un peu de ménage. Cela me rendait bien service et peu à peu, on s'est apprivoisé. Elle, avec son ménage, et moi, avec un peu moins de chaleur en parlant à Guy devant elle. On s'est composé un style de relations qui satisfaisait tout le monde, au moins en apparence. Étant fidèle et rancunier, j'ai contrôlé ma rancune en pensant que c'était à peu près le seul moyen de voir Guy à l'occasion. Et ses enfants que j'adorais. Avec le temps, j'ai même eu le privilège de garder les enfants pendant des sorties de leurs parents. Les premières fois, Marie revenait angoissée, courait à ses enfants étant sûre que je les avais au moins violés... Sa mauvaise humeur durait parce qu'elle était certaine qu'il était au moins arrivé autre chose. Guy faisait semblant de ne rien remarquer mais ses traits tendus annonçaient une bonne discussion après leur départ. Un jour que je disais aux enfants:

– Je suis bien content quand vous venez chez moi, comme ça.

Le petit gars a répondu:

– Moi, j't'aime pas.

– Moi, j't'aime quand même, Daniel.

Il est resté renfrogné un bout de temps. Le petit arrivait avec ses revolvers et chars d'assaut; la petite Sylvie, avec ses poupées, couches de rechange et service de table, incluant le nécessaire à laver la vaisselle: ce qu'elle faisait consciencieusement, d'ailleurs. La maman voulait faire un vrai homme de son petit gars et une vraie femme de sa petite fille. Les rôles traditionnels, c'était important pour elle. Moi, j'ai acheté un ensemble LEGO et, tous les trois, on jouait chacun à son jeu. Peu à peu, à tour de rôle, ils se sont intéressés à mon LEGO, et de plus en plus souvent. Quand j'ai voulu les prendre par la main pour une petite promenade sur la route, Daniel s'est récrié:

– Maman veut pas que tu me touches!

J'ai bien vu qu'elle voulait en faire un vrai homme. Mais j'avais plus d'un tour dans mon sac et, avec le temps, les relations se sont civilisées entre nous, la mère y compris. Même si nos relations furent toujours un peu artificielles, elles demeurèrent polies. Marie n'était pas méchante au fond, mais ignorante. De cette sorte d'ignorance qui se nourrit de préjugés. Ce que le diable travaillerait s'il n'avait pas les préjugés!...

Donc, je vivais seul depuis près de dix ans, et je venais d'entreprendre mes recherches pour retrouver, sauver Francis, le fils de mon amant.

Enfin! à l'heure du souper, un beau soir de mai, un téléphone de Montréal, à frais virés... dois-je le dire?...: C'ÉTAIT FRANCIS!

– J'peux-tu aller chez toi?

Je suffoquais en répétant: Francis, Francis... comme une vieille bébelle qui endort les enfants en se démontant. Il m'a presque crié – il n'avait sûrement pas envie de s'endormir –:

– C'est bien Michel?

– C'est bien Francis, le VRAI?...

– J'peux-tu aller chez toi?...

– En courant, si tu veux. Pourquoi tu n'as pas téléphoné avant?

– Je suis tanné de la ville.

– Tes gros problèmes?...

– Tous arrangés. J'ai besoin d'air: la campagne! Je descends sur le pouce, où est-ce que je me rends?

– Prends la route dix jusqu'à la sortie de l'Ange-Gardien. Là, tu m'appelles et je vais te chercher.

– Mais je suis sur la route cent douze.

– Tu arrêteras au restaurant-dépanneur, la Gaieté du Temps, à gauche, après Saint-Césaire. J'irai te chercher.

Oh! que j'en ai fait du ménage en peu de temps! Lavé la vaisselle, pris mon bain, revêtu petit costume joyeux. Sorti, j'ai enlevé quelques toiles d'araignées aux angles de la galerie et j'ai même replacé certains instruments aratoires qui paraissaient un peu à la traîne. Vérifié le tri-moteur: il n'avait pas démarré depuis quelques semaines... tiens, depuis la dernière visite de Guy. J'ai fait le plein du tracteur...

et me suis dirigé vers le puits. J'ai pompé de l'eau, des litres et des litres qui retombaient en cascades au pied de la margelle. Elle ruisselait, chantait: me faisait du bien. Je pense que François pompait avec moi. Ah! je voulais voir, sentir, entendre, couler l'eau par torrents, le plus que le puits n'avait jamais fourni. Quelques feuilles séchées, brins d'herbe et fourmis voguaient sur cette croisière instantanée, aussi gratuite qu'inattendue. Tout mon paysage se trouvait rafraîchi, revigoré. Ma vision élargie. Cette première visite de Francis, me semblait faire naître cent Félix Leclercs, créer mille Petits Princes. Les montagnes de Félix, allègrement traversées, ses cours d'eau déviés, toute la nature chantait l'amour et la liberté au nid du printemps qui s'épivardait. Il me semblait que François emplissait le cadre de la porte d'en avant, puis s'avançait lentement vers le puits. Je l'ai regardé, admiré. Si intensément! J'ai fermé les yeux pour mieux voir et un frisson m'a recouvert tout le corps. François m'avait sûrement pris dans ses bras. La fraîcheur de son gobelet partagé descendait dans ma gorge, une douce chaleur recouvrait mes joues. Mes mains complètement recouvertes par ses si belles mains: quelle sécurité entre ses paumes!... En levant la tête, ai vu les Petits Princes qui s'allumaient au fond du ciel. Ils cherchaient les fenêtres habitées pour leur offrir le sourire de leurs petits grelots. Je voyais des roses isolées, des petits renards esseulés. Les Petits Princes rayonnaient leurs secrets pendant que j'habillais mon coeur pour la grande fête de l'amitié.

Oui, j'étais déjà en fête! Je m'éloignais du puits, seulement pour le plaisir d'y revenir. Oui, marcher vers une fontaine... quand son ami approche, qu'on reconnaît déjà son pas, qu'on verra bientôt s'élever son bras, qu'on entendra bientôt tinter sa voix... Marcher vers une fontaine... quand son ami est là, même endormi, qu'on le porte dans ses bras... sa tête insouciante peut balloter: il rêve aux anges. Même un peu parti, on le serre un peu plus fort; il semble évadé, ce n'est que mirage. Ses yeux s'ouvriront bientôt, s'éclaireront aux doux rayons du soleil couchant, reconnaîtront à temps le serpent. Si mon ami se pique, c'est aux épines des roses – ses héroïnes – grisé par leur parfum. Ne les a pas encore toutes reconnues, donné un nom. Un peu anonymes, en abuse-t-il. Puisse-t-il rencontrer un fin renard plein de secrets, un grand pilote assoiffé d'espaces... et une poulie qui grince en offrant son eau pure, claire, naturelle comme le matin.

Arrivera-t-il bientôt?... Les Petits Princes se multiplient au-delà du couchant. Leurs rayons tintent aux paupières assoiffées. Je sais que mon petit renard a quitté son terrier. Il a pris la grande route pour se rendre jusqu'à moi. Il ne me parle pas encore mais il pense à moi. Il ne sait pas trop ce qu'il dira, moi non plus, d'ailleurs, mais regarde dans ma direction. François, reçois ton fils, ouvre son coeur, ses yeux, son âme. Laisse-toi aimer comme toi seul en as le secret. Inspire-moi les mots pour te relayer jusqu'à lui. François, tout le chemin n'est pas parcouru, j'aurai besoin de toi jusqu'à la fin. François, donne-moi la main.

... Et le téléphone sonna. Je me suis précipité, mais n'ai pas décroché. J'ai goûté... Que cet instant fut délicieux! Ai-je parlé?... ce ne fut que sourire articulé. Mon coeur a entendu: Je suis arrivé; le sien: Je suis parti. Je ne savais plus où j'en étais. Tremblant de tous mes membres, je suis arrivé. Il était assis à une table de pique-nique. M'a reconnu, s'est levé, a lancé sa veste de cuir par dessus son épaule, la retenant d'un seul doigt, gonflant ainsi un biceps énorme au bas de sa manche courte serrée. Hypnotisé, mon regard s'y est enroulé: le reste de l'univers venait de disparaître. Il s'avançait lentement, drainant tout le paysage. Il était comme le coeur du kaléidoscope: toute la réalité autour de lui devenait dessins géométriques partant de lui et se multipliant indéfiniment en formes multicolores toujours renouvelées, pour le faire ressortir à chacun de ses pas, chacun de ses gestes. Tête droite devant lui, imperturbable, épaules un peu penchées vers l'avant. Alternativement, chaque épaule semblait s'offrir un peu avec la jambe qui avançait, imprimant une petite torsion à tout le corps. C'est comme s'il venait de lui-même se caresser à mes regards extasiés, en mouvements lents et félins. Ses bottes de cuir à trois quarts de jambes faisaient battre de très longues et minces lanières qui rythmaient ses pas excitants l'amenant vers moi. Son pantalon de cuir très serré lui étirait les cuisses à n'en plus finir sur lesquelles glissait, caressant, le regard, pour aller savourer son galbe plus qu'épanoui. Deux longues cuisses qui se rejoignaient au plus beau paradis terrestre surmonté de deux hanches qui s'avançaient par mouvements légèrement langoureux, délicieusement lascifs, sensuellement calculés. Àquelques mètres de l'auto, bien en face de moi, s'est arrêté, retourné lentement, élevant la main. J'ai pu apprécier de profil son galbe énorme, excitant de cuir, et la superbe rondeur de ses fesses moulées dans l'ébène la plus souple et la plus tendue. Il saluait une fille, aussi éberluée que moi à la porte du restaurant et, en même temps, me faisait chavirer dans mon petit bateau qui déjà prenait l'eau. Tout ça était calculé, tout ça pour me montrer!... Me montrer de quoi il était capable, m'en mettre plein les yeux... et savoir de quel bois je me chauffais. Il a ouvert la portière, a réussi à pénétrer dans ma petite auto. Il m'a regardé en souriant. Je suffoquais. Je sentais l'auto remplie comme un grand autobus. Nerveusement, je cherchais que faire. Lui ai dit:

– Veux-tu reculer la banquette, la manette est entre tes deux jambes.

Ah... gêné, je suis devenu tout rouge et n'arrivais plus à me coordonner pour faire avancer l'auto. Il a essayé de me calmer par quelques paroles douces, informations banales. Il a présenté sa main droite, je l'ai serrée si peu: on sent toujours un peu de respect, ressent un peu le mystère devant un dieu. Puis ma main m'est revenue toute humide et je ne savais toujours qu'en faire. J'ai fini par placer l'auto face à la grande route.

– Très passant, ce chemin est dangereux à prendre.

Au moins, j'en profitais pour respirer. Il parlait un peu pour me calmer, je répondais par quelques mots inarticulés.

– Détends-toi, Michel. Détends-toi.

Peu à peu dans ma gorge, l'air a circulé plus librement, j'ai serré le volant à deux mains pour l'écraser.

– D'accord, Francis. Veux-tu me dire quand ce sera le temps de passer?

– Là, il y a une auto... après le camion sur ton côté, peut-être... Non, il en vient une filée à droite.

Ah! que je n'étais pas pressé pour partir: je récupérais. Ça ne devrait pas sortir costumé de la sorte des gars comme lui!...

On a fini par prendre la route prudemment et lentement. Et enfin, j'ai pu entrer dans ma cour. En sueurs, gêné, ayant perdu tous mes moyens. En descendant de l'auto, j'ai seulement trouvé à dire:

– Francis, tu m'as bouleversé, je n'arrive pas à tenir sur mes jambes.

– Veux-tu que je te porte?...

Il s'est approché avec un petit sourire malicieux, puis condescendant. J'étais muet comme une carpe. Il m'a pris dans ses bras en riant, a fait quelques pas et près du puits, m'a déposé sur le banc. J'avais une furieuse érection, lui, un petit sourire amusé. Je ne sais pas si c'est ainsi que François s'attendait à voir son fils chez moi pour la première fois. En tout cas, moi, je pensais à mon François la première fois dans la cuisine, où il m'avait fait traverser je ne sais combien d'univers et de paradis par quelques pas et ses deux bras. Je restais abandonné sur le banc, vidé, à Francis complètement confié.

– Michel, c'est beau chez toi.

Francis pivotait lentement sur lui-même devant moi, commentant ce qu'il voyait ou devinait au clair de lune, posait des questions à la mesure de ses intérêts. J'en profitais pour l'examiner, le dévorer des yeux comme un cannibale au lendemain de long jeûne et abstinence, même si j'avais décroché et me reconnaissais maintenant devant un simple mortel. Quand il eut terminé sa rotation autour de mon univers, il s'est retourné vers moi. L'ai regardé d'un bout à l'autre, ému:

– Francis, c'est beau chez toi aussi.

Il a calmement souri, s'est approché. Je me suis levé.

– Francis, avec tout le respect que je te dois et que je t'ai promis, me permets-tu de te serrer dans mes bras comme un grand ami? Ne serait-ce que pour m'apaiser un peu.

Ses deux grands bras se sont ouverts tout simplement et je suis tombé dans un paradis sentant le cuir, la force, la foudre, éperdu de confiance et d'affection. J'ai senti... J'ai senti d'abord son sexe sur mon ventre. Le mien, même en érection, il ne l'a pas senti: il était entre ses deux cuisses entr'ouvertes. J'ai senti sa poitrine, le haut de ses pectoraux sur ma joue si collée, le sommet de ma tête rejoignait à peine son menton. J'ai senti son dos si large que j'explorais... et j'avoue avoir posé fortement mes deux mains sur ses fesses si pleines, moulées dans le cuir si excitant. ... Et ses bras s'étaient refermés autour de mes épaules et me serraient avec condescendance. Mes larmes commençaient à monter. Je l'ai serré encore plus fort en disant:

– Un jour, tu sauras pourquoi je ressens ce soir avec toi toute l'émotion du monde. Tu seras très surpris, tu n'en croiras pas tes oreilles.

Il s'est reculé quelque peu, surpris. J'ai ajouté:

– Et ce n'est pas seulement une question de sexe. C'est infiniment plus que ça. Tu verras: je tiendrai ma promesse. En attendant, je reste en ta possession comme le plus fidèle ami. Je me confie à toi.

J'ai pris la paume de sa main droite dans ma main, ma gauche sur son large poignet et j'ai embrassé longuement le verso de ce si bel instrument. J'ai assuré, en détachant chacune des syllables:

– Francis, c'est promis!

Après quelques bonnes respirations,

– Maintenant, je t'offre le tour du propriétaire. C'est un tout petit royaume, mais il y a de la place pour deux.

Francis ne semblait pas trop comprendre ce que je disais. Il me trouvait un peu exalté, je crois. Plus tard, il m'a avoué qu'il me croyait sous l'effet d'une forte drogue.

On a fait le tour de mon humble maison et lui ai montré surtout sa chambre.

– Ce n'est pas grand, Francis, mais ici, c'est la paix, le silence. La confiance. Ici, c'est ton refuge, tu es chez toi, quoiqu'il arrive.

Il s'est avancé, a sondé le lit, regardé par la fenêtre... a approuvé ce qui se passait en lui:

– Un grand champ. C'est beau.

– Prendrais-tu quelque chose? Du chaud, du froid? J'ai de la bière.

Je me souvenais de sa marque préférée, je l'avais vue chez lui. J'en gardais toujours chez moi, depuis. Surpris,

– C'est justement ma meilleure!

Et on est allé s'asseoir près du puits. J'avais hâte de savoir ce qui lui était arrivé, mais il me posait tant de questions sur les animaux, les cultures, le roulant, les bâtiments.

– Mais enfin, Francis, veux-tu me parler de ce qui t'est arrivé, comment ça s'est réglé ton problème d'argent et tout le reste?

Pas moyen de savoir grand chose: réponses évasives, sinon froides. J'ai compris. On a laissé peu à peu le silence faire son oeuvre progressivement, évitant les malentendus. Il a questionné sous forme affirmative.

– Je vais essayer la chaise longue.

Une fois étendu, presque couché, les yeux mêlés aux étoiles, il contemplait sans rien dire. Appréciait le silence, la détente. S'il avait su, qui brillait là-bas, au fond, qui brûlait si près, à ses côtés!... Je suis sûr qu'il sentait que je le regardais parfois du coin de l'oeil. Il le savait, je crois, qu'il était beau, qu'il bouleversait. Il me regardait parfois en prenant une gorgée de bière, puis fermait les yeux ou fixait à nouveau les étoiles. Je me cherchais des mots, surtout quand les dire. Je les tournais et retournais dans mon coeur pour les réchauffer sous de grandes vagues d'émotions. Je relisais le Petit Prince revenu en *rocker.* Ce n'est plus le désert, mon Petit Prince, aujourd'hui, c'est la ville. Tu as vite troqué ta tunique blanche pour costume de cuir noir. Mon Petit Prince, tu n'es pas méchant, seulement, tu n'as pas compris. Aujourd'hui, à la ville, les hommes ont pris le train: partir en voyage, disent-ils. Ne savent pas où ils vont, pourquoi, rien. Tout ce qui compte, c'est partir, fuir, et surtout, rapidement. Le retour? Sans importance. ...Mon Petit Prince, laisse le train. Laisse-toi apprivoiser... Sur ta chaise longue, face aux étoiles, près du puits, avec François. Dis, mon Petit Prince, il n'y a pas de presse... Si on s'apprivoisait?...

On pourrait s'asseoir dans le jardin. Garder chacun notre silence. Quand tu te sentiras plus à l'aise, t'approcheras un peu. Nous tisserons chacun des liens qui se rejoindront peu à peu, puis se donneront la main. Une chaleur nous atteindra. Un battement de coeur y répondra. Àce moment-là, je crois que tu traverseras l'allée. Je ne te verrai plus à travers les rosiers, leurs épines, leurs belles feuilles, ... cette bonne odeur. Non. Je te verrai au complet, de profil, assis dans ta réflexion, les rosiers derrière toi et plus loin, les soleils se balançant gracieusement. Tu sembleras une étoile tissant lentement les fils de l'attraction pour créer une nouvelle relation. Nous nous enverrons quelques rayons, un éclair, peut-être un petit météore pour sonder les distances, l'atmosphère. Puis, qui sait, une corde d'amarre?... Sûrement. Resteront encore à traverser les oeillets d'Inde à l'odeur bien surprenante, deux plates-bandes d'iris, beaucoup de muguet, le pourpier bien humble. Puis là, tu déboucheras sur la grande allée qui entoure la fontaine. Il n'y aura plus de fleurs maintenant entre nous. Nous nous sentirons directement, non par parfums interposés. Moi, je serai assis tout près de la fontaine. Tu connaîtras mon faible pour les margelles. Ton monde de réflexion miroitera jusqu'à moi. J'en boirai un rayon, le dégusterai. Saisirai ta pensée, apprivoiserai ta présence. Te désirerai. T'aimerai. Te prierai:

– ... S'il te plaît, demande-moi à boire...!

chapitre IV

As-tu une bière?

J'ai eu un petit sursaut, un malaise profond, comme au réveil d'un rêve merveilleux à la morsure du quotidien. J'étais dans la fenêtre et l'admirais. Pour sa deuxième visite chez moi, Francis m'était arrivé après le souper et relaxait à ce moment-là, étendu dans l'herbe, aux rayons d'un soleil débordant.

– Bien sûr, j'arrive.

Quand je suis arrivé près de ce merveilleux gisant, ses yeux étaient fermés, tout son corps bien détendu. Comme endormi. Je crois qu'il m'accordait le plaisir de l'admirer à loisir. Puis j'ai laissé la bière sur le bout du banc, à sa portée. J'ai marché un peu plus loin; en revenant, m'arrêtais pour l'admirer encore, me remplir les yeux, me nourrir le coeur. Entré dans la maison, je ne tenais pas en place non plus. N'arrivais pas à me fixer. J'ai pris un tranquillisant léger, inoffensif. Comme la fraîcheur de mai descendait, j'ai étendu une couverture de laine sur cette image de la perfection. Il a ouvert les yeux.

– J'ai peur que tu prennes froid.

Il a pris sa bière, on est entré.

– J'ai apporté un peu de hasch, Michel, en veux-tu?

– Oui, mais si peu. Ça me porte à faire l'amour.

J'ai fumé peu; lui, beaucoup. Amorti, il parlait encore moins, mais souriait souvent. Je n'ai jamais vu de si beaux silences.

– Demain, qu'est-ce qu'on fait, Michel?

– Demain, tu te reposes, te détends. Ton principal travail ici, c'est d'être heureux.

– Tu n'as pas peur, à la campagne, tout seul avec moi? Tu me connais un peu.

– Au contraire, je me sens en sécurité parce que tu es là. Si tu savais... depuis le temps que j'espère ta présence dans cette maison que je souhaite voir devenir ta maison à l'avenir.

Il a passé sa main sur mon épaule,

– Moi aussi, Michel, je suis toujours content d'être ici, avec toi.

Il a fumé tout son hasch puis m'en a demandé. Lui ai donné mon petit restant et il finit par s'endormir. Le lendemain, sur le pouce, est reparti mon Francis trituré par les affres de sa dépendance. Deux bonnes semaines, suis resté sans visite. Sans nouvelles, je m'inquiétais.

...Et me levant un beau matin de fin mai, ai senti Francis de loin. Ah! le rêve que j'ai caressé! Dans un recoin de silence, ai laissé partir mon coeur. Toujours la même direction: vers le haut. Je sentais que Francis viendrait, je voulais demeurer de connivence avec François. Aujourd'hui, comment serait-il pour sa troisième visite, dans quel état?... Brûlé par sa dernière nuit, démoralisé, paniqué?... Je l'avais déjà vu dans tous ces états. La drogue, l'alcool ouvrent des avenues si surprenantes, préparent des lendemains si douloureux. Quelques instants de concentration pour mettre en place tous les mécanismes intérieurs, les ordonner, les activer. Comment dois-je réagir, comment lui rendre service?... François, aide-moi.

Ouvert, me laissant imprégner de toute pensée, inspiration, j'ai lentement accompli les tâches nécessaires à ce matin d'été. Le lait à préparer pour le camion collecteur. Les vaches à reconduire à leur pacage, vérifier une trayeuse qui faisait défaut et consolider une planche de la grange avant que la brèche ne s'aggrave. Lentement. François, Francis: les deux bouts d'une même chaîne, les maillons d'un même secret. Quand lui révélerai-je ses origines, comment?... Les questions suivaient leur itinéraire; je jetais un coup d'oeil au bout du chemin. J'ai le temps de déjeuner: des oeufs, du bacon, comme avec François les premiers temps. La table restera mise, il aura faim en arrivant. La base d'un repas étant encore sur le comptoir, ce sera moins gênant pour lui.

En attendant, je vais couper un peu de foin, tout à coup qu'il m'aiderait. Ça lui changera les idées: se sentir utile, canaliser tant d'énergies. Sur le tracteur, je voyais plus loin: mon ange viendra-t-il par ces chemins?... Et j'ai coupé, coupé le foin. Odorant, si beau; dans sa chute, si élégant. Un frisson tout au long de sa tige, un tremblement, une petite hésitation et se courbait gracieusement jusqu'au sol nourricier comme un grand arbre qui s'abat dans sa majesté. Immédiatement ramassé, se trouvait préparé et mis en ballots. Il était devenu un beau rectangle ficelé, transformé, méconnaissable. De vivant qu'il était quelques instants plus tôt, le foin qui avait perdu la vie pouvait maintenant servir. Les ballots recouvraient le champ, parsemés au hasard, gros blocs anonymes, dépouillés de poésie. Me suis arrêté pour ajouter un rouleau de corde à lier. Un coup d'oeil vers mon intuition: viendra-t-il pour dîner?... Si je pouvais terminer mon champ. Et reprit la chanson de la mécanique à trois voix égales: tracteur, faucheuse, lieuse. Efficace et précise, l'harmonie transformait le foin en gros ballots, la poésie en nourriture. Onze heures et demie: il va bien venir!... On dînerait ensemble, je lui montrerais le champ: j'ai tout coupé ça en pensant à toi. Ce matin, je t'attendais à la porte de mes rêves. Francis va venir, c'est certain!

Encore un coup d'oeil avant d'arrêter le tracteur, encore un espoir avant de prévoir ses goûts pour le dîner. Je me suis assis sur la margelle du puits, ai rempli deux gobelets d'eau. Ai trinqué avec celui qui demeurait sans signification, inutile sans la main d'un ami pour le porter à ses lèvres, le vider dans son coeur. Francis, quand te parler, surtout, comment?...

J'ai fait réchauffer toute la soupe, il l'aimait tellement. J'ai mangé le restant de rôti de porc: il n'aime pas ce goût-là. Pieusement recueilli, comme avant une grande cérémonie, ai pris mon frugal repas. Je sais que tu viendras. Avec du porc froid, il me faut du thé: c'est plus facile à digérer. Faire chauffer l'eau... et le miracle s'est produit: sur la route de ceinture là-bas, quelqu'un venait. Sa grandeur, sa largeur d'épaules, le torse nu au soleil heureux de le caresser, il s'en venait. Ce ne pouvait être que lui. La tête haute, regardant partout, il s'avançait lentement. Regardant souvent par ici, ce ne pouvait être que lui. Ai préparé mon thé, ramassé quelques traîneries, vérifié la petite chambre au cas où... Et suis sorti avec ma tasse m'asseoir sur la margelle du puits. J'ai bu lentement, tourné vers lui. La grande symphonie qui s'animait en moi ne devait pas trop éclabousser de ses accords nos premières rencontres. Un peu de discrétion, retenue, me disais-je. Il ne faut pas trop le bousculer.

Et le fils prodigue s'avançait sur la route vers un gobelet d'eau fraîche, une amitié simplement offerte. Puis, mine de rien, j'ai relevé la tête: on s'est reconnu. J'ai envoyé ma main, a levé son bras. J'ai frissonné. C'était de voir son torse élargi par ses dorsaux qui se sont déployés! N'en pouvant plus, je me suis levé. Francis a pris sa chemise par le collet et l'a fait tournoyer au-dessus de sa tête. Il riait très fort, tous ses muscles aussi. Cette torsion de son torse, ses dorsaux en danse, le mouvement giratoire de ses épaules créaient un spectacle grandiose qui me paralysait d'admiration. C'était François ou son fils?... J'étais tellement ému! Feignant un certain contrôle, armé de mon thé pour me donner contenance, lentement me suis approché. Il a accéléré, m'a crié:

– Salut Michel!

– Salut Francis. Comment va?

Lui aussi se contenait. On n'avait pas vraiment envie de parler. Il est long, difficile de s'ajuster, se figurer, s'apprivoiser. Il a encore accéléré. On voulait seulement se rejoinre, être ensemble. Il cherchait un rocher, un appui. Un peu d'air, de liberté, l'hommage d'un grand ami. Un peu de silence pour réfléchir, un grand espace pour s'épanouir.

Devant cette merveille d'enfant, ai posé ma main gauche sur son épaule; Francis en a fait autant. On se regardait dévoré par nos sourires. Je crois qu'on était heureux. Il m'a dit:

– Je t'ai fait toute une surprise, hein?

– Ah oui, une très belle surprise! Je suppose que ça se voit: tu sais que je ne peux rien te cacher.

J'ai glissé ma main en effleurant tout le long de son bras et pris sa main. L'ai serrée très fort en me retournant vers la maison.

– Ça ne te dérange pas trop que je sois venu sans téléphoner?

– Mais non, Francis, si tu savais le plaisir que tu me fais. D'ailleurs, je t'attendais.

– Comment ça?

– Une idée comme ça, ce matin en me levant. Tellement que j'ai fait réchauffer toute la soupe, ce midi. Je t'attendais pour dîner.

En passant près du puits, j'ai ajouté:

– Tiens, le gobelet d'eau était prêt bien avant que je te voie. Goûte.

Francis l'a vidé d'un trait, en a redemandé, est entré voir la soupe, surtout y goûter... avec deux ou trois assiettées.

– Michel, je ne comprends pas ce qui se passe avec toi. Prépares-tu tout ça, tous les jours pour moi?... Chaque fois qu'on se voit, il arrive toujours quelque chose de spécial. Qu'est-ce qui se passe entre nous?...

– On va peut-être le découvrir ensemble si on continue à se voir, se respecter. A force de se parler...

– Michel, je n'ai jamais vu de bonhomme comme toi. Pourtant, j'en ai connu des gars de ton âge, extraordinaires. Tu me devines, on dirait. Que sais-tu de moi? Es-tu médium?

– Non, je ne crois pas. J'ai beaucoup aimé, j'ai beaucoup souffert. Peut-être ai-je appris à deviner. A aimer les gens qui le méritent.

– Mais tu ne me demandes jamais pour faire l'amour avec toi!? Tu es bien le seul gai que je connaisse qui ne s'essaie pas.

– Francis, je me sens tellement bien avec toi que j'ai peur de briser quelque chose en allant plus loin, trop tôt... je ne sais pas. Mais ce n'est pas parce que je ne t'aime pas, ne te trouve pas à mon goût: ça, je suis certain que tu le sais. Non. Même, j'avoue que j'aimerais beaucoup.

Presque tout bas, surtout pour moi, ai précisé:

– Je n'en suis pas digne.

On s'est levé tous les deux, on a ramassé un peu de vaisselle, rincé. J'ai mis mon bras autour de sa taille, le sien s'est posé sur mon épaule et nous sommes sortis.

– Viens voir ce que j'ai fait cet avant-midi.

On s'est approché du champ. Lui ai dit encore:

– Sur le tracteur, je pouvais voir plus loin. Si tu savais le nombre de fois que j'ai regardé! J'étais tellement sûr que tu viendrais aujourd'hui!... Ce champ, tu l'avais vu naissant, maintenant, il s'est donné... en pensant à toi.

– Ah Michel!... en me serrant le cou de sa forte main. Est-ce qu'on ramasse ça tout de suite? S'il allait pleuvoir?...

– Je savais que tu m'aiderais.

Il m'a regardé doucement, faisant le signe du non de la tête. Semblait se dire: c'est pas vrai. Je n'arriverai jamais à te comprendre...

Son sourire, notre enthousiasme, sa vigueur, notre affection nous ont fait trouver agréables les efforts déployés. Il avait choisi le travail le plus difficile: il prenait les ballots par terre et me les lançait dans la voiture. Je n'avais qu'à les placer. Puis j'avançais le tracteur pendant qu'il recouvrait le fond de la voiture avec de nouveaux ballots. Puis j'arrêtais et allais l'aider à tout placer. Le voyage complet, je lui offrais le volant jusqu'à la tasserie de foin parce qu'il aimait conduire. Encore là, le travail le plus difficile pour lui. Il suait à l'intérieur en recevant les ballots que lui déversait une chaîne sans fin. C'était beaucoup plus chaud, forçant, exigeant. Moi, je n'avais qu'à laisser tomber les ballots de la voiture sur le monte-charge.

Entre chaque voyage, on s'arrêtait boire au puits. C'était toujours lui qui demandait à repartir.

– Il faut tout finir avant la nuit.

Francis a maintenu son rythme, n'a pas craqué. Très fort, oui, mais pas entraîné pour cet exercice. Après le dernier voyage, j'ai senti que c'était assez. Tout rouge, les traits tirés, fier, tout heureux, sur le bord du puits, nous avons trinqué à l'eau fraîche de l'amitié.

– Je ne te pensais pas aussi solide, résistant. Tu es en pleine forme, Francis.

– Ah! ben là, par exemple, Michel, j'ai mon maudit voyage!...

– Tu m'as rendu un grand service et je ne sais comment te remercier.

– Alors, garde-moi à coucher ce soir. J'ai besoin d'espace, de silence. Sans savoir pourquoi, j'ai besoin de toi.

– Francis, tu es toujours le bienvenu et sans conditions. Moi aussi, j'ai besoin de toi. Je gage qu'avec le temps, on va découvrir pourquoi.

Après un long silence dans lequel on se sentait si bien, j'ai suggéré que je ferais le train et que Francis préparerait le souper. Il a tenu à m'aider pour tout.

– Pour être ensemble, m'a-t-il précisé.

Même qu'on est allé tous les deux chercher les vaches avec le tracteur et qu'on a partagé les tâches moitié, moitié. Pour le souper, une chance que j'avais fait dégeler un gros paquet de steak haché parce qu'il a mangé comme un défoncé.

Après la vaisselle, Francis a préparé son hasch, m'en a offert. J'ai fumé un peu, lui laissant la plus grande partie. La fraîcheur nous attirant à l'extérieur, on s'est approché du puits, échangé quelques mots, regardé les étoiles. On se parlait encore peu, ne sachant trop par quel bout commencer. Mais tout était en place, l'atmosphère se préparait. Il m'a avoué:

– Que je suis donc bien ici, à la campagne! Que c'est donc tranquille, reposant!... Tu n'aurais pas besoin de quelqu'un pour t'aider?

– J'engage souvent, mais à l'occasion seulement; rarement quelqu'un à plein temps.

– Je viendrais t'aider, moi, si tu voulais.

– Mais toutes tes occupations en ville?

– Beaucoup de choses peuvent attendre, se remettre. Dès que je peux payer ma bouffe et mon loyer...

– Avoir su ça, Francis, je te l'aurais offert moi-même et bien avant. Que dirais-tu de prendre deux, trois jours ensemble pour finir les foins?...

– Dès que je serai en ville pour vendredi...

Et une grande joie m'envahit. Il me semblait qu'une étoile me souriait avec une telle chaleur!... Nous nous sommes couchés très tôt, Francis avait peu dormi la nuit précédente. La petite chambre s'est aussitôt remplie de longues respirations profondes, saines. Elles me rappelaient les premières nuits de son père dans le même lit. Est-il trop tôt pour le moment de vérité? Avec quels mots?... Francis ronflait.

Nous avons terminé les foins. Francis prenait son hasch tous les matins.

– J'ai besoin de ça pour travailler.

Et tous les soirs.

– Pour me reposer.

Je refusais son offre la plupart du temps.

– Ça me rend trop lâche au travail. Ça me porte trop à faire l'amour.

Et autres raisons partiellement vraies. Francis prenait quelques bières par jour mais rien d'exagéré. Par contre, les calait rapidement. Un rien et je l'aurais poussé à la dérive sur une mer d'alcool. Toute la journée du vendredi, il fut nerveux, anxieux. Il lui manquait quelque chose. Quatre jours à travailler, quatre nuits à dormir, presque sans drogue et sans alcool; sans ses amis, son rythme...: c'était trop lui demander. Vers seize heures, le travail entendu terminé:

– Michel, viendrais-tu me reconduire tout de suite. Je ne ferai pas le train mais je ne souperai pas ici, alors ça compense un peu.

– Certainement Francis.

Il trépignait dans l'auto, était en manque. Ses gestes compulsaient l'espace.

– Merci pour ces quelques jours, merci pour l'argent. Tu es un maudit bon bonhomme!

– Quand tu voudras revenir, tu n'as qu'à me téléphoner. J'irai te chercher et te reconduire, ça fera partie de ton salaire.

En descendant de l'auto, lui ai dit avec un sourire mi-badin, mi-sérieux:

– Je vais m'ennuyer de toi.

– Prends ça *cool*, Michel.

– Fais attention à toi, Francis. A bientôt.

Il s'est engouffré chez lui. Je sais que mon argent est tout de suite passé en bière et en drogues avec garçons et filles de son âge dans une nuit d'orgie. Mais c'était trop lui demander. C'était un vendredi.

chapitre V

C'est ainsi que j'ai vécu Francis, de plus en plus souvent, tout le reste de l'été. Il arrivait sur le pouce ou à pied, ou parce que j'étais allé le chercher. Toujours le même accueil, même joie. Mutuels. On parlait peu, se devinait; on s'était habitué: on était bien. Je continuais mon travail, il me donnait un coup de main; parfois, carrément travaillait comme aux foins, la première fois. Souvent, après quelques efforts, demandait pour aller dormir sous un arbre, près de la rivière ou dans la tasserie de foin.

– Tu comprendras qu'il n'est pas question de fumer dans les bâtiments.

– Bien sûr, Michel, voyons donc!

D'autres fois, son idée était faite avant d'arriver. Il précisait tout de suite:

– Aujourd'hui, je *trippe* sur le gazon à couper, les plates-bandes, le jardin.

Et il s'activait, perdait énormément de temps sur un détail qu'il finissait par abandonner. Ses gestes étaient lents, souvent inefficaces. Sa drogue le brûlait. Ces soirs-là, pas moyen de le faire coucher. S'il ne partait pas, j'allais le reconduire. J'essayais de lui parler un peu mais les mots ne se rendaient pas. Parfois, il lui fallait me faire fumer. Pas question de me défiler.

– Oui, oui, tu vas aimer ça. On va *tripper* ensemble.

Comme tout bon alcoolique, il lui fallait rendre les autres semblables à lui pour les empêcher de voir, de critiquer. Se sentir davantage accepté.

À la fin de l'été, un dimanche après-midi, il m'a téléphoné pour lui permettre d'amener de ses amis. Il est arrivé avec deux gars et deux filles. Un garçon et une fille étaient complètement ivres, irresponsables, insupportables. J'ai dû les surveiller tout le temps et n'ai pu travailler. Ils avaient apporté une caisse de bière et buvaient. Ils lançaient leurs bouteilles vides n'importe où ainsi que les capsules. Faisaient peur aux animaux. Ils se caressaient, se demandant s'ils pouvaient faire l'amour devant moi. Puis la drogue s'est ajoutée. J'ai fini par leur demander de partir, prétextant un travail urgent. Après avoir insisté et beaucoup attendu, ils ont disparu. Le lendemain, Francis est revenu seul, un peu pour s'excuser.

– Je n'ai rien contre tes amis, Francis, mais je préfère ne pas les voir quand ils sont ivres. Ils doivent être bien malheureux.

Francis a accusé la remarque, sa figure s'est rembrunie: je l'avais blessé. Il a échappé quelques gestes nerveux, j'ai essayé de rattraper mes mots. Il aurait fallu qu'il le dise lui-même ce que j'avais exprimé. D'ailleurs, il le pensait. Mais dits par un autre, sans circonlocutions, sans le momentum... J'essayais de me faire pardonner.

– Francis, je ne voulais pas te blesser.

Impatienté:

– Ah! laisse faire ça! Je vais aller me promener au bois.

– Ça me fait plaisir. Fais comme chez toi.

J'ai tapoté un peu son épaule et suis sorti travailler. De loin, l'ai vu monter au large. Je le voyais disparaître au loin, avalé par l'espace, enfant qu'emporte une vague de fond. Je le sentais s'enfoncer dans la profondeur comme la lame d'un couteau, mais la brûlure était en moi: c'est moi qui l'avais blessé. Lui, il voulait être seul, mais moi, je l'étais tellement trop! Si à cinquante ans, je n'ai pas encore appris à me taire...

En fin d'après-midi, m'a ramené les vaches et avons fait le train ensemble. Gentil, mais un peu taciturne. Au souper,

– La Protection de la Jeunesse me cherche toujours.

– Est-ce que je pourrais t'aider?

– Je ne sais pas. J'ai seulement seize ans, ils ont beaucoup de charges contre moi... S'ils me prennent, c'est la désintoxication, les études puis en dedans jusqu'à dix-huit ans...

– Qu'est-ce que tu dirais de ça, si j'allais au Centre d'Accueil, me présentais, disais que je me porte garant de toi et veux agir comme tuteur ou père...? Tu resterais ici, si tu veux... mais je te suggérerais la désintoxication et peut-être des études... quand tu serais prêt? Je t'aiderais le plus que je pourrais.

– Non, ça me prend ma *dope*! Pis les études, là...!

Sa grimace en a dit plus long que les mots.

Nos seuls éléments de friction: les études et la désintoxication... et la seringue qu'il venait de sortir.

Un peu paniqué:

Francis, pas jusque là?...

Même si je m'en doutais depuis un bon moment, il n'a pas répondu et s'est piqué. Je n'ai rien ajouté mais intérieurement, j'ai un peu souhaité qu'il se fasse arrêter. Seul, il se perdrait. Son salut ne serait-il pas le jugement, la prison et l'inévitable désintoxication?... J'ai senti mon peu de pouvoir sur lui, avons senti le fossé entre nous. Je voyais cet homme merveilleux s'enliser, le fils de François se détruire. Suicide en longueur: bilan négatif.

Après deux ou trois jours chez moi, Francis n'arrivait plus à se détendre ni même à dormir. Il ne prenait pas davantage de bière mais les calait comme des gobelets d'eau, au soir d'une journée torride. À sa demande, je le reconduisais à son repaire. Souvent, après ces départs, je devais inviter Guy... seul, dès que tu le pourras. Il comprenait toujours le sens de ces messages. La surexcitation que Francis m'avait infligée demandait à s'écouler parfois. Après un, deux ou trois jours de ferveurs et dévotions au dieu Apollon dans ma propre maison, après ces jours de contemplation sans pouvoir exprimer ma foi par les oeuvres, j'espérais un charitable compagnon. Guy accourait et partageait les rites auxquels je le conviais. Guy, étant un homme de confiance absolue, je lui avais confié l'origine de Francis, ce fils de François!... A ces mots, ses yeux s'étaient d'abord allumés d'un grand feu, puis attristés. François fut le premier amant de Guy, dans le temps. Les sourires sont revenus et se sont multipliés à mesure que je racontais Francis et les tempêtes qu'il déclenchait dans mon coeur. Bientôt, nous mettions à nu les belles habitudes que le temps et les circonstances avaient pudiquement rhabillées, et la liturgie des gestes inoubliables au goût inaltérable se déroulait une nouvelle fois dans une ferveur juvénile.

Redevenu seul, un peu calmé, j'ai fait le point. Analysé, évalué, comptabilisé.

J'avais déjà sondé le fossé du bilan négatif, mais restait le bilan positif. Francis aimait la campagne en général, ma ferme en particulier, adorait les animaux. Venu à moi, étions devenus des amis; dans la confiance, se préparaient les confidences. Que de doux moments n'avons-nous pas passés ensemble! Que de caresses de la main dans le dos, sur l'épaule, autour de son bras! Souvent, en marchant, je tenais sa taille, lui, appuyait son poignet sur mon épaule opposée à la sienne et laissait pendre sa main tout près de ma bouche. Me tournant un peu la tête pour admirer un papillon, montrer un oiseau, habituellement pour rien, mon menton, parfois mes lèvres, touchaient cette belle grosse main qui ne fuyait pas mon habile baiser. Parfois, je penchais ma tête et pressais fortement mon oreille sur son poignet, en rapide mais si affectueuse caresse.

– On est bien ensemble, n'est-ce pas?

– Bien sûr, Michel.

Mais ça n'allait pas plus loin; on savait bien quel fossé nous séparait: c'était le bilan négatif. Comment sauver Francis?...

J'ai lu sur les toxicomanies, consulté, appris. J'ai assisté aux réunions des Narcomanes Anonymes pour comprendre, aider. Au début, on trouve les effets très bons, intéressants, valables. Une dose, surtout la piqûre, aide à se sentir bien dans sa peau, être soi-même, se valoriser. On contrôle davantage son agressivité, ses impulsions; on libère sa gêne, ses inhibitions. On sera capable de manifester affection et tendresse qu'une éducation puritaine, sexiste et macho nous a poussés à refouler. On ira parfois jusqu'à mieux accepter une enfance ratée, de malheureuses expériences dans l'euphorie du moment. Même revenu à jeun, on peut conserver un temps les bons effets de cette douteuse médecine. Et on reste toujours tenté d'emprunter tous ces chemins qui s'inclinent vers le plaisir et la facilité. Mais si la réaction est mauvaise, le voyage raté, ou si on est tout simplement en manque, le drame éclate. Les inhibitions, les peurs, la violence, les rancoeurs décuplent leurs effets et les vengeances s'exercent sur les choses, les autres ou soi-même. Le tout s'échelonne de la crise de colère à la mort. La sienne ou celle des autres. Quand on revient du *bad trip*, les effets demeurent aussi néfastes que durables. Qu'on ne pense donc pas à ces réalités quand on expérimente les délicieux effets de ces drogues, surtout la réalité de la dépendance! C'est agréable au début et on essaie de toujours retrouver ce premier plaisir. Peu à peu, non seulement on s'habitue à ce poison, mais il devient un besoin. Ainsi, l'organisme qui est allergique à la coke, peu à peu s'habitue, en devient dépendant. La coke commande comme la faim.

Quand l'estomac crie famine... la tête peut dire, démontrer que c'est mauvais pour vivre, impossible pour le quotidien... il faut manger! Et on mange. On ne s'en sort que par une thérapie physique accompagnée d'une thérapie psychologique.

L'alcool reste un liquide qui se boit, avec un effet, une conséquence. Seule la quantité change. La drogue est très variée dans ses sortes, doses, effets, quantité de ses conséquences. Donc, plus compliquée dans son approche et sa guérison. L'alcool, tout en demeurant un effet, une manifestation de problème caché à un autre niveau, demeure surtout un problème d'abus. Tandis que la drogue, en plus de sa multiplicité de genres et d'effets parfois inattendus, empoisonne littéralement l'organisme par ses produits chimiques. Les drogues naturelles comme la marijuana et le haschich s'apparentent à l'alcool, mais les acides, excitants et calmants demeurent des poisons pour le moins dangereux.

– À la longue, les autres personnes deviennent des étrangers. Les autres ont du sang dans les veines. Moi, j'ai du sang et de la coke. On n'est plus de la même race, a témoigné un narcomane.

Francis, mon petit Francis, comme certaines amours, certaines tendresses dans la vie, la coke ne tient pas ses promesses. Son manque, son après, nous font regretter d'en avoir pris. Infidèle, la coke nous détruit. Chercheras-tu son aile quand tu sais qu'en plein vol, elle te laissera tomber? Lui demanderas-tu l'hospitalité à l'auberge de l'oubli, quand tu sais qu'en ta nuit, tu seras égorgé? Funambule, te lanceras-tu au fil suspendu dessinant dans le ciel les images du bonheur... quand seulement quelques pas te feront bientôt tomber au filet de son esclavage? N'oublie pas qu'un beau matin, le jour se lèvera comme un grand filet sur ta nuit et coulera les cadavres de l'espoir. Francis, si tu es allergique à la coke, tu es allergique à la vie. Comme l'alcoolique avec son alcool. Il y est allergique, il ne peut consommer. Comme le joueur qui ne peut toucher au jeu; l'outre-mangeur, à la nourriture. La dépendance dépasse la substance. Soumets-toi à toi-même. Si tu es allergique à la drogue, abstiens-toi, ne te suicide pas à tempérament. Décroche avant d'être accroché. Avant de t'accrocher.

Francis, écoute-toi; mets-toi à ton écoute et tu vivras des émotions aussi fortes sinon plus fortes que la drogue. Communique. Quand on ne partage pas ses problèmes, on les gèle dans la drogue. Quand ils dégèlent, c'est pire qu'avant. Et on s'habitue vite: alors, même si on s'élance sur la piste d'envol, on ne décolle plus. On augmente la dose, puis on se fixe. Se piquer, c'est se tuer. La seringue, c'est la prison ou la mort.

Francis, avant qu'il ne soit trop tard!... Je suis une voix qui t'appelle hors de toi. Viens. Fais un pas. Il est un autre univers que toi. Écoute cet appel des étoiles, fais ce pas qui te sauvera. Tu es dans l'ombre, les ténèbres te dévorent. Respire. Un rayon d'abord, puis le soleil suivra. Aspire. Je veux t'identifier à la lumière. Laisse-toi pénétrer, tu deviendras transparent. Ne crains pas. Tu ne seras pas plus fragile parce qu'on verra ton coeur. Plus démuni parce qu'on saura ta vie. Tu resteras un homme quand même avec la même force, les mêmes émotions. Mais seulement un peu plus libre. Viens à la lumière. Viens!

Francis, je t'ai vu au seuil de ta nuit, t'ai saisi au détour de ton destin. Tu cherchais une fleur, j'étais de jasmin. Tu cherchais une odeur, t'offrais le lilas. Je t'ai pris par la main et t'offrit mon chemin. Chemin de nature, simple, offert à demain. Un bout de rang, une ferme, la réalité. Toi, tenté par l'au-dessus, l'irréel, la fuite, tu divaguais, vagissais hors de toi. Tes yeux s'attachaient à des lumières aussitôt éteintes; ton coeur, à des émotions brûlantes, goûtant bientôt la cendre; ton corps, à des flottements aériens rendant tes retours toujours plus lourds. Tu fuguais, te fuyais, incapable d'accepter ton passé, manque d'affection, stabilité. Je la savais déjà, la devinais, ton enfance malheureuse. Tu paniquais devant l'insécurité, le petit vertige du vide.

Tu voulais noyer, effacer, annuler; t'acharnais à détruire des causes aujourd'hui disparues. Tu t'imaginais qu'en même temps disparaîtraient les effets. Tu te refusais à accepter. Accepter l'injustice que fut ton existence, le manque d'amour que fut ton enfance, le manque de jeunesse que fut ta vie. Et leurs conséquences. C'était le vide. Le vide que l'on accepte, que l'on fuit ou que l'on remplit. Toi, tu le fuyais. Le vertige ramollissait ton pas de funambule au-dessus du vide de ton passé et tu préférais l'inconscience au fond du grand filet des bonheurs empoisonnés.

Courage! Agrippe-toi de forte volonté, raidi de courage au fil de fer suspendu. Puis regarde le gouffre. Au fond du gouffre. C'est souvent moins pire qu'on ne le croit. La peur de la peur est pire que le danger lui-même. On apprivoise l'absence comme la présence. On apprivoise le vide, la solitude, comme l'excès, la multitude. Accepte. Tu ne pourras la revivre ton enfance, refaire ton adolescence. Soumets-toi à la réalité, si dure que fut ta vie. Range le stétoscope de ta mémoire, vide ta tasserie de foin pourri où ruminent tes mauvais souvenirs. Présent, passé, futur n'existent pas. Seule, la pensée existe et divise la réalité pour seules fins utilitaires, organisationnelles. S'accrocher au passé, c'est violer le présent et avorter l'avenir. Accuser son passé, c'est démissionner de son présent, dételer. C'est une excuse pour trahir – se trahir – se disculper en accusant les autres... se droguer d'un expédient. Libère-toi. Accepte ton présent comme il est. Fouille la banque de tes nouvelles amitiés, accroche-toi solidement aux mains offertes. Mes mains, Francis!... Elles ne remplaceront jamais des mains de maman, mais te montreront le chemin. Quatre mains pour grimper aux étoiles ne sera jamais de trop. Quatre mains pour serrer les épaules, le cou, caresser les bras, claquer dans le dos, quatre mains pour le champ à finir avant l'orage, offrir l'eau en partage, montrer l'oiseau, caresser l'agneau, ...s'offrir le présent... ce n'est même pas assez. Le présent du présent pour enfin oublier le passé et bâtir l'avenir. Mes mains!... Francis.

Bâtissons demain en vivant ensemble un présent qui nous enchante. On se lève le matin, salue le soleil, touche les animaux, met la main à la terre. On partage un peu d'eau à boire, se baigne à la rivière, parle aux étoiles. À l'ombre du quotidien, on glisse au repos, rêve en liberté et retrouve le rythme sain des jours et des nuits, des hivers et des étés, des semences et des récoltes. Nos saisons s'échelonnent au rythme lent de la nature, dégageant le doux parfum des réalités vécues dans l'harmonie. Le rythme de la terre chasse les démons. On n'a plus besoin de médicaments, drogues, expédients. On n'a besoin que d'un peu d'efforts au coeur du quotidien, un peu de sueurs au bout du nez. Une main sur l'épaule partagée, une gorgée d'eau à la margelle de l'amitié, un peu de silence aux abords de la nuit.

Francis, rappelle-toi tes arrivées en début d'après-midi, sous le chaud soleil d'été, cheveux au vent, torse nu, en sueurs... et tout heureux.

– Je viens pour ma ration de vie, de soleil, d'amitié, me disais-tu.

Nous devenions tout émus, cherchions des mots. Seules des lueurs remplissaient nos yeux. On se serrait dans les bras, se nourrissait de feu. Pourquoi ne pas continuer?... Francis, viens à la lumière!

chapitre VI

Tous les soirs, seul ou en sa présence, je répétais tout bas ma question: Francis, quand, comment te dirai-je mon secret?... Comment te partager ce qui bouillonne dans mon coeur? Peut-être te l'offrir en vrac, tout d'un coup? Spontanéité. C'est tout un plat, tu sais. Et très chaud! Tu auras peur de te brûler, ne sauras comment recevoir mon présent, le présent de mon passé. Le tien aussi. Nous resterons gênés de chaque côté du plat sans savoir comment l'aborder. Malaise. Me laisser refroidir? Mais ce ne sera déjà plus mon coeur. Tiédeur. François, inspire-moi les chemins de ton fils.

Vers la fin d'août, dans la nuit, l'ai entendu pleurer. Me suis approché. Un tapis de lumière soulevait le pas de sa porte. Ai frappé en disant aussitôt:

– Francis, c'est Michel.

Ai laissé le silence faire son oeuvre. Les gros sanglots se sont tus mais les soupirs douloureux de toute une enfance malheureuse hachuraient le silence. Je risquai,

– Francis, je suis à ta porte et je frappe. S'il te plaît, laisse-moi entrer.

Un plus grand silence me répondit.

– Je t'en supplie, laisse-moi m'approcher de toi!... Je t'attends, Francis. Le temps que tu voudras.

Il n'est pas que la distance qui mesure la différence. Aussi, un mur, une porte, la souffrance de son ami que l'on ne peut étreindre, sa douleur qu'on ne peut souffrir à sa place. Impuissance. Les minutes s'étirèrent en inquiétude. Un silence total s'établit de chaque côté d'une porte muette. Puis à ma grande surprise, la lumière s'éteignit. Quelques secondes très inquiètes et, ô surprise! le pont-levis s'abaissa. Il débarra la porte mais ne l'ouvrit pas. J'attendis quelques secondes respectueuses puis l'ouvris très lentement en disant:

– J'entre, si tu veux bien.

Mes yeux qui étaient demeurés à la noirceur distinguaient très bien Francis maintenant recouché sur le côté, les couvertures jusqu'au cou relevées. Sur sa table de chevet, une pile de feuilles. Lentement, glissant un peu les pieds pour qu'il me sente venir, mesure ma distance, apprivoise ma présence, me suis approché du lit. M'y suis assis. L'ai attendu. En vain.

– Francis, je partage ta peine, tu le sais. Ah! si je pouvais t'aider!

Ai déposé comme une caresse ma main sur son épaule cachant sa figure. Après un long moment, Francis s'est retourné lentement sur le dos. Son épaule a glissé dans ma main. Ma main l'a suivie au bout de mon bras. Sentant encore mon contact, eut un petit geste d'agacement. Ai repris ma main.

– Tapette! Fils de tapette. De deux tapettes. Ah non! C'est pas vrai!... C'est pas vrai!...

Il répétait le mot sans arrêt comme une incantation. Comme pour exorciser les mensonges et les souffrances qui furent la trame de son enfance.

– C'est vrai tout ce qui est écrit là-dedans?...

en tournant légèrement la tête vers sa table de chevet. C'était la première mouture de FRANÇOIS le rêve suicidé où j'avais raconté l'histoire de son père.

Francis avait découvert par hasard au fond de son garde-robes où je l'avais oublié, le vieux manuscrit de FRANÇOIS le rêve suicidé. C'était l'histoire de son vrai père, ses peines, nos amours, son suicide. Dans ces pages torturées, sous le coup de l'émotion, je m'étais appliqué à décrire toute la réalité, si brutale fut-elle, ainsi que les noms et lieux véridiques, les dialogues très précis, les dates et même les heures, enfin, tous les détails possibles. Quand je décidai de le publier, j'ai ajouté dans le texte, au-dessus des noms réels, des noms fictifs et changé certaines circonstances trop précises qui auraient pu provoquer des poursuites judiciaires. Francis y avait trouvé son nom réel, celui de ses parents et ses lieux de naissance et enfance. Il a compris qu'il était orphelin de père mais fut surtout blessé, humilié par les raisons qui ont poussé sa mère à le concevoir. Peu à peu, il a tiré des liens, deviné des détails et reconstitué l'histoire de François, son père biologique, ses chagrins, ses amours avec moi surtout et sa triste fin, inutile et brutale. Ma présence dans sa vie, Guy, et toute cette belle histoire d'amour fou, de fidélité sans conditions. Francis en avait trop reçu d'un coup. Il pleurait.

– C'est vrai. J'aurais aimé t'apprendre peu à peu tous ces détails. Les distiller. Les enrubanner. Te les offrir goutte à goutte, fruit par fruit, à la mesure de ton appétit. Mais non, tu as mangé d'un coup tout le repas, la grappe au complet.

– Est-ce que je vais être tapette, moi aussi?

– L'orientation sexuelle n'est pas héréditaire.

Avec un geste d'impatience, de dépit,

– Qu'est-ce que j'hérite de lui?

– Tu hérites de sa bonté, sa tendresse, son coeur, sa beauté. Tu es sûrement un homme très bon... peu importent les apparences... ton passé. Et tu hérites de son ami. Son amant. Il se tient à la porte de ton coeur et s'offre tout entier pour t'aider... Pour remplacer...

Je n'ai pas osé continuer, ne me sentant pas digne, ne voulant pas aller trop vite, trop loin. D'ailleurs, Francis ne semblait pas m'écouter, perdu dans ses pensées. Ça lui faisait beaucoup de mets nouveaux à digérer d'un seul coup. Il n'en revenait pas. C'est comme s'il découvrait en un instant toutes les fraudes qu'il avait subies.

– Comme ça, Éric Labrecque n'a rien à voir avec mon père. Dire que je l'ai si souvent appelé papa, que j'ai essayé de l'aimer... et qu'à cause de lui, j'ai tant souffert... Et ma mère, c'est bien Denise Labrecque, au moins?... Ah! c'est donc pour ça que mon père... je veux dire: Éric Labrecque, m'appelait parfois François et que ma mère se fâchait chaque fois. C'est donc pour ça qu'ils se chicanaient en me montrant du doigt. Je ne comprenais pas ce qu'ils disaient: c'était encore pire et je me sentais tellement coupable.

Francis défilait son passé et le tissait à nouveau à la lumière d'une nouvelle vérité. Je le laissais seul sur cette route douloureuse, à sa vitesse, son rythme. De grands jets de lumière crue lui montraient de grands vides, là où il avait vu des montagnes, lui révélaient de grandes hypocrisies, là où il avait cru à la vérité.

– C'est pas possible! C'est pas possible!... J'ai une mère qui n'a jamais rien eu d'une mère. J'ai eu un père qui ne l'a jamais été. Et je découvre mon vrai père, mais il faut le déterrer!... C'est quoi ça?... Qu'est-ce qui m'arrive?... Et j'apprends ça dans un livre que tout le monde a lu. Tout le monde savait tout ça et j'étais le seul à ne pas le savoir. J'étais le seul à m'arracher le coeur à essayer de les aimer, au moins, de les endurer... parce que je les pensais des parents, des normaux, les miens... et tout n'était qu'hypocrisies! J'étais le seul à ne pas savoir et le seul à tout supporter.

– Francis, oui, c'est un livre que certaines personnes ont lu mais elles ne savaient pas qui tu étais. J'avais changé tous les noms, les lieux, etc... Et personne ne le sait encore. Seuls, sont au courant les deux Labrecque, moi, mon ami Guy et tes grands parents.

– Encore une autre affaire: c'est qui ça, mes grands parents?...

– C'est le couple qui habitait la roulotte voisine de chez vous.

– C'est pas vrai! C'est pas vrai! Le vieux bonhomme qui venait chiâler contre moi parce que j'allais me promener sur son terrain? D'ailleurs, ils n'étaient jamais là. Puis la fois où j'avais cassé toutes les vitres en arrière... Puis... Ah non! Mes grands-parents, ça?... Je n'en reviens pas.

Francis relisait son passé avec un nouveau regard. Dénouait des liens qui l'avaient blessé, établissait de nouvelles relations entre les événements et les personnes pour en saisir une nouvelle compréhension. Francis énouait son passé, le lissait, l'apprivoisait en le revivant, l'exorcisait en le verbalisant. Mais c'était trop d'un coup, trop récent. Il voulait trop voir à la fois; souvent, il n'exprimait que des bribes de phrases. Son pèlerinage au pays de son enfance se trouvait ponctué d'exclamations et de suspensions:

– Ah non!... Ah ben maudit!... Si j'avais su!...

De longs silences marquaient sa vision intérieure et je n'avais droit qu'à une explosion exclamative en conclusion. Francis voyait; moi, j'entendais. J'ai fini par m'asseoir sur son lit à côté de lui, où il venait lui-même de s'adosser à la tête. Là, il s'est attaché à un autre point d'exclamation qu'il venait de planter quelque part dans le passé et il tournait autour, explorant une nouvelle vision au caroussel de son enfance. J'assistais toujours en silence à cet événement sans doute le plus important de sa vie: la lecture du livre FRANÇOIS. Il y avait appris sa conception comme objet de chantage, puis établissait un lien avec toute son enfance où il fut traité en objet.

À l'occasion d'un silence un peu plus prolongé, je me suis permis de l'interpeler délicatement.

– Francis...

Il ne répondit pas, continuant son exploration intérieure. Un peu plus tard, il s'est tourné vers moi et, comme réponse, m'a regardé un peu ahuri. Lui ai dit:

– C'est toute une surprise qu'on s'est faite ce soir! n'est-ce pas?...

Les mots n'arrivaient pas à sortir de sa bouche. Il tenait toujours sur ses genoux, le livre dans ses deux mains serré. J'ai posé ma main sur les siennes.

– Je comprends tes émotions, ce soir, et j'aimerais beaucoup en parler avec toi. Mais là, je ne sais pas si c'est bien le temps, si tu veux rester seul... dormir... Je ne veux pas m'imposer même si je suis très heureux près de toi. Surtout en ces moments si importants pour nous deux.

– Michel, je pense que c'est fini le sommeil pour cette nuit. Mais toi, tu en as besoin plus que moi. Va te reposer et je vais continuer à penser encore un peu. Et peut-être finir le livre et relire des bouts que je n'ai pas compris.

– D'accord, je te laisse à ta réflextion, et peut-être à ton repos plus tard. Mais de grâce, ne te fais plus de peine pour ce que tu as lu.

– Ne t'inquiète pas. C'est plus l'effet de la surprise, tout à l'heure. N'empêche que je n'arrive pas encore à y croire.

– Ça va. On en reparle demain. J'ai tellement hâte de savoir toutes tes réactions et aussi ce que tu as vécu, toi, de ton côté, comment, etc... Dois-je te dire comme tu as toujours été très précieux pour moi? Dois-je te dire pourquoi?...

– Excuse-moi, Michel, pour tantôt.

– Ce n'est rien. Tout ce qui compte, c'est que tu ne te démolisses pas parce que tu as tout appris d'un seul coup.

– Ne t'inquiète pas. Va te reposer, tu as bien du travail demain. On en reparlera.

J'ai mis mon bras autour de son cou et appuyé ma joue sur sa tête.

– Francis, cette nuit, une grande lumière a brillé sur nous. J'ai vécu les seize dernières années de ma vie pour toi et je t'offre toutes celles à venir. J'ose te dire bien humblement et tendrement: mon petit enfant. Si tu veux.

Je l'ai serré un peu plus fort. Il a pris ma main qui entourait son cou et en a embrassé la paume. Longuement.

– Michel, je ne sais pas que dire. Cette nuit, c'est vraiment trop de lumière à la fois. Je n'arrive pas à tout revoir, sentir, je n'arrive pas à te percevoir encore. Laisse-moi un peu de temps.

– Bonsoir, mon petit ami que j'espère ne plus jamais perdre.

– Repose-toi bien, Michel.

Il m'a fallu beaucoup de temps pour me rendormir. Je croyais que je m'étais fait un doux complice. Je croyais avoir réussi la jonction au-dessus de seize années d'absence. Je croyais avoir de bonnes chances d'être reconnu un jour comme le père du fils de mon amant. Francis, mon fils... Je me demande si je ne suis pas allé trop vite.

Quand je me suis levé au petit matin, Francis semblait dormir. J'ai fait le train, déjeuné et suis parti aux champs. Vers midi, suis revenu. Francis avait préparé le dîner. Il s'activait un peu trop: nervosité, petite gêne? On pensait tous deux à la nuit précédente. J'ai fait le surpris:

– Merci pour le dîner tout prêt. Tu as bien dormi?

– Oui, et toi?

On parla banalités. Ne pas brusquer, gêner inutilement. Il s'offrit:

– Je peux t'aider cet après-midi?

– Bien sûr. Je pense qu'on a besoin de suer ensemble. Félix Leclerc disait que le remède à tous les maux, c'est l'eau: la sueur, les larmes et les croisières. Ce soir, il ne nous manquera plus que la croisière.

Après un petit instant de réflexion, Francis a retrouvé son aplomb, souri,

– Ce soir, on fera notre croisière autour du puits... avec NOTRE François.

Le notre François a picoté dans mes yeux. Pour ne pas pleurer de tendresse, j'ai ri, et ensemble, nous avons pris le chemin des champs.

Instinctivement, après le souper, on avait hâte d'aller au puits. Il m'a servi un gobelet, s'est servi, on a bu une gorgée. Lui, assis sur le banc, moi, sur la margelle en face, on s'est regardé. Mentalement, il relisait le livre; moi, je revivais François: nos yeux étaient habités. Doucement, lui ai dit:

– C'est dans son gobelet que tu bois.

Ses yeux se sont agrandis, tout son corps a penché la tête, recueilli. Sa main gauche est venue rejoindre le gobelet pour le tenir à deux mains comme objet fragile et précieux. Il semblait impressionné comme tenant un vase sacré. Il en a bu précieusement le contenu, comme on communie pour la première fois. Très lentement, il a redescendu ses mains et serré sur son coeur son précieux trésor se disant à lui-même:

– C'est dans son gobelet que je bois.

Après un long silence,

– Je n'arrive pas à y croire, Michel. François, mon père. J'ai eu un vrai père. Il vivait ici, buvait comme moi, avec toi. Il était bon, m'aurait aimé. Je n'aurais pas connu l'enfer que j'ai vécu.

– Francis, tu ne sais pas ce qu'aurait été ta vie si ton père avait vécu. Lui aussi a connu l'enfer. On ne se suicide pas par caprice.

– Oui, je devine un peu, mais tu aurais dû venir plus tôt me chercher, m'enlever... Quelque chose!...

– Crois-tu, Francis, qu'un gai peut aller chercher et élever un enfant sous prétexte que c'est le fils de son amant, même si la pseudo-mère avait été d'accord?... La société d'il y a seize ans était encore bien plus fermée que celle d'aujourd'hui, les préjugés encore plus exigeants, méchants. Aujourd'hui, au moins, nous sommes un peu plus protégés, théoriquement du moins, par la charte des droits et libertés.

– En tout cas, j'aurais été mieux avec un gai généreux qu'avec une mère vicieuse et un père violent.

– Et je t'aurais tellement aimé!... Tu comprendras que je ne pouvais pas faire autrement. J'ai dû faire confiance à la nature, à ta bonne nature. Et je crois que nous avons gagné. Ne crois-tu pas?...

– Ma bonne nature, tu sais...

Nous restions gênés, suspendus au précipice d'un aveu trop difficile, pas encore assez mûr pour s'offrir. Mais je voyais bien qu'un soleil s'activait, adoucissant sa chair, recolorant sa vie.

– En tout cas, moi, j'ai confiance en ta bonne nature, sa force, sa bonté. Et tu me l'as plus d'une fois prouvé. Je suis non seulement très heureux de t'avoir retrouvé mais aussi très fier. Si tous les pères avaient autant d'amour et de fierté que j'en ai pour toi, aucun enfant ne se plaindrait d'indifférence. Ne t'inquiète surtout pas pour moi. J'espère qu'un jour tu comprendras jusqu'à quel point...

Ma gorge s'était tellement resserrée qu'elle refoulait mes mots. Ils durent sortir sous forme de larmes. Ils coulaient sur mes joues, silencieux, véhéments, sincères. Un peu plus tard, j'ai continué avec un petit sourire mouillé:

Francis, mon petit gobelet de François, tout mon puits est à toi. Intarissable, inépuisable.

Son long regard profond s'étant collé sur moi, Francis semblait parti dans une autre dimension ne se retenant ici que par les deux ventouses de ses yeux. Voyait-il François en moi?... Il s'est mis à répéter comme pour tester dans sa bouche l'effet de ses mots:

– François, mon père. Papa François. Papa...

Son regard s'est embué, des larmes se sont accumulées puis lentement se sont écoulées. Pas un soupir, respiration sans changement, comme les nuages pleurent au printemps, la rosée au matin.

– Papa, je t'aurais tellement aimé!...

Francis a fait quelques pas, s'est approché de la margelle, près de moi s'est assis. À la place de François. Je ne disais rien, laissant la nature suivre son cours. Il tenait toujours son gobelet à deux mains entre ses genoux au bout de ses bras étendus. Tête baissée, complètement indifférent à ce que d'autres auraient pu penser, naturel, lui-même, offert, sans respect humain, il m'a dit tristement:

– Michel, si tu savais... ce qu'ils m'ont fait!...

Si tu savais... le cri de François un soir de grand malheur. Francis l'avait-il lu hier soir ou l'hérédité, un même malheur l'avait-il frappé?... Si tu savais, me répétait-il. Me suis un peu approché de lui, mis ma main sur son épaule et l'ai vers moi lentement attiré. Sa tête a fini par suivre le mouvement et sur mon épaule s'est appuyée.

– J'ai eu un père. Un vrai père. Il s'est suicidé, obligé. Je fus abandonné.

Je le laissais parler, il en avait tant besoin; pleurer de peur qu'il ne se noie à l'intérieur. Ma main avait maintenant rejoint son cou qu'elle caressait, sa joue gauche qu'elle pressait. Mes doigts parfois rejoignaient sa tempe qu'ils massaient en caresses. Ma tête arrivait à se tourner un peu et mes lèvres étirées donnaient un demi baiser dans ses longs cheveux. Après un silence, j'ai risqué:

– Tu m'excuseras, Francis, mais je ne sais vraiment que dire. Je t'aime bien, Francis, et je suis tellement heureux de te retrouver!...

La sincérité enrichissait nos silences, nous gonflait d'émotions. Nous restions là, soudés, unis. Amalgame que plus rien maintenant ne séparerait. J'ai recueilli en silence toutes ses émotions et ses souffrances, tous ses regrets et ses dépits.

– Il en aurait fallu de si peu pour que ma vie soit heureuse, ou seulement un peu normale!...

Et d'autres larmes brûlantes descendirent sur mon épaule accueillante. Il fallait qu'il pleure, qu'il se libère, qu'il crie... mais la crise ne s'est pas produite. Je sentais qu'un jour elle viendrait, mais en son temps, comme me l'a appris la nature. Les eaux refoulées doivent un jour s'écouler, la débâcle se déchaîner. L'essentiel est de prévoir. Dans mon coeur, je lui ai offert ma terre, mon puits, mon affection. Mon respect. Quand Francis sera prêt, je pourrai l'accueillir. Ce soir-là, il ne pouvait que répéter quelques phrases manchottes mouillées de larmes: Je ne peux pas croire! Ce n'est pas possible! Si tu savais!... Ah! les Labrecque!

Phrases syncopées, confidences tronquées, douleurs refoulées. Francis semblait tout retenir pour n'offrir d'abord que quelques raisins de la colère, la grappe attendant la vendange. Gare alors au marchand de vin frelaté, gare au mauvais serviteur de la vigne, le malheureux profiteur des vignes du Seigneur. Au jour de la délivrance, terrible sera la débâcle. La vengeance étant à venir, pauvre Francis, il n'a pas fini de souffrir.

chapitre VII

Encore un appel téléphonique à frais virés. Mon coeur a sauté de joie: me rappelais son premier appel, sa première visite. Mon émoi, son charme, surtout son premier pas vers moi. Plusieurs mois venaient de passer, j'étais redevenu veilleur de nuit. Même que l'hiver achevait.

– Michel, je suis près de Trois-Rivières. En désintox.

Un lourd silence a souligné ma surprise. Tout offert, en toute sincérité,

– Est-ce que je peux faire quelque chose pour toi?

Le ton, l'honnêteté...: ce fut à son tour de rester bouche bée. Puis,

– Viendrais-tu me voir...

Sa phrase ne se terminant pas, une intense émotion grésillait sur la ligne. J'ai saisi le fil de son idée pour ne pas l'obliger à se débusquer devant un éventuel surveillant.

– Bien sûr, Francis.

J'ai continué à parler lentement pour lui donner le temps de se reprendre et conserver son image de dur devant son témoin, là-bas. Francis y tenait sûrement au plus haut point.

– Je te remercie beaucoup de m'avoir appelé, d'avoir pensé à moi. J'étais un peu inquiet, tu sais... depuis le temps...

– Je ne pouvais pas. Il s'est passé beaucoup de choses depuis ma dernière visite... L'hiver fut très long.

– Est-ce que le Centre va me laisser te rencontrer?

Il a hésité.

– Ce serait pour venir me chercher, aller faire un tour à mon appartement à Granby, puis venir me reconduire. Deux jours pleins.

– Dis-moi où, quand: j'arrive!

Et je suis arrivé au Centre de désintoxication Mélaric. Il était dirigé par Mélanie et son mari Éric, d'où le nom surprenant.

Un homme changé, apaisé, vêtements neutres, démarche anonyme, gestes lents, verbe sans ressort. Défait. Dépersonnalisé. Malheureux. Ses yeux!...

— Francis, qu'est-ce qu'ils t'ont fait?...

— Rien. Je n'ai pas accepté. Ils croient que je me suis soumis. Je veux partir d'ici.

Un silence inquiet rôda entre nous. Insidieux, un doute appâtait ma bonne foi qui se sentait menacée. Où Francis voulait-il m'amener? Sur quels chemins?...

— Que veux-tu dire?

— C'est la première sortie à laquelle j'ai droit. Tu ne seras pas obligé de venir me reconduire.

Je me sentais trompé, compromis.

— Je paraîtrai un peu ton complice?...

— Mais ce ne sera pas de ta faute: je ne serai pas au rendez-vous dimanche après-midi quand tu viendras me chercher à Granby. Tu téléphoneras au Centre pour le leur dire. Et c'est tout.

— Je pourrais faire n'importe quoi pour te rendre service, mais là, je ne suis pas sûr...

— Michel, je n'en peux plus. Rester enfermé, penser...; mes amis: Jean-Guy, Mireille...

— La vie est si dure là-dedans?

— D'abord, aucune boisson: tu t'imagines?... Du halcion pour remplacer, faire transition à l'héroïne. J'sais pas si tu sais, mais... Des thérapies individuelles, de groupes, des séances de relaxation, de culture personnelle, des cours de relations humaines, du bricolage, des sports de groupe, des sorties de groupe, de groupe, de groupe...: je suis tanné de ce groupe-là.

Toujours rentrer. Surveillé. Toujours la discipline. Les A.A.. Il n'y manque rien pour torturer un gars.

– Je te comprends, Francis. Je sympathise avec toi: ça ne doit pas être facile.

Il fallait un peu d'accueil à sa sensibilité, un peu d'empathie à sa souffrance, une compréhension de ses frustrations. Un silence attentif lui a permis de respirer un air dont il avait tant besoin. Sur le bord de l'asphyxie, il appréciait d'être accepté sans conditions, questions. Sans jugement.

Le paysage défilait lentement à l'extérieur. À l'intérieur, un silence positif permettait à Francis peu à peu de reprendre son souffle normal, de se retrouver un peu lui-même, de rejoindre un peu mon diapason. On essayait tous deux de retrouver l'harmonie menacée qui avait chanté pour nous tout l'été. Francis ouvrit la radio mais eut la délicatesse de ne pas me casser les oreilles. À un petit restaurant de campagne, sans danger de bière ou de drogues, je l'ai invité.

– Pour me reposer de la route.

Sur un ton et un sujet plus neutres, on a pu reprendre un contact parlé. Peu à peu, je me suis rapproché des vraies questions.

– Si ce n'est pas indiscret, Francis, me dirais-tu un peu ce qui t'est arrivé depuis ta dernière visite chez moi... c'était bien à la fin de l'été, non?...

Ainsi posée, la question lui laissait le choix de parler uniquement de la date de notre dernière rencontre s'il ne voulait pas me raconter ses aventures. Il est parti tout de go sur l'essentiel. Sans détour, en confiance. Ne le bousculant pas, il s'offrait; ne le jugeant pas, il se confiait.

– L'artificiel coûte cher. Il me fallait au moins deux coups par semaine: dépanneurs, épiceries, stations-services isolées. Mon portrait-robot s'étalait dans tous les journaux de la rive-sud. Jean-Guy et moi, on vivait dans son auto, ne couchait jamais deux fois à la même place, agrandissait notre terrain de chasse. Toujours dans l'inconnu, l'anonymat, il nous fallait parfois revenir chez nous retrouver nos racines. Jean-Guy et ses parents, Mireille et moi: notre paysage. C'est là qu'on a été doublé. Je redoute Milton, le lâche, à qui j'ai cassé la gueule si souvent à l'école. C'était le 9 janvier; je n'avais pas encore dix-sept ans. Je me suis retrouvé à la Protection de la Jeunesse. J'avais un dossier long comme le bras. J'étais fait comme un rat. Désintox pour commencer, puis retour devant le juge.

– Puis Jean-Guy?

– Pas pris. Jean-Guy conduisait l'auto, c'est moi qui faisais les coups. D'ailleurs, j'ai été pris chez Mireille: le chien à Milton m'avait suivi jusque là. On s'était rencontré, m'avait reconnu. Je suis sûr que c'est lui.

J'ai risqué:

– Je pensais que les Centres de Désintox, comme tu les appelles, respectaient le monde, leur rendaient vraiment service.

– Peut-être, mais moi, je ne voulais pas être désintoxiqué. Avec l'enfance que j'ai eue, je ne suis pas prêt à décrocher.

– Francis, je vais te dire, tout bas, au fond de moi, je souhaite donc que tu ne recommences pas à te piquer.

Il m'a regardé, puis hésité. Je venais d'aller très loin dans son intérieur, dans le champ de sa liberté. Pour moi, c'était une question de vie ou de mort. La piqûre, c'était la mort rapide; pour le reste, la mort me laisserait un peu plus de temps. J'ai été soulagé quand il m'a répondu sincèrement, je crois:

– Michel, je pense que la piqûre, c'est fini. Trop dangereux. Mais je vais prendre la plus belle brosse que je n'ai jamais revirée.

– Oui, bien sûr.

Le coeur me débattait, mais rien n'y paraissait, je crois. La drogue, c'est le suicide à court terme, tandis que l'alcool tue plus lentement: Francis m'accordait un sursis. Pour lui. J'avais bien l'intention d'en profiter.

Avant d'arriver à Granby, on s'est arrêté à une cabine téléphonique. Par quelques appels, Francis a tâté le terrain, établi son itinéraire clandestin. À la fin, tout était déjà prêt pour sa brosse de retrouvailles dès ce vendredi soir et sa disparition pour dimanche.

– Francis, si je peux t'aider de quelque façon...

– Dimanche après-midi, tu téléphones au Centre Mélaric et leur dis que je n'étais pas au rendez-vous. Ils vont te croire.

Après une pause de réflexion, il a constaté,

– Malheureusement, ma cachette chez toi est brûlée. Je ne pourrai plus y aller souvent, ni longtemps.

J'ai beaucoup apprécié que ça l'ait rendu songeur. À mesure qu'on approchait de son repaire, il trépignait, s'exclamait:

– Ah! c'est Tit-Louis! Il a encore amélioré ses bras: as-tu vu?...

Tiens, cette maison-là a été repeinte.

Ici, rien de changé.

Peux-tu me passer un peu d'argent?...

– À la condition que tu me téléphones au moins chaque semaine. OK?...

– Promis.

– Je te donne cinq dollars par téléphone. Vingt dollars, ça fait un mois. Ensuite, tu me donnes un rendez-vous et je te paierai un autre mois si tu m'appelles comme convenu.

Il m'a regardé en souriant, amusé, heureux.

— Je n'aurais jamais cru que pouvaient exister des gars comme toi!

— Comme toi non plus, Francis. Mais j'ai peur que tu sois malheureux.

— Voyons donc, Michel! Une bonne brosse puis...

— Mais le lendemain?

— Le lendemain, je penserai à toi.

— T'es mieux! N'oublie pas que tu as quatre téléphones en poche. Je-veux-des-nou-velles!... Sérieusement, je t'apprécie tellement, Francis!

— Moi aussi, Michel, je t'apprécie beaucoup, tu sais.

En se séparant, on s'est échangé une chaleureuse poignée de main. Je croyais que rien n'était perdu, mais...

Tout l'été, n'ai eu que très peu de nouvelles. Quelques fois, il est venu en pleine nuit en auto volée. Il la cachait derrière le hangar. Parfois très blême, apeuré, amaigri. Souvent très excité, hors de lui.

— Est-ce que je peux faire quelque chose, Francis?

— J'ai faim. Je m'endors. ...M'ennuie de toi... surtout de la ferme, des animaux, de la tranquillité.

...de toi...: son coeur s'était échappé mais sa raison a tout de suite recouvert cette fuite. Par bribes, j'ai connu et deviné ses folles équipées. Il se promenait seulement en autos volées, changeait d'appartement le plus souvent sans payer, vivait de vols, drogues, rapines de toutes sortes, abus de confiance: écumait le système.

– Maintenant, j'ai un gun. N'aie pas peur, je vais seulement te le montrer.

J'ai frissonné comme devant sa seringue. Aussi dangereux.

– Tu sais bien qu'il est presqu'impossible de voler les banques. Les dépanneurs s'organisent: tu es sûrement au courant du nombre de jeunes qui se font descendre...

– Michel, tu sais bien que je prends mes précautions. ...Mais ça prend du nerf quand même: faut que j'aie bien l'air de vouloir tuer, mais en même temps, il faut toujours que je sois bien décidé à ne jamais tirer. Ça prend du nerf. ...Tu m'dénonceras pas, toujours?!...

– Bien sûr que non. Je sais que tu n'es pas méchant et que tout va se replacer. Bientôt, j'espère!... Mais ne va jamais tuer, par exemple! Là, je ne sais plus. Là, j'aimerais mieux ne pas le savoir. Là, faudra plus te fier à moi. Non, vraiment.

– T'es ben correct avec moi, Michel. Rassure-toi, je n'ai pas l'intention de tuer qui que ce soit. Pas même les Boeufs.

– Puis, si jamais tu es pris, je jouerai toujours l'innocent, le gars qui ne sait rien. On va s'entendre là-dessus, Francis, si tu veux. Même si un enquêteur te dit que j'ai déposé contre toi, ne le crois pas. Jamais je vais t'doubler. De même pour moi: je ne croirai jamais un policier qui dira que tu m'as dénoncé. Ma confiance en toi est totale. J'espère la tienne. ... Et tout ça, parce que je crois en ton bon coeur, la bonté qui dort en toi. Tu es fils de François, tu n'es pas méchant: j'ai seulement hâte que tu t'en rendes compte.

Francis me regardait, admiratif mais un peu ahuri. Après une longue hésitation, profonde réflexion, il conclut:

– Oui, tu es un gars ben spécial, Michel! Ben-en spécial!....

–Francis, c'est fou peut-être, c'est peut-être ridicule pour toi, mais je t'aime. Tout simplement, je t'aime. Et tu le sais, je crois.

– Mais si je tue quelqu'un, tu vas me dénoncer, puis tu dis m'aimer?...

– SI je te dénonce, ce sera pour te sauver la vie. Je suis prêt à risquer ta haine, même ta vengeance pour t'empêcher de te faire tuer. Je t'aime assez pour ça. Tiens, c'est comme le Centre Mélaric: si tu n'y étais pas allé, aujourd'hui, tu serais peut-être déjà mort. Tu sais combien de temps vivent les junkies actifs?... En quel état?... Après les piqûres dans le bras, c'est entre les orteils, sous la langue, dans les mollets. Et de plus en plus souvent et de plus en plus fort. Et quand ils sont en manque, tu sais quelle sorte de fous, ils deviennent. Je suis bien content que tu aies été condamné à une désintox. Même si tu n'as pas aimé ça.

Francis dodelinait légèrement de la tête mais sans dire non. En terminant mon discours,

– Si tu deviens meurtrier et que je te dénonce, au moins, je t'aurai averti avant. Alors, faudra pas me mettre dans ces secrets. Chose certaine, je me sentirai coupable toute ma vie de ne pas t'avoir assez aimé pour t'en empêcher. Pour avoir trahi ton père et la mission qu'il m'a donnée. Mais tel que je te connais, je crois que jamais tu ne deviendras meurtrier.

Je me suis lentement agenouillé entre ses genoux écartés. J'ai soulevé sa main et posé ma tête sur son genou gauche, juste en face de son révolver qu'il tenait dans sa main droite et dont le canon restait appuyé sur sa cuisse. J'ai affectueusement ramené sa main gauche et l'ai serrée de tout mon coeur sur ma joue. Il a immédiatement retiré le révolver et placé sur la table. Je l'avais désarmé: c'est ce que je voulais. Sa main droite alors est venue se poser naturellement sur mon cou. Francis le serrait un peu, massait, caressait. J'avais fait mon discours, il me répondait. Il a ajouté longtemps après, presque tout bas, surtout pour lui-même:

– Tu as un peu raison.

Plus tard, a continué son idée:

– Moi aussi, j'ai une mission: les Labrecque. Ils vont entendre parler de moi.

Il partit peu après, car la nuit avançait. La sienne.

chapitre VIII

Au cours de l'été, j'ai reçu quelques appels, quelques visites. Je ne posais pas trop de questions, le mettais juste sur la piste. Francis ne s'y engageait pas. Je le regardais intéressé et restais attentif.

– Tu n'as pas de permis de conduire, pas d'assurances, ça ne t'inquiète pas trop de sortir en auto?

– Je suis bien prudent et je sors la nuit.

Mon inquiétude allait toujours grandissante. Ne me parlait pas de son père, du livre qui l'avait pourtant bouleversé. Trop, peut-être?... Répondait parfois à mes timides reproches:

– Je suis un enfant maudit. Si tu savais l'enfance que j'ai eue!

– Mais voyons, Francis, tu ne peux pas rester accroché à ce passé. Te justifier par ce passé! Tes malheurs, tes malheurs... ton enfance, ses souffrances, c'est terminé. Maintenant, c'est toi qui choisis tes malheurs ou tes bonheurs, revis ton passé ou construis ton futur. Maintenant, tu ne peux plus accuser que toi-même. Francis, je t'offre mon bras. Si tu veux, je peux.

– Je te remercie Michel... mais un jour, je te raconterai. Tu n'en croiras pas tes oreilles.

– Je te crois, Francis. J'ai passé quinze ans de ma vie à ne penser qu'à toi, à deviner ta vie de petit enfant malheureux. À en souffrir. Je devine un peu l'abîme d'amertume où tes pseudo parents t'ont plongé. Tu ne voudrais pas en parler un peu tout de suite?...

– Non, Michel, je suis pressé. Pas le goût pour ça aujourd'hui. J'ai des choses à faire avant. À prouver.

– Je te respecte encore, toujours. Peut-être trop?... J'espère que l'avenir ne me donnera pas tort. Tu dois savoir que tu es entré dans ma vie, qu'un beau secret nous tient par la main, comme je t'ai déjà dit. Que je suis attaché à tes pas, que je bats dans ton coeur. Que ton coeur bat dans le mien. Mais de grâce, ne joue pas du révolver. Ne tue pas, ou pire encore... ne sois pas tué! ... Je me demande comment je pourrais te survivre...

Il a senti mon émotion, sincérité. Francis s'est approché sans paraître ému, même qu'il était un peu souriant. Il avait pris mes admonestations avec un grain de sel. Condescendant, m'a serré dans ses bras. Bien délicatement, affectueusement, il a collé sa joue sur mon front. Il a frotté mon dos de ses mains. Puis a seulement décollé sa tête et sa poitrine pour me regarder dans les yeux, rassurant.

– Ne t'inquiète pas, mon tit-père!... J'ai lu un seul livre dans ma vie, mais je ne sais pas si c'est le bon. Là, je suis en train de lui répondre à ton livre; je suis en train d'en écrire un, moi aussi. Il ne sera pas aussi joli, mais il fera beaucoup de bruit. Plus que le tien, en tout cas.

– Francis, je respecte ta liberté; toi, respecte mon affection, ma responsabilité envers toi. Respecte la vie des autres et la tienne. Me verrais-tu perdre ma seule raison de vivre après avoir tant espéré, tant aimé ...depuis tant d'années?...

– Michel, j'ai assez d'expérience, appris à être prudent. Je ne tuerai personne, mais ils vont connaître l'effet de l'éducation qu'ils m'ont donnée. Les Labrecque vont entendre parler de moi. Je vais leur renvoyer leur image: elle va leur péter dans la face!

Il avait les dents si serrées, les traits effrayants, l'air si violent. Une rage sourde l'habitait. Puis ses traits se sont radoucis. Le ton redevenu affectueux, il s'est fait si condescendant... comme si c'était lui, le protecteur. Je me sentais comme un petit chat domestique, un tout petit lapin tout blanc, sans défense, caressé, cajolé entre deux mains immenses. ...C'est vrai que je m'y sentais si bien! Mais...

– Mais toi, Michel, ne t'inquiète pas. Je pense à toi plus souvent que tu ne le crois. Ton tour n'est pas arrivé. Là, c'est mon livre qui compte, pas le tien. Mon enfance, pas ta fidélité.

De ses belles grosses mains si fortes, il a massé mes épaules, mes bras, mes mains. Il m'a soulevé et pris dans ses bras comme François, Guy, m'a fait tourner en me serrant très fort sur son coeur et porté dans mon lit. A gentiment déclaré:

– Je te laisse avec François. Moi, j'ai encore à faire.

Sur un ton sinistre:

– Avec les Labrecque!

Il m'a embrassé sur le front et s'en est allé. Je l'ai suivi jusqu'à la porte de la cuisine. Il m'a donné la main.

– Je t'aime bien, Francis.

– Ne t'inquiète pas, mon tit-père. J'te téléphonerai.

C'était encore sa nuit. Il est parti.

... Et ce fut ma nuit. Encore de longues semaines d'inquiétudes, de tremblements en écoutant les nouvelles, lisant les journaux.

Francis, que mijotes-tu?... Francis, ne va pas trop loin. Qu'est-ce que tu dirais si ton livre, on l'écrivait ensemble?... Laisse-moi t'aider. Je serais ton complice. Tu me dirais les faits, je leur donnerais la forme; tu serais mon inspiration, je serais seulement tes petits vers, ta poésie. Tu dirais le nombre de pieds, je te suggérerais la rime. Tu me dirais de grandes phrases passionnées, je les couperais en deux ou trois pour mieux les enflammer. Ensemble, on ferait un grand feu de ta vie, un succès de ton livre. Un beau spectacle qui attirerait les larmes, la sympathie. Les parents liraient ta vie, s'amélioreraient. Les adolescents, adolescentes pleureraient sur ton enfance, réfléchiraient avant de basculer dans la société leurs propres enfants sans les désirer, sans pouvoir les éduquer, les aimer. Des enfants nous liraient et peut-être pourraient-ils mieux parler à leurs parents. Des adolescents apprendraient que l'ami qui leur offre de la coke n'est pas leur ami. Des rockers sauraient qu'ils peuvent aimer et le laisser paraître. Des victimes, pardonner. Des enfances ratées, se reprendre avec raison. Des pleurs s'assécher. Des fleurs s'épanouir même sur des tas d'immondices. L'amour peut s'approfondir dans la fidélité, la fidélité se nourrir à même l'amour. Les Jonathans, sous forme de beaux goélands, revenir à tire d'ailes pour calmer nos tourments. Qu'une étoile, au firmament des cieux, est toujours prête au clin d'oeil complice. Qu'un gobelet rempli d'eau fraîche nous attend toujours quelque part si l'on sait marcher vers une fontaine. Que notre boussole, si elle a perdu le nord, c'est peut-être pour mieux nous diriger vers la source. Qu'un ami nous attend toujours quelque part, même au-delà du temps, du froid, de l'espace. Qu'un coeur bat toujours, parfois si près, trop près pour le prendre au sérieux. Qu'un homme peut pleurer, un enfant caresser un petit lapin et dormir heureux dans les beaux gros bras protecteurs de son ami. Qu'une femme peut respecter la nature de son mari, partager ses pulsions avec son ami. Que deux hommes peuvent se caresser, se regarder avec des flammes dans les yeux, se serrer dans les bras, même coucher ensemble sans nécessairement faire l'amour. ...Et même s'ils faisaient l'amour?... Que la méchanceté ternit la prunelle de ceux qui jugent et condamnent le mal chez les autres quand ce n'est que tendresse et bonté. Que les préjugés sont paresse du diable. Que le corps de l'homme et de la femme ne sont pas que plomberie à bébés, mais aussi relais de leur âme pour faire naître des étoiles dans leurs yeux et promettre l'éternité.

Francis, qu'est-ce qu'on n'écrirait pas ensemble si tu voulais? Revêts ton costume de cuir, ton chandail blanc serré, gonfle ton biceps en tenant ta veste sur ton épaule, allume chacun de tes gestes, enflamme le monde à chacun de tes pas. Le feu ainsi partagé brillera à ta paupière, réchauffera ton coeur et soulèvera mon écriture racontant mes visions. Ton coeur battra au coeur de mon verbe et notre amour partagé enfantera des rimes chaleureuses au bout de tes six pieds, mon hémistiche préféré. Tu caresseras les ondulations de mes phrases du bout de tes grands doigts. Les étireras-tu jusqu'à François, les gonfleras-tu jusqu'au plaisir partagé? Les rempliras-tu comme tes quarante centimètres de biceps? Nos émotions se répandront de joie sur la belle page blanche de nos inspirations. D'un chapitre à l'autre, nous voguerons ensemble de l'enfance à la maturité en rencontrant amitié, indulgence, bonté. Nous découvrirons la vie, pressentirons la mort, témoignerons de l'au-delà du corps caressé, du sexe utilisé pour communier malgré les obsessions du péché pour esprits desséchés. L'amour de François renaîtra pour moi et pour tous dans la beauté de ta force, la bonté de tes mains, le feu de tes yeux, la sincérité de ton sourire. Tu redeviendras mon étoile perdue qui piquera dans mon vieux champ les nouveaux plants d'une exemplaire fidélité. Y pousseront de jeunes étoiles ou de beaux bleuets qui s'appelleront Francis ou Mireille, Daniel ou Sylvie et pourquoi pas Jean-Guy? Une nouvelle génération de beaux fruits relaiera au monde assoiffé de paix, authenticité, justice, les sucs précieux de la fidélité, bonté... De l'essentiel. Francis, écris avec moi. Prends ma main: écrivons ensemble. Francis!...

Francis n'écrivait rien.

Je travaillais la nuit, je dormais le jour. Pourtant, c'était comme lui. ...Et je fus réveillé un beau midi, au beau milieu de ma nuit. Sa nuit aussi.

– Michel, je suis à Parthenais.

Le coeur serré, je n'arrivais pas à prononcer un mot. Il enchaîna.

– J'ai fait ce que je voulais, puis j'ai été pris. Vol à main armée. Le spectacle est commencé, c'est le deuxième acte. J'ai terminé mon enfance, la vengeance est arrivée. Maintenant, la grande bataille est engagée.

Je restais toujours bouche bée.

– Viens voir ça. ...Es-tu toujours là?

– Oui, oui.

Comme tombé des nues, comme devant la chute à mes pieds d'une statue adorée, je n'étais plus sûr de ma foi.

– Francis!...

– Viens me voir, tu as le droit. J'te raconterai.

– À quelle heure, adresse, et...?...

Je m'y suis tout de suite rendu. Francis, fils de Denise Labrecque, avait écrit seul son livre, si loin du mien imaginé! Cynique m'a raconté sa comparution, exalté, tout d'une traite.

– Ça a commencé au Tribunal de la Jeunesse. Je suis entré, solennel, menottes aux poings, entre deux gardiens. Un autre ouvrait les portes en avant, un quatrième les refermait derrière. Une escorte. Quatre hommes près de moi, quatre hommes s'occupaient de moi. J'étais devenu quelqu'un. On s'occupait de moi. Je n'étais plus seul dans un petit berceau, dans une chambre vide. Je n'avais plus besoin de crier pour qu'on s'occupe de moi. J'avais trouvé le moyen, j'avais réussi. J'étais Quelqu'un maintenant.

C'était comme une entrée solennelle dans l'église. Je me voyais m'avancer si fier, si heureux, regardé de tant d'yeux. Près de moi, je sentais vaguement une présence froufroutante, un glissement de taffetas. Je crois que des regards admiratifs, envieux s'accrochaient à moi. Des murmures d'admiration s'amplifiant, devinrent bientôt des vivats et des applaudissements. Je triomphais. J'avais réussi. On s'occupait de moi. Puis le célébrant est entré, solennel. Un thuriféraire l'encensait.

– Tout le monde debout!

Je me suis levé le plus gauchement possible et avec le plus de bruits possible. Je voulais que tous entendent grand bruit de chaînes revenant d'un autre monde, la pseudo enfance à laquelle je fus condamné.

Devant l'autel, le célébrant s'activait, des acolytes le servaient, préparant la cérémonie dont j'étais l'objet. Toute une société maintenant exécutait un rite très précis, élaborait un cérémonial en mon honneur. On s'échangeait des documents, se chuchotait des mots importants. Dans la salle, plusieurs me regardaient attentivement; je remarquais pitié, admiration, colère, affection. C'est eux qui m'avaient fait, je leur rendais leur monde. Ils ont tous continué leur rite, récité des formules. Tout semblait pour moi, à mon endroit; mais tout s'adressait à la société, à l'envers. Le célébrant me disait:

– Vous lui devez assistance, l'aimer, la servir. Lui obéir! Pour toujours.

Et à la société froufroutante qui se couvrait parfois d'un léger murmure,

– Vous devez entourer Francis, ici présent, l'aider, le contrôler, en faire votre ami. Vous ne faites plus qu'un avec lui. Pour le meilleur et pour le pire.

Je les voyais, complices, tout décider de moi, pour moi, au-dessus de moi, hors de moi. Je les voyais évaluer, machiner entre eux. Ma présence, mon être, mon passé - mon absence de passé - n'étaient plus là. Un rite avait pris le dessus sur la réalité. Ma réalité. Un rite pour amadouer des forces qui les dépassaient. Moi, Francis, j'étais un objet qu'on trimbalait d'un document à l'autre, avec un dossier qui s'épaisissait de plus en plus. Mon père me lançait à ma mère, ma mère m'envoyait me coucher; mon père me rattrapait, recommençait.

. Le 12 décembre, vous avez vendu du haschich à un mineur...

. Le 18, vous avez arraché une boîte téléphonique et volé...

. Le même jour, vous avez brisé trois parcomètres à...

. ...

Je ne l'écoutais plus. Je sentais les fourmis s'agiter entre mes pieds. Les tamias avaient disparu. Les cigales et les crapauds presqu'oubliés. Dans le ciel vide de mon enfance, les oiseaux ne chantaient plus... ne restait qu'une grenouille s'enfonçant dans la boue.

Moi, Michel, les yeux pleins d'eau, j'écoutais et sentais le poignard de son récit s'enfoncer brutalement dans ma vie.

. Vous avez volé le porte-monnaie et plus de 200 $ et toutes les cartes de Martin Santerre dans son auto...

. Pour la Xième fois, vous êtes accusé de prostitution... trafic de pilules... vol au dépanneur... voies de fait sur un livreur...

– Oui, je sais, je sais que je me disais. Ils peuvent en mettre tant qu'ils voudront. Ça impressionne. Je suis mineur. Je veux qu'ils me connaissent.

— Vous avez trahi votre parole, refusé la désintoxication... Fugues... Recel... Vol à main armée... vous avez tiré...

— Ils ne se sont jamais occupé de moi; moi, je vais m'occuper d'eux! Ils veulent me marier à la société? Ils veulent marier la société à moi?

— Francis, ici présent,...

— Non coupable! Jamais ne serai coupable de ça! Jamais, je ne serai votre complice! Le complice de votre société. Le fond des ruelles est mon univers, les chambres crasseusses, mon royaume. J'y règne en maître, y fais la loi. On me paye redevance, partage le butin. On escroque, abuse de ceux qui ont confiance: eux autres furent aimés. Ce n'est que prendre un peu de surplus aux riches pour le partager en un peu de chaleur entre les pauvres. Vous avez tout eu: vous avez été aimés. Nous n'avons rien que la rue, mais nous sommes armés.

Un feu de vengeance coulait de ses mots, son cynisme me glaçait, me paralysait d'effroi. Il continua avec ironie, ajoutant le geste à la parole:

— Passez par ici, approchez: la ruelle est propre, le parc éclairé. On ne vous fera pas de mal si vous voulez collaborer. Le lampadaire, là-bas, ne vous rassure-t-il pas?... Mais une porte dérobée sur le côté du garage communique avec le vieux hangar d'une maison abandonnée. Avec notre butin, on pose le crochet en passant et on entre en arrière de la maison de rapport. Plusieurs amis gardent nos précieux trésors si vite dépensés.

Mon coeur de père me fondait dans les entrailles, ma vue s'obscurcissait.

— On a parlé de criminel d'habitude à seulement dix-sept ans et envoyé à Parthenais. Tribunal des Adultes, fut craché avec mépris. Je sortis encore plus solennel, hautain, méprisant, claquant du talon à chacun de mes pas. Aujourd'hui, j'écrase cette société qui me juge, condamne, rejette. Par mon attitude, lui crache mon mépris. Vous ne m'aurez pas même si vous m'avez pris. Je continuerai, même en dedans, à vous mépriser, contourner vos lois, vous dominer. Quand je sortirai, je me vengerai: vous n'en n'avez pas fini avec moi. C'est VOUS qui m'avez fait ce que je suis!...

J'ai risqué timidement:

— Mais que t'ont-ils fait Francis?... Je ne te reconnais plus!...

— Une vie d'injustice.

Désespéré, je ne savais plus que dire; démoli, ne pouvais plus réagir. Je l'ai écouté, laissé se vider, défouler. Longtemps. À la fin, après un long silence,

— Francis, je voudrais te serrer dans mes bras. Que j'aimerais dépasser cette vitre qui nous divise pour te serrer très fort sur mon coeur! Tu as tant besoin de tendresse, du contact du respect.

Pas d'autre réponse qu'un rapide bonjour de part et d'autre. Il m'a souri pour se donner contenance et, à ma demande, dit qu'il m'appellerait. Je l'ai caressé d'un long regard douloureux, digne de sa souffrance. Mais Francis s'en allait déjà. Deux très larges épaules, lentement, fièrement se dirigeaient vers un monde hermétique, cruel, dans une partie déjà perdue. Dans son glacial terrier où se raidissait le long ressort de sa violence pour mieux rebondir plus tard sur ses victimes, Francis se perdait.

Que ce mois fut long, mon sommeil difficile! Sans nouvelle, je lui ai écrit: était-ce maladresse?... Pas de réponse. Puis enfin, son téléphone: une invitation.

– Viens voir mes bras, mes tatouages. J'ai quelque chose à te conter.

J'avais peu d'espoir, ne m'étais point trompé.

Francis écrivait seul son livre d'exploits, je n'avais plus droit au chapitre. Francis exprimait sa haine, sa vengeance, distillait son venin. Même si je n'étais pas visé, je fus empoisonné. Lui aussi d'ailleurs. Quand on s'attaque à la société, la démolit, c'est son propre nid qu'on détruit. Il faut dire qu'à dix-sept ans, passer trois mois à Parthenais...

Francis se tenait surtout avec les meurtriers: c'étaient ses héros. Les écoutait, buvait leurs paroles, racontait leurs exploits. Communiait à leurs excès. Il se laissait imbiber par le mépris de la société si clairement exprimé. Nourrissait sa révolte. Revenu à sa cellule, reprenait les paroles, les imprimait dans sa tête, les ameutait dans son coeur; les activait, les gardait chaudes, prêtes à s'enflammer. C'était les munitions de sa guerre, la guerre du mal déclarée à neuf ans, m'avait-il confié. Il ne pouvait oublier. Les trêves ne duraient jamais longtemps. Maintenant, il le savait: lui aussi, un jour, il tuerait. Il le sentait: il n'en pouvait être autrement. Avec la vie qu'on mène... le sommet ne peut pas être que pour les autres. Il se laissait lentement imprégner par l'idée, apprivoiser par le sommet. Que l'idée fasse son chemin! On s'habitue à tout. Quand je serai prêt... m'a-t-il avoué... en détournant son regard. Francis suivait leurs conseils:

– Écoeure les gardiens. Sois méchant: la bonté est toujours écrasée et on n'obtient jamais rien. Ne te mêle pas aux autres. Ne donne rien, ne reçois rien. Tout se paye, soit prudent. Prends le rythme d'en dedans. Fais ton temps. Méprisant.

Francis se répétait les paroles, les conseils, les mûrissait dans son coeur. Vivait de plus en plus sur la gaffe, achetait du hasch. Monnayait tout: le cabaret d'un repas et un paquet de cigarettes, un chandail et un dessin fait à la main. Surtout les corrections à donner. Parlait des heures et avec passion de vols et des règlements de compte, de toutes sortes de crimes et de l'argent rapporté. Devisait avec indifférence des prisionniers suicidés. Peu à peu, se forgeait une image. S'entourait d'une carapace. Il se rappelait toujours les principes et les mettait en pratique:

— Faut pas paraître faible, sinon tu te fais écraser. La bonté, c'est ta mort. Fais ton chemin à coups de poings. N'attends pas de justice, sinon c'est la fin. Fais-la toi-même, la justice. TA justice. Ou tu meurs comme un chien.

Francis louait une télévision de temps en temps grâce à ses petits commerces, refusait tout avec mépris, même les rares petits travaux offerts, mais se faisait des gros bras. C'était sa seule activité. Le plus souvent possible au gymnase, il gonflait sa force naturelle, son corps d'athlète. Donald, son copain d'entraînement, condamné à deux vies, évadé puis repris, lui disait souvent:

— Ne te laisse pas commander par ton subconscient. Quand tu refuses un effort aux haltères, quand tu veux passer un exercice, c'est ton subconscient qui te trouve des raisons. Ta volonté doit décider, dépasser ton subconscient. Pousse de la ferraille, il faut être fort pour plus tard. Force, force! Tu refuses de subir! Tu veux conquérir!

Francis s'attelait à l'effort, suait comme un cheval, s'esquintait. Ses bras se gonflaient à la mesure de sa révolte. Il se servait du présent pour enterrer le passé et déchaîner le futur. Attendez que je sorte!... se disait-il dans la sueur de l'effort devant le miroir, admiratif. Francis se vengeait de la vie en préparant la mort. J'écraserai. J'écraserai qu'il répétait à chaque exercice exténuant. C'était son leitmotiv, sa raison de vivre, son objectif. Ses bras et son torse se couvraient de tatouages peu rassurants. Francis devenait admiré, respecté. Il s'essayait parfois à défendre quelqu'un, un copain, non par bonté mais pour tester son influence, ses gros bras. Et ça marchait. Francis avait du succès. Il augmentait toujours l'importance de l'adversaire et il l'emportait sans arrêt. On le respectait. Ça l'ennivrait. Avec euphorie, il s'endormait le soir. Il faisait des rêves de violence, se créait des ennemis pour le plaisir de vaincre, de les écraser. Il avait tout un passé à reprendre! Mais en prison, manquait d'expérience.

Il se promenait le torse bombé, la tête haute, presque provoquant. Soutenait toujours le regard des autres et régulièrement descendait au trou.

– Mon image! Ceux d'en dedans, c'est seulement pour me pratiquer. Les vrais bénéficiaires sont en dehors. Ils ne perdent rien pour attendre.

Francis se retenait de trop attaquer, ne voulait pas dilapider son agressivité. À force de rejet et de solitude, il avait désespéré de l'accueil. À force de violence et de méchancetés, il ignorait la bonté. Insensibilité. À force de vide et d'absence, il demeurait à la dérive. Francis se repliait sur ses fantasmes. La haine éclaboussait tout, autour de lui. Même lui. Francis passait pour un dur, un vrai gars d'en dedans. Il était considéré, respecté. Ce qu'il n'avait pu faire dans son enfance, être aimé, admiré en étant bon, faisant le bien, ici, il le réussissait par le crime et la violence. Il venait de trouver sa vocation, sa profession: criminel. Et il s'endormit encore dans l'euphorie. Il avait dix-sept ans.

Maintenant Francis marchait toujours lentement, surtout quand un gardien l'attendait ou qu'il retardait une filée de détenus. Il attendait patiemment devant les portes à barreaux qui s'ouvraient lentement, même quand le garde faisait exprès pour montrer son rejet. Il suffit de quelques secondes d'attente, moulte fois répétées, pour attiser le mépris, scier la patience. À chaque porte, au bout de chaque corridor, dans chaque recoin, on le suivait bien, le petit caïd qui faisait son chemin. De chaque côté de la clôture, du gardien comme du prisonnier, le même but: Tu ne m'auras pas, j'aurai ta peau! Toute occasion était bonne pour parler bêtement, aux gardiens surtout.

– Tu m'as pas fait venir icitte, rien que pour une lettre!?...

Pas encore ça!...

Il est correct, ce chandail-là!

Toute occasion était bonne. Pour s'aguerrir. Écrire son livre et gagner sa guerre.

Il terminait son troisième mois à Parthenais, salle d'attente du jugement. Quel est ce trou noir entre ciel et terre, ce Dachau civilisé, ce gouffre antimatière qui dévore tout? Qui pourrait y résister sans devenir fou, fou de violence ou de déraison?... Francis y vivait emprisonné entre ciel et terre à l'écart de toute réalité. Impression de déchirement, totale insécurité, torture mentale. Le sol est une nécessité pour un être humain. Le contact avec ses semblables aussi. Quinze minutes de repas, seul en cellule, rarement le gymnase et la culture physique, séparé même de sa visite par une vitre. Avec le temps, c'est la détérioration physique et mentale, c'est l'automutilation, le suicide. Se crever un oeil avec une mine de crayon, se pendre. S'ouvrir les veines, se laisser crever de faim. Un gratte-ciel est peut-être impressionnant vu d'en bas, mais n'en pas sortir du sommet pendant des mois donne le goût de se jeter en bas, ...ou de s'accrocher. Avant même son jugement, le prisonnier est condamné à la ciguë de l'architecture. Comme Socrate, il marche dans sa cellule, relève le drap par dessus sa tête, et... Le Grand Patron va constater, froid et fonctionnel devant les journalistes, à la télévision:

– C'est vrai, ça arrive. Un suicide, on peut pas toujours empêcher ça.

Le drap est changé pour le maquillage de la mort. Le drame est refilé à la famille, compilé en statistiques. Ainsi plus digestible, ce suicide nourrira l'intellect savant des nécrophages universitaires et politiques, pour ressortir sous forme de moyennes, en intellectuels excréments, purifié comme de l'argent lavé. On aura réussi à vider cette mort humaine de son sens dénonciateur, à se déclarer non coupable devant cette accusation globale et à désamorcer cette bombe placée dans la conscience de la société. Mais des familles se souviennent et se souviendront longtemps. Intolérable n'est pas un vain mot. Non plus que respect. Parthenais.

chapitre IX

À Parthenais, Francis se perdait. À dix-sept ans, pensionnaire à l'école du crime, lui, si brillant, si bien disposé... il y faisait ses classes, laissait sa marque. On lui devait déjà plusieurs cicatrices. Francis aimait la guerre, y prenait du galon. Francis montait en grade au royaume de l'Inhumain.

L'Inhumain commencé très jeune: c'est le petit enfant que l'on torture par son indifférence. Suprême absence. Le petit coeur qui vagit dans son berceau entre quelques cris et des mains glacées. C'est l'enfant qui voudrait être aimé, reconnu, respecté que l'on trimballe dans tous les foyers nourriciers ou qu'une mère qui n'en n'a que le nom relègue aux oubliettes de son indifférence. C'est le jeune qu'on a planté comme un piquet au tribunal de la jeunesse devant Maître Corbeau sur un arbre perché tenant dedans son bec le fromage de l'autorité que lui a confié la société:

– Débarrasse-nous de cet enfant perdu.

La mère est déjà loin, comptabilisant ses amants.

Si l'enfant se soumet, c'est d'autres foyers nourriciers ou encore l'indifférence de sa maman, l'humiliation d'être un objet. S'il se révolte, c'est les centres d'accueil plus sécuritaires, moins sécuritaires, plus fermés ou moins fermés. Là, il jouera des poings, déjouera les gardiens. Là, il se fera respecter, vivra la délinquance, apprendra le crime. Parce qu'une femme qui n'aura jamais rien eu d'une mère a voulu d'un enfant comme objet de chantage pour garder son amant.

Qui est demeuré objet? Où sont les parents quand l'enfant est écrasé sous le maillet du jugement?... Un an, deux ans, cinq ans, jusqu'à votre majorité: quelle différence? Chacun retourne soulagé à ses petites préoccupations quotidiennes, mais l'enfant est de plus en plus entraîné dans la spirale de la violence, dans les sables mouvants de l'injustice légale.

Quand des parents abandonnent, c'est toute la société qui abandonne. Et qui écope. Nous avons les criminels que nous méritons... et Parthenais comme l'Université du Crime, de la Déraison et de l'Inhumain. Et Parthenais survit toujours.

J'allais voir Francis une couple de fois par mois. Je le sentais dur, inattaquable. Imperméable. Il me souriait un peu en évacuant mes tentatives d'approche par des bravades, échappatoires. Me coupait la parole quand j'abordais son coeur. Me désarmais quand je levais l'arme du souvenir de son père, ses plaisirs sur ma ferme, nos joies communes, promesses inarticulées.

– J'ai trouvé mieux: ma vie est avec eux. J'ai beaucoup d'amis, ici, des succès inespérés. Regarde mes bras, Michel... J'ai appris quelques passes de karaté, des trucs pour ne pas s'faire prendre.

Un long regard douloureux de ma part le rendait paternaliste.

– Voyons, Michel. Ne t'en fais pas. On peut rester amis, non?... Pense... quand j'irai te voir en Porsche, bien habillé, de l'argent plein les poches. J't'oublierai pas, tu sais. Seulement, je serai riche et respecté. Tu seras un grand ami que je présenterai à des Messieurs très importants.

Parfois, il coupait court à la conversation ou me disait son besoin de retrouver ses amis. Puis, il m'a demandé d'espacer mes visites.

– Mais ne t'inquiète pas, on va se reprendre après ma sentence. Un gars d'ici va me trouver un bon avocat puis...

Avec un sourire de gars sûr de lui-même,

– Fais attention à toi, Michel!

– Toi aussi, Francis. J't'oublie pas, tu sais!

J'ai attendu un mois avant de retourner le voir. Même scénario. Francis avait maintenant ses dix-huit ans depuis février. Et ses cinq mois de Parthenais... en attente du jugement, disaient les autorités. Ici, c'était le printemps. Francis m'a enfin appelé.

– Michel, j'aimerais mieux, pour un bout de temps, que tu ne viennes plus me voir.

J'ai encore frissonné, vacillé sur mon socle. Qu'est-ce qui lui arrivait maintenant? Il semblait parler avec difficulté.

– Mais Francis, te serait-il arrivé quelque chose?

– Mais non, Michel. T'occupe pas de ça. On peut s'écrire, non?

– Bien sûr, Francis, mais tu n'es pas écriveux...

– Ça va, toi?... Les semences, bonne température?

Je ne savais que dire. Pour voir si la température à l'Ange-Gardien l'intéressait! C'est la sienne qui me tracassait.

– Tu sais que mon bonheur dépend un peu du tien...

– Bon, comme ça, tu es d'accord pour ne pas venir ici pendant un bon bout de temps?

– Si je pouvais être sûr qu'il ne t'arrive rien de pire.

– Voyons, Michel, fais-moi confiance.

– Mais si tu écrivais, téléphonais plus souvent...

– ...

– Je vais essayer, Francis, ... mais si tu ne me donnes pas de nouvelles...

Francis n'écrivit pas. Ne téléphona pas. J'ai écrit; pas de réponse. J'ai téléphoné: les gardiens m'ont envoyé promener. Que se passait-il?... L'ignorance épaissit le mystère, empire la réalité. Son silence m'empoisonnait. J'ai choisi d'aller le voir, bien décidé d'insister le temps qu'il faudrait.

– Francis Labrecque est à l'infirmerie: il ne peut voir personne.

– Pourquoi? Est-ce grave? Depuis combien de temps?

Les questions se bousculaient avec l'inquiétude qui montait. À force de leur brasser la cage, j'ai fini par trouver quelqu'un qui me répondrait. Après de longues minutes d'angoisse,

– Environ, deux semaines. Il a été battu. On ne peut pas tout empêcher, vous savez...

... Oui, pas tout empêcher... que je me disais! Quand on sait que certains règlements de compte sont organisés par les gardiens. Quand ils veulent casser un détenu, ils le descendent à l'étage des motards, les Hell's Angels... répandant que le gars est un rat de cellule ou un mangeux de marde, comme ils disent. Quand ils battent un détenu pour l'empêcher de témoigner... Oh oui! ils ne peuvent pas tout empêcher!

– Battu par qui, pourquoi?

– Un petit règlement de compte. Labrecque avait déjà été averti sérieusement par les gars de se tenir tranquille, d'être moins fantasque. Il n'a pas compris, se fiant à ses amis. Puis, ce fut la correction en règle. Labrecque s'était fait tellement d'ennemis avec ses batailles, ses provocations: c'était inévitable. Et pas de notre faute. Encore cette fois, notre Monsieur Labrecque ne s'est pas soumis. Quelqu'un lui a promis une grosse étiquette après le gros orteil. Même menacé de mort, il a continué à lancer des défis. S'est attaqué à trop gros morceau pour lui. Il a été battu, piqué, mais chanceux, des gardiens n'étaient pas loin. À l'hôpital, ils l'ont sauvé.

– Je veux absolument le voir.

– Il ne veut absolument voir personne.

– Mais son moral?!... Je suis son seul ami au monde, pas de parents...

– Je regrette, Monsieur. Le dossier indique qu'il ne doit voir personne avant une semaine. Écrivez-lui.

J'ai écrit! Tous les deux jours. Lettres courtes, non moralisatrices, encourageantes. J'ai tellement besoin de nouvelles! Téléphone-moi, si tu peux. Je vais aller te voir. À dimanche prochain. ... En béquilles, une jambe cassée, tuméfié, la tête et la poitrine entourées de gaze, péniblement s'est avancé vers moi un fantôme douloureux, humilié. Bien malheureux.

Francis, dans son désir d'aller vite, d'aller loin, avait multiplié ses ennemis. N'avait pas respecté les lois du milieu, s'était condamné. Un contre un, il s'en tirait sans trop de mal, mais à huit...: il fut massacré. Il avait trouvé chaussure à son pied, Waterloo à son projet. Une première correction lui avait été servie; c'est pourquoi, il ne voulait plus me voir. Imprudent, il avait un peu trop parlé. Et un peu trop fort. Pire, il avait menacé. Même à Parthenais ou ailleurs, il ne suffit pas d'avoir dix-huit ans et des gros bras. Même les amis n'opèrent pas contre certaines autorités clandestines. Il est des caïds qu'on ne touche pas. Francis était maintenant à la Protection. Récupérait. Mais sa mort avait été décidée... il vivait sur du temps emprunté.

Francis était douloureux de partout, blême, grimaçait souvent, parlait bas. Impatient, ma visite l'agaçait.

– L'essentiel, c'est que tu sois en vie.

– Je ne voulais pas que tu me voies dans cet état.

– Francis, je ne te juge pas. J'aime mieux savoir, te voir. J'ai besoin de te rappeler que ma vie est liée à la tienne. Tu sais pourquoi. Je veux t'aider.

– La pression monte ici.

– Francis, je voudrais tellement te voir sortir de ce trou!

– J'me vengerai. J'ai des connections. Des amis très haut placés, très pesants. J'me vengerai!

– Sois prudent, Francis. On ne devient pas caïd du jour au lendemain. À dix-huit ans!... Récupère, puis, s'il te plaît, laisse-moi t'aider à sortir d'ici. Pense à ça, Francis. Je reviens dimanche prochain. Tâche d'être en forme.

En effet, la pression montait sur lui, les menaces se précisaient. Il faisait son temps dur. Il avait trop tiré sur la corde, le souffle lui manquait. Songeait à mon offre. Francis avait eu des réflexes d'auto-punition, retournant contre lui-même la violence soulevée par ses parents. Il a cherché inconsciemment à se faire battre, même tuer. Suicide déguisé. Mais quand la mort apparut au niveau de la conscience, promise, imminente, Francis a paniqué. Maintenant, Francis était prêt. Au dimanche prévu,

– J'ai bien pensé à ce que tu m'as offert. Des amis m'ont conseillé aussi d'essayer de partir... Tu m'as rendu tellement service, tu m'as toujours tellement aidé...

Francis cherchait ses mots, n'arrivait pas à l'essentiel de son propos. C'était le gros morceau. Il a fini par continuer péniblement.

– Tu as toujours été si bon, si correct avec moi...

Puis sa voix a tremblé de plus en plus,

– J'peux me faire descendre n'importe quand, ici. Un autre gars, menacé lui aussi, s'est accroché cette semaine... Suicide. T'es le seul vrai ami que j'aie!... Michel, je n'en peux plus, ici!...

Humilié, il a cessé de parler. Les yeux presque fermés, il fixait ses pouces qu'il triturait l'un sur l'autre. J'aurais voulu passer mes mains au-travers de cette vitre pour prendre ses mains, les serrer, leur dire la chaleur de mon coeur. Je souffrais autant que lui.

Il a fini par relever les yeux un instant sur moi:

– Michel, au moins j'ai tenu parole, n'ai jamais tué.

Encore un long silence débordant d'émotions de part et d'autre d'une froide cloison.

– Francis, tu as toute ma confiance.

Sans lever les yeux, il a balbutié:

– Michel, j'ai besoin de toi plus que jamais.

– Francis, je suis près de toi plus que jamais. Plus que personne n'a jamais été. Aujourd'hui, je ne fais plus seulement te suivre de loin. Tu viens de m'appeler, ce ne sera pas en vain. D'abord, tu changes d'avocat. C'est bien beau l'aide juridique, les avocats d'office: ils ont souvent trop de causes, manquent d'efficacité. Laisse-moi une couple de jours. Tu auras de mes nouvelles et ne t'inquiète pas, c'est moi qui paye.

Ses lèvres sont devenues blanches tellement il les serrait, son menton tout plissé. Francis pleurait. Francis avait craqué. Francis m'appelait. J'ai continué:

– Aujourd'hui, Francis, je te prends dans mes mains, te serre sur mon coeur. Aujourd'hui, Francis, tu sauras ce que c'est que d'avoir un père.

... Il a caché sa figure dans ses deux mains, éclaté en sanglots. Puis, a placé son front sur ses deux bras repliés devant lui. Chacun de ses sanglots me brûlait comme tison ardent. Chacun de ses spasmes me rappelait François. Les grandes douleurs sont-elles héréditaires? Quand il s'est relevé, la figure toute mouillée, les yeux si malheureux,

— Michel, sors-moi d'ici, j'en peux plus!

— Compte sur moi, Francis. Mais tu vas faire ce que je vais te demander. Tous les soirs, tu me téléphones à frais virés. Même si tu n'as rien à me dire, moi, j'aurai toujours quelque chose à te dire. Je te dirai au moins: Lâche pas, Francis, on va s'en tirer! Tu penses toujours positif. Et tu n'as plus qu'un seul nom en tête: le mien. Quoiqu'il arrive, tu me le dis; quoiqu'il te manque, tu me le demandes. D'ici deux jours, tu auras un avocat... Et depuis toujours, tu avais un grand ami, peut-être ne le savais-tu pas.

— Je ne sais comment te remercier...

— Va voir ton ami Jean-Guy, raconte-lui tout. Le pire est maintenant passé. Ami?...

Il n'a pu répondre mais a fait signe que oui. Il s'est essuyé les yeux, mouché, remis en état d'être vu par les gardes, les prévenus et s'est levé.

— À ce soir, Michel.

— À notre succès, Francis.

L'avocat de Francis était Me Jacques Cartier, un homme qui se faisait acheter par le plus offrant. Son truc préféré était de soudoyer une secrétaire de l'autre avocat dans ses causes afin de bien connaître les dossiers, les faits et preuves accumulés. Même qu'il fut accusé d'avoir fait disparaître, par complices interposés, des pièces justificatives et éléments de preuve. ... Et il pratique encore le droit!... Après consultations, j'ai choisi un jeune avocat reconnu pour son sens social plus que pour son engagement pour la pègre. Le surlendemain, avec moi, on rencontrait Francis. Bien sûr, notre Francis a dû accepter une nouvelle désintoxication — et complète, cette fois! — lever le voile sur son enfance impossible et m'accepter officiellement comme personne ressource, genre de répondant. Je me suis offert comme témoin de sa bonne conduite, de la qualité de son travail chez moi et du succès de sa cure contre la drogue. Je m'engageais à l'embaucher dès sa libération et à taire ses véritables origines et l'incident du poignard. On s'était connu à l'occasion d'un pouce, point. Je me disais prêt à jouer auprès de lui, un peu le rôle d'un père. L'avocat était content mais craignait l'épaisseur du dossier, les anciennes fugues de Francis et le spectre de criminel d'habitude que ne manquerait pas d'agiter la poursuite. Une dernière demande à l'avocat: faire sortir Francis de Parthenais le plus tôt possible pour une cure de désintoxication, un procès, ...n'importe quoi, mais sortir! En partant, dans le petit bureau mis à notre disposition, j'ai serré très fort les deux mains de Francis. Sa réaction fut juste polie, mais une fois sorti du bureau, il s'est repris. Il m'a serré les épaules avec une telle effusion!...

– Lâche pas, Francis, on va s'en sortir!

Notre avocat avait prévu de jouer sur le jeune âge de Francis, le non-sens pour lui de rester plus de six mois à Parthenais, cet enfer à gratte-ciel ouvert, sur le danger de mort qu'il y courait et enfin, son désir sincère de s'amender, à preuve, sa demande de désintoxication. Quelques semaines plus tard, ce fut le procès, enfin! avec le grand orgue de notre côté. L'avocat et moi, avons joué à fond la carte prévue et Francis a montré beaucoup de sincérité, un désir évident de s'en sortir. Quand notre avocat a demandé à Francis de parler de son enfance, la salle a frissonné. J'ai pleuré. Il commençait à raconter des faits, un par un, froidement, puis avec colère et ensuite émotion. Rendu à ce stade, il coupait court et recommençait un autre souvenir. Rien ne finissait jamais, rien n'explosait jamais. Peut-être suffisant pour le juge, mais pas pour Francis... ni pour moi.

Devant un tel spectacle, on a suggéré au juge une petite sentence, une désintoxication suivie d'une probation de deux ans. Mais la partie adverse avançait de très forts arguments. Francis s'en tira avec trois ans. Ça le plaçait dans une institution fédérale réservée aux sentences plus longues. Un deux ans moins un jour – un deux moins un, comme on appelle – l'aurait orienté vers une institution provinciale. Bien entendu, les six derniers mois passeraient à une désintoxication, les plus réussies étant celles qui sont demandées, désirées par les sujets. Nous étions relativement satisfaits. Mais Francis tremblait devant la tâche imposée. Taciturne, réfléchissait.

– Mais au moins, nous sommes sortis de Parthenais! lui dis-je fièrement.

Francis m'a regardé avec un petit sourire gêné. A demandé:

– Et Jean-Guy?...

Fidèle, bon coeur, Francis pensait à son ami.

Michel, fais-le sortir de Parthenais et je ne te demanderai plus jamais rien de ma vie.

Naturellement, ce fut le travail de l'avocat. Quelques semaines plus tard, Jean-Guy se retrouvait avec Francis: deux ans et demi, sans désintoxication.

– Le principe: Francis Labrecque et Jean-Guy Courchesne sont deux amis qui finiront toujours par se retrouver de toute façon. Ils vont se réhabiliter ensemble ou se perdre ensemble. C'est par grappes que l'on sauve ou se damne. C'est leur dernière chance, avait menacé le juge.

Quant à Francis, je l'accompagnais le plus que je pouvais à ses premiers pas au Centre de détention. Je restais près de lui comme devant une fleur précieuse, fragile. Une sensitive. Il m'acceptait comme tuteur que l'on fiche en terre près du jeune plan menacé et qui unissent ensemble leur destin autant pour la tempête que le soleil. Francis, parfois, hésitait, s'impatientait, se révoltait. Comme un coussin de sécurité, je recevais ses réactions. Il se défoulait parfois sur moi: ça lui faisait du bien.

– Vas-y, Francis. Je suis là pour ça. Un ami, c'est fidèle jusqu'au bout.

Un jour de grandes jérémiades où j'encaissais ses défoulements, lui ai dit doucement:

– Vas-y, Francis, je suis ta poubelle: mets-en, c'est pas d'l'onguent.

Il s'est rendu compte du rôle qu'il me faisait jouer, m'a regardé, a souri, presque moqueur, puis s'est tu. Pas fou, bon coeur, intelligent: c'était Francis. C'était mon ami. Je passais tous mes dimanches avec lui pour le sécuriser, le partir, l'encourager au sevrage de l'alcool et de la drogue. Les autorités m'acceptaient un peu plus qu'un autre parce qu'elles sentaient ma bonne influence et que Francis, insécure, exigeait ma présence.

J'ai demandé à rencontrer le psychologue. Il finit par me dire:

– Si vous venez voir Francis trop souvent, c'est plus difficile pour lui. Sans vouloir vous blesser, vous n'êtes que sa troisième béquille, vous savez. Mais plus tard...

J'ai compris et Francis aussi. J'ai sauté une visite à l'occasion puis toutes celles de semaine.

– Les travaux de la ferme, ai-je dit à Francis.

On se téléphonait plus souvent.

– Suis des cours, lis, en attendant, ai-je ajouté.

En quelques mois, il apprit plus que pendant toutes ses années d'études.

J'étais si content de consacrer mon temps libre à ma petite rose aux épines brisées, à ma petite tulipe noire. Ma terre sur semaine, en fin de semaine, la terre de Francis. Et quelle terre!

Avant une première semence, il faut prévoir le défrichage, l'érochage, adoucir le caractère de certaines aspérités, pratiquer l'analyse du sol, son conditionnement, offrir des bons produits manquants, un peu d'eau, un peu de soleil, un encouragement un peu plus musclé, une bonne dose d'affection, en résumé, humidité, chaleur, solidité, tendresse pour préparer Francis à jouir de belle moisson le temps venu. Quelle bonne terre, quelle belle terre! J'étais si fier d'être accepté comme vieil agronome qui pouvait longer ses fossés, s'activer près d'un gros caillou, abaisser une hauteur injustifiée au profit d'un trou dangereux, adoucir le haut d'un penchant trop abrupt en déplaçant ce surplus vers un défaut de côte, enlever le pot à certains plans pour les confier à pleine terre, aux grands vents, sacrifier quelques broussailles qui peuvent comporter quelques attraits mais qui gênent la vision et forcent aux détours inutiles pour aborder franchement le champ. Ensemble, on pensait régulariser de quelques coups de pelle certaines rigoles paresseuses, changer la tendance de certaines autres qui provoqueraient des débordements dans la baissière et un manque sur la hauteur. Puis, ce fouillis de petits arbres par ici qui s'empêchent les uns les autres de se développer, ne vaudrait-il pas la peine d'en sacrifier quelques-uns pour permettre aux autres de donner leur pleine valeur?... Une clôture, ici, empêcherait peut-être un voisin d'abuser... de ton terrain privé?... Une simple petite clôture, d'ailleurs, n'empêcherait pas l'échange d'oiseaux, papillons, ses abeilles sur tes fleurs, leurs graines sur ses terres: relations fleuries dans le respect, l'harmonie. Et l'eau du ruisseau venant d'ailleurs et que tu bloques sur ton terrain forme un beau grand lac: c'est beau, bien sûr, mais ce recel, cette accumulation un peu inutile chez toi ne prive-t-elle pas les autres voisins d'une eau qui, au fond, ne t'appartient pas tout à fait?... Plutôt, laisserais-tu l'eau des autres passer seulement sur ta terre en la fertilisant pour la laisser ensuite en faire autant au-delà de chez toi?... Francis, laisse donc aussi les oiseaux du voisin qui viennent faire leur nid sur ton terrain même si leurs petits émigreront de l'autre côté de la rivière, la saison prochaine. L'amour des petits, des nids, de la vie n'exige pas redevances. Générosité, confiance, accueil, partage, valent bien des excès et des renfrognements, de la hauteur et l'exercice rigide de ses droits. Même à travers une clôture très haute, même faite de broche piquante comme on dit, on peut passer tout le bras, offrir toute la main ouverte sans danger de se piquer. Même si une fois, par malheur, un voisin impatient nous secoue trop la main et qu'on s'égratigne le bras, peut-être pas besoin de démolir toute la clôture et le voisin, mais peut-être seulement espacer les broches?... Un même soleil, les mêmes nuages couvrent ton terrain, ta vie, comme chez les voisins. Tu n'es ni pire, ni mieux. Ce sont seulement des moments différents que chacun nous vivons. Si ton printemps fut infect, ça ne veut pas dire que ton été sera pourri, et ta récolte impossible. Accepte donc les éléments de la nature comme ils se présentent. Faistoi un bon bain d'un printemps trop pluvieux, un beau teint irrésistible d'un été trop chaud. Ne t'inquiète pas trop de la moisson. La terre peut produire autant pendant le mois d'août lors de deux petites semaines favorables, qu'elle n'aurait lentement et régulièrement donné en six semaines d'une température idéale. Il est des réserves de nature. Comme la tienne d'ailleurs. Sois donc patient. Fais confiance à cette nature qui sait toujours se trouver une sortie ou une entrée, qui t'offrira des fruits sur branche inattendue ou vertes repousses sur vieille souche fatiguée. Ah! j'te vois sourire en me regardant, petit coquin. Laisse donc faire, ta belle petite tige toute verte deviendra bien elle aussi, vieille souche ravinée après avoir offert toutes sortes de beaux fruits à son automne... parce que tu auras accepté ton printemps. Parce que tu auras accepté d'aimer. Francis, ma belle tige toute verte, ma petite fleur de printemps, laisse-moi ton enfance. Confie-moi ton enfance. Ensemble, on va l'apprivoiser. Même s'il faut pleurer: tes rigoles sont prêtes maintenant, bien orientées; auront chemin vers les autres, ne pourront inonder. Seulement fertiliser. Francis, ne lâche pas ma main au chemin qui nous conduit vers toi.

DEUXIÈME PARTIE

LE PASSÉ

À la prison, on m'avait accepté comme son ami, non comme son père, même si je disais le remplacer. On m'avait accepté comme personne ressource, la seule jamais manifestée pour Francis; j'étais d'ailleurs le seul avec Mireille, qu'il avait mis sur sa liste de visites. Ses faux parents n'avaient jamais donné signe de vie et parce que le psychologue de la prison appuyait ma démarche et collaborait à mon projet de faire raconter par Francis toute son enfance.

– Ça ne peut que lui faire du bien, corroborait-il.

Francis s'était mis à table. La mienne. Mes points d'ancrage: *si tu savais...* quelques fois répétés, son appel à moi, sa promesse de respecter mes exigences le plus possible. Par délicates approches, sous-entendus, phrases non terminées, il a fini par deviner mon désir et s'y soumettre. Il m'a tout raconté. Dans le désordre. Surtout dans le désordre.

D'abord, il s'est vidé de ses plus grands ressentiments, accusations véhémentes. Les plus présentes dans sa mémoire, les plus violentes dans sa vie. Puis il recula dans le passé. Des événements de tous âges, des souvenirs arrachés du fond de sa mémoire où ils suppuraient. Par beaucoup d'émotions, souvent de larmes, Francis cautérisait son enfance. Tout arrivait en vrac, désordonné, souvent violent, toujours émouvant. Francis souffrait en se rappelant ses malheurs, Francis pleurait en revivant les moments où il fut submergé par sa rage. Maintenant soumis, en confiance, comme une dette de reconnaissance, laissait couler toutes ses rancoeurs dans la grande fontaine de mon coeur.

– Fais confiance à mon puits, son eau te lavera. Fais confiance à ma rivière, son courant emportera sans te juger, les suppurations de tes plaies offertes.

Dans une salle particulière de la prison, sans aucune surveillance ou témoin, j'enregistrais le récit de Francis. J'ai eu cette permission extra-spéciale du Directeur des Visites pour assister aux enregistrements.

– En tant qu'écrivain, m'a-t-il précisé.

Il y eut quelque jalousie de la part de gardiens et détenus, mais ça n'a pas duré. Francis revivait son passé avec les mêmes émotions, me les confiait, puis on les écoutait avant mon départ. Quand il eut épuisé ses souvenirs, je lui suggérai le psychologue.

– ... pour l'hypnose, ajoutai-je, tout naturellement.

Je crois qu'il n'a pas compris toute la portée de mon innocente suggestion. Il fronça les sourcils un moment.

– Qu'est-ce qui va se passer?

– Le psychologue va t'hypnotiser et tu pourras revoir ton passé oublié, le revivre et même le raconter. Je vais tout enregistrer puis tu pourras t'écouter après. C'est la même chose qu'on vient de faire avec l'aide de ta mémoire. Maintenant que ta mémoire est impuissante, on ferait appel à ton subconscient. Il nous dira tes réactions, ta vie, à un an, un mois, même dans le sein de ta mère. On appelle cela une régression.

– Je n'aurais jamais cru, Michel, que tu m'amènerais sur de tels chemins... Te souviens-tu quand je te disais: il m'arrive toujours quelque chose de spécial chaque fois qu'on se voit? Ah ben, là, par exemple!...

– Bien oui, Francis, pourquoi pas? Au point où tu en es rendu... pourquoi ne pas continuer. Tu ne m'as pas déjà promis de tout me raconter?... Tu aimeras écouter ce que jamais mémoire ne dira. Veux-tu, on va l'essayer une fois. Le psychologue t'hypnotise, on enregistre tes paroles, il te réveille et tu écoutes ton passé. Si tu n'aimes pas, on arrêtera là.

Francis, les yeux écarquillés, semblait rêver. Après une hésitation et un beau sourire parce que devant un autre beau défi, il acquiesça.

C'est ainsi que j'ai eu sur cassettes, dans un joyeux désordre chronologique, toute l'histoire de Francis jusqu'à ce jour. Il les garda précieusement sous clé, afin qu'une nuit de mois d'août, son fils non préparé ne les écoute et pleure sur le passé de son père. Avec la permission de Francis, nous avons tout réécouté, clarifié, complété. Sans arrêt, il y ajoutait ses commentaires, extrapolait, posait ses jugements comme bombes à retardement. Ainsi, tout son passé a resurgi en surface comme vieille épave chargée de cadavres. C'est tout un système qu'il mettait au ban. C'est toute une société qu'il accusait par faux parents interposés.

À partir de son expérience personnelle d'enfant rejeté, Francis analysait certains phénomènes sociaux, certains courants de pensée. L'amour des enfants, leur respect. La drogue chez les jeunes, ses causes, ses effets. Comment s'en sortir. L'école dans la société, l'hypocrisie du système. Il pénétrait le tout d'une certaine psychologie, effleurait la sociologie, s'impliquait jusqu'à la moelle. Souvent gauches, désordonnées, toujours enflammées, ses dénonciations avaient le mérite de l'authenticité. Quand j'ai repris le tout, j'ai classé chronologiquement, ordonné, dégagé des thèmes. Je l'ai souvent consulté pour mieux comprendre son message. Ensemble, nous avons souvent discuté, comparé nos points de vue, puis j'ai tenté de dire sa vérité. Ce qui fut perdu en spontanéité fut gagné en clarté. J'ai respecté son fonds, il a accepté ma forme et nous avons confié le tout au livre secret de sa vie. C'est ainsi que, surtout dans la deuxième partie de ce livre, LE PASSÉ, si le feuillage semble mien, les racines sont sûrement siennes. L'émotion d'ailleurs le confirme.

chapitre X

Francis, tu est prêt? demanda le psychologue.

– Tout ça doit rester secret, exigeait Francis.

– Ne t'inquiète pas: rien que nous trois.

Francis s'est étendu sur le lit dans une chambre, la porte resta barrée et l'enregistreuse démarra.

– Francis, regarde-moi dans les yeux. Détends-toi. Tu t'endors...

Le psychologue s'était assis près de la tête de Francis déjà parti, le suggestionnait, préparait. Quelques questions préliminaires seulement pour le prendre en mains, le conditionner.

Francis, tu remontes dans ton passé. Tu te souviens de ta première bicyclette.

Francis cherchait.

– Oui, mon oncle me l'avait donnée. Rouillée, brisée. Si jamais tu veux t'amuser, m'avait-il dit. Comme j'ai travaillé à l'astiquer, réparer, faire roulert! Et elle roula. Tout seul, j'ai appris.

– Quel âge avais-tu?

– Onze ans.

– Maintenant, on va reculer davantage: quand tu as fumé ta première cigarette. Dans quelles circonstances?

– À huit ans. Mes cousins et cousines en visite m'ont demandé de les conduire au champ. Rendu assez loin, tout le monde s'est mis à fumer. Ils m'ont montré... et j'ai été malade.

– Ta première journée d'école?

– Oui,

– Francis, tu vas dormir très profondément. Très pro-fon-dé-ment... Maintenant, tu te vois dans ton berceau pendant ta première année de vie.

Francis a pris un moment pour se retrouver, situer, sentir.

– Mon berceau se trouve dans la salle à manger entre la cuisine et la chambre à coucher de ma mère. J'attends. Il n'y a pas de bruit, je suis seul dans la maison. Pénombre. Une grande solitude.

– Quand as-tu vu ta mère pour la dernière fois, en ce jour?

– Ce matin. Elle m'a changé de couche. M'a gelé les deux pieds qu'elle tenait en haut pour m'essuyer. Ses mains étaient glacées, elle venait de dehors. Mon si petit corps se refroidissait si vite. Un glaçon. M'a donné un biberon. Est partie.

– Tu connais ton père. Quand l'as-tu vu? Qui est-il pour toi?

– Un homme venait plus souvent que d'autres: je crois que c'était mon père. Il avait souvent l'air fâché, épeurant. La plupart du temps, mon père ne me parlait pas; je n'existais pas pour lui. Je criais, pleurais, aspirais à sa présence: il me donnait à boire; plus tard, à manger. Une fois, nous sommes restés seuls à la maison, lui et moi. Il a passé près de moi, s'est arrêté un instant, m'a regardé. J'essayais de lui dire doucement, calmé, par quelques rapides sourires, quelques sons plus doux, que j'avais besoin du contact de ses mains, de me faire presser sur son corps, partager sa chaleur.

Tous les fils de l'attraction de mon corps s'élançaient vers lui; les siens aussi, je crois, s'élançaient vers moi... Mais quelque part entre nous, les ciseaux du froid, par quelques claquements secs, ont coupé les liens. Seul. Je suis resté seul. Lui aussi. Il a dit: Il faut que j'aille travailler. Un autre rendez-vous manqué. J'avais l'impression qu'en plein désert, j'avais raté un puits de quelques mètres. Le sentiment d'échec, d'abandon. Seul, solitude, rien. Je suis rien. J'entendais encore: Il faut que j'aille travailler. Flottaient des sons: o ail yé: comme pleurer. Ça faisait mal dans ma gorge, ça brûlait dans mes yeux. Puis j'ai entendu crier à côté. Colère, tremblements, une porte a fait tellement de bruit: ma mère venait d'arriver. J'ai appelé une caresse, un SOS d'affection, me faire prendre par ma mère, dans ses mains, ses bras, ma chaleur sur sa chaleur...: elle a crié et m'a donné du lait.

– Maintenant, dit le psychologue, tu me parles de ta mère. Qui était-elle pour toi? Quels rapports aviez-vous ensemble? As-tu été heureux dans ta première année de vie? Pourquoi?...

– Ma mère ne m'atteignait pas. Je ne l'atteignais pas non plus. Un mur nous séparait. Un froid. Je pleurais pour être pris, caressé, au moins touché, reconnu. Elle me donnait du lait, faisait manger. J'avais besoin de chaleur d'une mère dans mon grand espace vide, je recevais un biberon tiède, souvent refroidi. J'avais la bouche épaisse, un mauvais goût que je ravalais, grimaçant. Je pleurais à me brûler la gorge pendant ses longues absences; je sentais la maison vide: insécurité. Je pleurais jusqu'à épuisement. Un grand vide alors me recevait, me faisait disparaître, m'engourdissait. Une espèce de soulagement, une inconscience. J'ai souvent recherché ce vide, revécu cet engourdissement. C'était blessant comme un rejet, me sentais comme un organe étranger dans la maison. Quand ma mère arrivait, je revoyais sa tête audessus de moi. Elle me regardait comme une curiosité: dans quel état va-t-il être? qu'est-ce qui lui sera bien arrivé, cette fois?... Je recommençais à pleurer bien fort, à crier de reproches, demandant toujours une caresse, une présence, en tout cas, autre chose qu'une absence. Elle me prenait, bourrue, me chuintait d'arrêter, multipliait les onomatopées. Je me calmais très rapidement, puis babillais de plaisir pour lui montrer ma joie en sa présence. Elle me redéposait et repartait. Je criais à nouveau, elle revenait. En maugréant, me rapportait à la cuisine où je la voyais au moins bouger, la sentais près de moi.

Quand j'étais mouillé, irrité, blessé par une couche trop serrée, étouffé de coliques, elle me donnait du lait. Si j'avais des gaz, trop froid, ou l'estomac trop plein et que je n'arrivais pas à dormir, elle me donnait encore du lait!... Du lait, j'en ai eu pour me noyer, devenir fromage, j'en ai eu plus que Cléopâtre.

Toucher et être touché pour la conscience. Toucher pour prendre conscience de l'autre. Être touché pour prendre conscience de soi-même. Être caressé, embrassé, sécurisé, permet de se sentir accepté, aimé. La gestation se termine dans les bras. C'est dans les bras d'une maman qu'on mûrit. C'est à ses branches que l'on s'accroche, au soleil de son affection que l'on apprend à aimer. Neuf mois baigné de sève à l'intérieur du tronc et les neuf mois suivants, collé à l'extérieur de son tronc, on finit par se découvrir une identité de fruit mûr. Différent du tronc, différent de la mère, mais c'est par elle que l'on mûrit. On n'est plus seulement une mère, on devient enfant. Différent. Ma mère n'avait pas de bras, pas de tronc. Je l'aurais désirée grand arbre tranquille, je l'aurais désirée fée enchantée, je l'aurais aimée m'enveloppant de tendresse, mais elle ne fut que longs doigts glacés sur mon petit corps rétracté. Combien de fois n'ai pu m'empêcher de pleurer quand son contact aurait dû me faire sourire! Pourtant, elle soulevait le foin, transportait le grain, mais ne pouvait me supporter. Elle se levait tôt le matin, travaillait tard le soir, étirait ses journées, mais j'étais de trop dans son paysage. Elle prévoyait le temps, planifiait, organisait les engagés, mais m'oubliait. ...Et sa présence qui aurait pu m'épanouir... C'est pendant ces dix-huit premiers mois à partir de la conception qu'un enfant apprend à ÊTRE... s'il a eu une mère. S'il n'en a pas eu, sa vie durant, il se cherche, solitaire. Il explore la vie, vagabond, s'essaie, s'accroche, abandonne. Il ne peut faire confiance ni à lui, ni aux autres. Il ne peut s'aimer. Et il recommence avec d'autres les mêmes expériences et répète les mêmes échecs.

Je désirais être caressé, touché par ma mère pour me sortir de mon anonymat, un magma informe d'où j'essayais de me tirer une identité, me former un moi. Elle me touchait quand c'était obligatoire pour elle, non pour moi. Et c'était froid. Je ne sentais pas la chaleur qui fait mûrir. Une sucette trempée dans le premier dessert tombé sous la main ne remplacera jamais mains de mère. Je fus sans lien entre la gestation et le monde extérieur. Il m'a toujours manqué une étape. Quand elle me prenait enfin dans ses bras, même en maugréant, je ne souriais pas toujours, je babillais, gloussais, gesticulais. Je me souviens même:

– Il sourit pas, c't'enfant-là, est-il retardé?... En plus, c'est un braillard.

Quelqu'un avait dit:

– Le prends-tu assez souvent? Il paraît que les pleurs restés sans réponse les premiers mois, rend l'enfant pleurnichard.

– J'suis pas pour lui donner c't'habitude-là. J'ai du travail, ici.

Quand on n'est qu'un petit corps à l'esprit encore incertain, c'est de contacts physiques dont on a besoin. De sécurité physique, non d'explications logiques. Quand on pleure et pleure et crie et crie sans réponse, la confiance devient si difficile, la foi... impossible? Comment faire confiance aux parents, plus tard, quand ils diront: Ne fais pas ça: c'est pour ton bien.

Crois-moi... Quand on a senti que nos parents ne s'occupaient pas de nous, quand on en avait tant besoin, on ne pourra plus jamais les croire après. Les respecter non plus. Ils nous ont déshabillés de leur tendresse si nécessaire et laissé à notre détresse. Comment pourrais-je aimer, moi qui ne sentis jamais d'affection de mes parents?...

Le toucher aurait dû être mon premier vêtement: ils m'ont laissé nu. La tendresse, ma première nourriture, ils m'ont bourré de lait: un biberon pour compenser leur absence. Leurs sourires, leurs câlins, leurs chatouilles furent si rares. Je fus sevré de tendresse avant même de savoir ce qu'elle était. Est-ce qu'un jour je pourrai aimer, recevoir l'amour des autres, est-ce que je pourrai être moi-même, altruiste, empathique, un jour, est-ce que je pourrai toucher, puis étreindre?... Apprendrai-je à vraiment aimer?... Quand apprend-on, à quel âge, par qui, comment?... si on n'a eu d'autre mère qu'une absence, d'autre père que violence?...

J'aurais tellement désiré massage, caresse, peu importe. Ne serait-ce que caresse digitale au bout du menton, autour des oreilles, au bout des orteils. Non, pas le temps. Même moi, je n'avais jamais le temps de regarder ma mère, même la voir, la toucher, la sentir: toujours pressée. Même qu'elle s'occupait de moi sans me parler. S'impatientait quand elle me touchait. Quand elle venait me voir, me prenait, elle continuait à crier des ordres à l'homme dans la cuisine. Je sentais sortir d'elle ces longs cris déchirants qui me coupaient en passant. Qu'est-ce que j'ai fait? Ma sérénité?... J'avais peur. J'ai toujours eu peur dans mon dos. Ma mère avait ses amants. C'est eux qui les avaient les caresses, pas son enfant. Pour moi, demeurait sèche et muette. Ma mère me semblait un ouragan, un tremblement de terre. C'est eux qui avaient toute sa terre; moi, je n'avais que ses tremblements. On n'enfante pas seulement par le ventre mais par la tête et le coeur. Ma mère n'a fait que la moitié du travail. Qui fera le reste, quand, comment?...

J'avais besoin d'être materné. Ce n'était pourtant pas compliqué, je n'avais qu'un seul organe: la peau. Ma peau avait besoin d'être touchée, massée, avait besoin du contact d'une autre peau pour être nourrie. C'était aussi nécessaire que manger et boire, que le soleil et la pluie pour la fleur et le jardin. C'est par la peau qu'on se sent accepté, accueilli. Je ne me sentais pas accueilli longtemps, ni souvent. Je n'étais pas la seule peau dans la vie de ma mère... J'avais des concurrents. Je suppliais un peu d'eau tiède, au moins une sensation pour me prouver que j'existais, qu'on me protégeait, que je n'étais pas seul dans la nuit noire. Aussi démuni, j'avais besoin de me sentir entouré, aimé, rassuré. Mon petit corps restait là, cherchant une matrice. Il lui fallait un entourage, une atmosphère, être touché de partout, une sensation enveloppante, protection, caresse réchauffante. Au moins, une transition entre la douce insouciance d'une matrice dans l'absolue sécurité flottante et cette froide sensation d'abandon au seuil d'une maison. J'étais un poids, de trop, j'étais un embarras: on n'avait que faire de moi. Quelqu'un finira bien pourtant par s'occuper de moi?!...

Il me fallait des expériences sensuelles et sexuelles. J'avais fini par deviner les moments où ma mère me toucherait et j'en profitais à plein, rapidement, mais restant toujours sur ma faim. Je me reprenais avec mon corps. Que je les ai attrappés mes mains, mon menton, mes pieds, ma bouche! Que j'en ai sucé, mordu, mâché des choses, mains et pieds compris! Et mon sexe que j'ai découvert et souvent touché. Sur cette trilogie: mon geste, ma mère et mon plaisir, s'est établi quelque chose de confus que je n'arrivais pas à définir. Est-ce qu'elle acceptait mes gestes, oui ou non?... J'avais besoin de son accord; encore là, n'ai rien senti. Ç'aurait été si important que ma mère accepte: ce qu'on a entre les jambes influence tellement ce qu'on a entre les oreilles! ...Et m'a laissé son silence et son ambiguité.

C'est par mon corps et celui de ma mère que j'ai compris le monde: un monde froid, pressé, sec, tranchant. Vite. Deux cris. Trois jurons. V'la ta suce. Arrange-toi. J'ai rapidement été retourné à moi-même. Autonomie. Oui, autonomie mais tronquée, sans base, car il n'y avait pas de moi: j'étais sans nom. Je n'avais pas été initié à moi-même par les bras de ma mère, assez accueilli, aimé par leur contact. Je ne me suis toujours senti dans sa vie qu'une bosse embarrassante accrochée à son dos, une piqûre d'insecte, un bobo gratté. C'est ainsi que j'ai vite compris plus tard qu'il n'y a que soi au monde; les autres n'existent pas.

La figure de Francis était devenue très dure, les traits figés par la colère. Sa respiration s'accélérait. Le psychologue lui a parlé doucement.

– Maintenant Francis, tu vas t'arrêter, prendre plusieurs longues respirations... Bon. Encore... Ça va mieux?

– Oui

– Maintenant, tu vas dormir plus profondément à mesure que je vais compter jusqu'à trois. Un, deux, trois. Aurais-tu autre chose à dire sur ta première enfance, ton père, ta mère?

Francis reprit sur un ton plus accentué, presque de reproche. Là, curieusement, il parla au présent.

– Je leur demande seulement de me prendre dans leurs bras. Me soulever. Ne plus sentir le poids de mon corps dans mon dos. Me sentir supporté, approché d'une présence. Enfin, ne plus me sentir seul. C'est si lourd, le poids d'un corps, le poids de l'absence... au fond d'un berceau! Deux murs de chaque côté, le vide au-dessus, le poids en dessous. Puis le silence tout à coup. La maison est vide. Démuni, abandonné. Sur une autre planète. Eux sont armés, habillés, peuvent se défendre. Ont leur méchanceté. Moi, je n'ai même pas de geste; seulement une pensée, un sourire. Ma détresse. Ma naïveté, ma bonté: c'est si peu devant le mal dont ils ont peuplé leur univers. Et je reste seul devant les dangers du hasard. Abandonné. Démuni. Rien. Je suis rien pour eux.

Je leur ai fait tellement confiance! Je ne pouvais imaginer rien d'autre à part eux. J'ai eu droit à une grande chambre vide. Je n'en voyais pas les limites puisqu'il n'y avait pas de couleur, rien qui bougeait près de moi. Seulement, plus tard, la lumière qui me brûlait les yeux au réveil: la toile était si rarement baissée. Comme j'ai besoin d'être caressé, frotté, palpé! Ça me rend à mon corps, à moi-même. En parlant à mon corps ainsi pétri, mon nom y pénètre comme la levure. Je finirai par m'appartenir, me reconnaître dans ce corps. Mon nom le fera grandir, ma personnalité l'épanouir. Mais non, elle ne me parle pas. Elle me frotte parfois mais d'une rêche affection. Un peu plus lentement, un peu plus doux, que j'aimerais lui dire. Mais elle a déjà fini. D'ailleurs, une immense régurgitation vient de me remplir la gorge, déborde de la bouche, veut m'étouffer. Allez donc demander un peu d'affection, à demi étouffé, remis sur le dos, une petite tape sur le ventre:

– Fais dodo. Il faut que j'aille travailler.

Elle aussi. Comme papa, que je me suis dit: o ail yé... comme pleurer.

Je pleurais pour un peu plus d'attention, tendresse, quelques chuchotements, trois notes d'une chanson, quelques mots d'affection, un départ sur le bout des pieds, une présence qui réchaufferait la maison... mais non! Alors, je pleurais pour un peu de pitié, parfois de colère. Elle ne faisait que crier.

– Vas-tu cesser de chiâler?!

Comme un vomi, je devais ravaler son mépris. Elle parlait bien à son chat, le caressant. Elle l'informait de son nom, l'en pénétrait de sa main ouverte, chaude jusqu'au bout de ses doigts. Il avait droit aux mots doux, je n'avais droit qu'au lait. Ce que j'en ai bu du lait! Et restitué!... Un enfant est tellement démuni! A tellement besoin de sécurité... avec le lait!

Un long silence s'est alors étiré pendant que Francis suffoquait en respirant. Et dans ce silence insupportable, de ses yeux baissés, deux grosses larmes ont coulé.

J'étais très ému. Le psychologue cogitait. Il demanda:

– Francis, repose-toi un peu. Puis, si tu as quelque chose d'autre à dire, tu le diras.

J'ai essuyé ses larmes qui auraient pu l'agacer. On aurait dit que Francis était devenu tout petit, démuni. Il a recommencé lentement, sur un ton suppliant comme prière désespérée:

– Je suis un être humain, un pauvre petit être humain qui ne peut rien qu'aimer. Vous m'oubliez, abandonnez, restez indifférents, je ne peux qu'aimer. Je ne suis qu'un besoin: je ne puis rien sans vous. Je serrerai votre gros doigt qui se présentera, suivrai du regard votre main qui bougera, sourirai à votre présence qui s'approchera. Je cesserai de pleurer dès que vous arriverez pour vous dire: merci et je ne vous en veux pas. Je vagirai, sourirai, babillerai de joie quand vous me caresserez du doigt, de la main et me serrerez dans vos bras.

Plus tard, quand vous vous impatienterez, me blesserez, me ferez pleurer, le lendemain, je vous appellerai encore doucement: papa, maman. Même si je finis par désirer haïr, je refoulerai tout en mon coeur où se préparent les malheurs de demain, parce que j'aurai besoin. Besoin de nourriture, vêtements, besoin d'un toit et de parents. Déjà mon coeur mènera une double vie: il demandera et dira merci poliment mais peut-être aura-t-il cessé d'aimer. Pour la vie.

Le psychologue réveilla Francis après lui avoir suggéré un état profond de détente, repos. Francis ouvrit les yeux, sourit. Une grande curiosité l'envahit. En trépignant,

– Qu'est-ce que j'ai dit?

Le psychologue lui rappela que certains souvenirs pourraient être douloureux, que... Francis s'impatientait.

– Ça ne fait rien. Je veux écouter.

Il s'amusa en écoutant le fait de la bicyclette et de la cigarette, mais il se rembrunit bientôt quand la plaie s'ouvrit. Ses yeux devinrent si tristes!... puis débordèrent.

– Je préfère rester tout seul. Encore.

Nous sommes partis avec promesse de retour.

chapitre XI

Je l'ai retrouvé les yeux rougis, les traits tirés. A-t-il remarqué les miens?... On s'est serré dans les bras.

– Michel, tu as toute ma confiance. Je peux te dire mon coeur, le vider dans le tien, je ne m'inquiète pas. T'ouvrir mon âme, te conter mes chagrins, tu ne trahiras pas. Te livrer mes secrets, mes grosses peines d'enfant souffrant, tu ne souriras pas. Parce que tu sauras que pour moi, c'est très important. Parce que tu sauras qu'un chagrin d'enfant, ça fait toujours si mal, même si ça ne dure pas longtemps. En apparence.

– Au fond, Francis, d'où viennent ces larmes et combien d'années prendront-elles pour sécher? Va donc savoir d'où vient cette peur et de combien de souffrances se paiera une indifférence. Ce n'est pas clair, comptabilisé, avec des flèches d'un événement à l'autre, balancé comme une équation chimique. Mais si par retours en arrière, régressions, psychanalyses, on pleure parfois tellement, c'est qu'on a tellement souffert!... Et si pleurer te faisait du bien?... Ne crains surtout pas l'émotion vécue jadis: elle te libérera.

– Oui, je sais, Michel, mais il ne faut pas qu'on sache. Promets que tu partiras avec mon secret.

– Je te le promets. Personne, avec des renseignements incomplets à ton sujet, ne tissera des liens où il n'en faut pas, enlignera grossièrement des causes avec des effets, équilibrera des équations sans rien savoir de ton positif et négatif. Tu n'es pas une éprouvette à chauffer, un bécher à mélanges, un cobaye de laboratoire pour vérifier des hypothèses, un coeur artificiel pour expérimenter les effets de l'abandon et du rejet.

Francis prit mes deux mains, les serra très fort dans les siennes, et, en me regardant très intensément dans les yeux,

– Michel, tu m'as raconté ta vie avec mon père; laisse-moi te raconter ma vie sans mon père.

Je suis venu le coeur si serré!... et nous n'avons plus dit un mot.

Quand le psychologue arriva, Francis voulait parler.

– Je veux savoir jusqu'où ils sont allés.

Une légère hypnose, une petite régression et le voilà parti. Francis, couché bien confortablement, l'hypnotiseur s'est assis près de sa tête, l'a préparé, conditionné doucement. Peu à peu, il l'a ramené dans son passé, de plus en plus loin, à sa première enfance.

– Tu vas nous parler de ton enfance, Francis, de tes relations avec les autres, ce que tu as vécu, comment tu l'as vécu. Raconte tout ce que tu vois, tout ce que tu sens.

Francis, docile, confiant, répondait.

– Oui, je vois... je ressens...

Et il nous confia sa vie d'enfant.

Voici la suite de ses secrets mouillés de larmes, baignés de sang. Puissiez-vous comprendre tous leurs messages et respecter vos enfants.

Papa, tu te souviens, un printemps, tu m'as amené au champ avec toi. Tu m'as planté sous un arbre sans livre d'images, sans jouet, sans rien. Et tu m'as dit:

– Attends-moi, ne bouge pas, papa revient.

Tu labourais plus loin. Pendant des heures. Des heures! Comment un enfant peut-il supporter?... J'ai crié, pleuré, appelé. Longtemps après, tu es venu. Bourru. J'ai quand même couru vers toi, me suis jeté sur toi, ma tête collée sur ton ventre, je pleurais.

– Papa! Papa! Ne t'en va pas, reste avec moi!

Tu m'as amené près d'un grand canal asséché.

– Pourquoi il n'y a pas d'eau?

Je cherchais à dire n'importe quoi pour te garder avec moi.

– Si tu restes tranquille, à bien le surveiller, l'eau va arriver. Le gouvernement va faire partir de grosses pompes et le ruisseau va se remplir.

J'en avais les yeux écarquillés de surprise. Mais je ne voulais pas te laisser partir. Tu as tellement insisté que j'ai cédé. Je me suis assis et, consciencieusement, j'ai surveillé le lit séché. Longtemps, longtemps. Je me tenais toujours sur mes gardes, comme tu me l'avais demandé, afin de n'être pas éclaboussé quand arriverait l'eau. J'ai attendu longtemps, longtemps. L'eau n'arrivait toujours pas. Pourtant, papa ne m'a pas trompé.

J'ai attendu, attendu. Puis j'ai hésité. M'aurait-il trompé? Un doute insidieux me pénétrait le coeur. À cet âge, tout commence par là. Et finit par là. Le coeur. Je me suis mis à te regarder au loin, plus souvent que le ruisseau. Me demandais: Qui est-il? Pourquoi m'a-t-il fait ça?... Je me souviendrai toujours de ta salopette bleue, ta chemise rouge et ton attention aux sillons. Aurais-tu passé sur moi pour garder bien droite ta raie?... À mesure que le doute grandissait en moi, il se transformait en douleur, humiliation, dépit. Une brûlure. Tout d'un coup qu'il m'expliquerait pourquoi l'eau n'est pas venue, je ne le prendrais pas pour un menteur. Et je ne voulais pas te prendre pour un menteur. Et je n'en pouvais plus de rester seul. Malgré l'interdiction, je suis parti vers toi, te suivant toujours du regard parce que tu étais si loin, et pour ne pas me perdre: j'étais si petit. En chemin, j'avais un peu plus peur que sous l'arbre ou près du ruisseau, peut-être parce que j'étais en désobéissance?...

À la première clôture, je me suis fait très mal, j'avais même déchiré mon manteau dans le dos. Puis dans une baissière dans le champ qui le gardait détrempé, je me suis aventuré. J'ai calé, me suis pris. Plus je m'efforçais d'en sortir, plus je calais. Quand je sortais un pied, l'autre s'était davantage enfoncé. Je ne voulais pas me mettre à quatre pattes: je me serais trop sali. Je forçais mes jambes à sortir mes pieds avec tant d'efforts, de fatigues, d'inquiétudes. Je me sentais enfoncer à chaque essai. Paniqué, j'ai recommencé à crier, t'appeler. Quand tu as passé à ce bout-ci du champ, j'ai agité les bras, crié plus fort. Tu ne m'entendais pas, ne me voyais pas. Tu continuais ton sillon. Au deuxième tour, tu as regardé dans ma direction: tu m'as vu parce que tu t'es arrêté et m'as regardé. J'ai cessé de t'appeler et seulement agité mes petits bras. J'étais si fatigué d'être debout, si apeuré de me noyer dans la boue. ...Et tu es reparti. Je t'ai vu repartir, sans un mot, indifférent. Tu savais pourtant mon tourment. Je t'ai vu! Tu partais! T'en allais! À chaque seconde, je me sentais m'enfoncer dans ton abandon. Je te suivais de mes petits yeux incrédules. À chaque seconde, la panique m'envahissait, ma colère montait. J'étais bien obligé de croire que tu m'avais abandonné. Au bout de ton champ, tu as tourné sur ta droite, m'as tourné le dos, fait un grand bout, puis tu as encore tourné à droite pour entreprendre la longueur du champ. Je te voyais à peine, tu étais si loin! Et je me sentais si seul! Abandonné dans un champ de boue. Derrière la rangée de cerisiers, tu es disparu. Mon corps tordu sur ses pieds dans la boue ne se supportait plus. Puis tu es réapparu si loin, si loin. Et tu es revenu. À mesure que tu te rapprochais, j'augmentais mes cris, mes gestes. En passant, tu m'as regardé, n'as même pas modéré le tracteur et tu as passé. Je n'en croyais pas mes yeux, seulement mon coeur qui se révoltait. Comment tiendrais-je encore debout un autre tour?... Pourtant, il ne fallait pas que je m'assoie dans la boue ou m'en sorte à quatre pattes: j'aurais sali tout mon linge et maman aurait eu tant de travail! Papa, j'avais encore plus mal à mon coeur qu'à mes jambes. Et tu as tourné, et tu as disparu derrière les arbres et tu es revenu. Et j'étais toujours debout mais si malheureux, perdu. Là, j'ai seulement crié, crié une seule fois, mais si fort! Plus aucun geste: j'étais épuisé. Et encore plus malheureux. Comment pouvais-je encore tenir debout?... Et croire en ton amour?...

Tu t'es arrêté, t'es approché, fâché, m'as dit toutes sortes de choses que je n'ai pas comprises. J'ai levé mes deux petits bras vers toi, suppliants:

– Papa! Papa!

Même si je t'en voulais tellement! Tu m'as tiré brutalement et mis sur la terre ferme. J'ai détesté le contact de tes mains et de ton corps.

Dans un déluge de reproches,

– Je t'avais dit... Pourquoi?...

– Mais l'eau, papa! L'eau n'est pas venue dans le ruisseau. Je voulais savoir pourquoi.

Puis, éclatant en sanglots:

– Je m'ennuyais, papa.

– L'eau ne viendra pas. Là, je vais te descendre dans le ruisseau, comme ça, tu ne te sauveras pas.

Sur les bords escarpés de cette espèce de décharge, tu m'as pris par les bras, descendu et déposé dans le fond.

– Tu ne te sauveras plus maintenant. Attends-moi. Je finis puis reviens te chercher.

Je n'arrivais pas à comprendre ce qui m'arrivait. Je n'arrivais pas à arriver jusqu'à toi, et toi non plus, jusqu'à moi. Jamais mot ne dira mon désarroi, n'exprimera mon sentiment d'abandon. De frustration. Panique d'un enfant abandonné dans un champ de boue. Je ne voyais plus rien maintenant que deux murs de terre impossibles à grimper et les deux extrémités de la décharge ouvertes, menaçantes. Si l'eau arrivait maintenant, un animal sauvage?... Plus le temps passait, plus je m'effrayais, me sentais en cage. Et je ne te voyais plus: c'était encore pire. Ce que je me suis senti écrasé par ces murs de terre, abandonné derrière ton mur d'incompréhension! Ce que j'ai pu pleurer! Et haïr!

Comment, pourquoi peut-on faire si mal à un enfant? Je ne sais pas si je me suis endormi de douleur, d'épuisement. Je ne me souviens de rien d'autre que j'ai été si paniqué, malheureux... et que ce mur d'incompréhension me séparerait de toi pour toujours.

– Pourquoi, papa?...

Et ce qui m'a fait encore plus mal, je crois, ce fut ta fierté de raconter à la parenté, aux voisins, comment tu t'en étais bien tiré avec moi. Comment tu t'étais bien soulagé de cet embarras que j'étais dans ta vie. Tu riais si fort en me regardant et tout le monde aussi. J'étais humilié jusqu'au fond de l'âme, insulté par la gloire que tu tirais de cet événement qui m'avait fait tant souffrir. Mais tu n'as jamais rien compris, papa. Tout le monde s'est moqué, a ri. J'ai baissé la tête, rougi. Et j'ai refoulé mes larmes.

– Tu n'as vraiment jamais rien compris!

Francis vivait encore une grande colère. Sa respiration s'accélérait dangereusement. Le psychologue intervint, suggérant un souvenir un peu plus heureux. Après un moment de silence, Francis partit dans une autre direction.

Une fois, ma mère chantait.

Je n'ai jamais entendu chanter mon père; ma mère, une fois. Nous étions seuls sur la ferme. Je jouais dehors, elle travaillait dans la maison. En m'approchant par hasard, j'ai entendu un doux chant. Mon coeur fut saisi, c'était si beau: ma mère chantait! J'ai écouté. Beau, si doux, je n'avais jamais entendu chanter chez moi. C'était plus beau que tous les oiseaux ensemble, et les cigales et les criquets, l'eau qui coule, la musique du vent. C'était ma mère. Elle chantait.

C'était comme un miracle, une trève entre deux guerres: pour la première fois, j'entendais chanter ma mère. Il me semble que ma maison, ma famille étaient devenues une maison, une famille comme les autres. J'étais devenu un enfant comme les autres. Je n'arrivais pas à savourer toute ma surprise. Je buvais ces sons, caché derrière la porte et souhaitais qu'elle ne s'arrête jamais. Il faisait si beau dans la maison, dehors, partout! De grandes herbes échevelées dansaient au soleil. D'innombrables fleurs criaient leurs tons sans sourdines, accompagnaient ma mère. Les cigales et les grillons, les oiseaux et les crapauds, toute la nature à coeur joie chantait son refrain au soleil du matin. Ma mère chantait.

J'avais envie de tout pardonner, recommencer à zéro. Je pourrais lui parler comme les autres enfants parlent à leur maman. Je pourrais sauter, rire, courir, jouer avec elle. Elle me rattraperait, rirait avec moi, me serrerait sur son coeur.

– Encore, encore, maman!

Et elle recommencerait. Me rejoindrait derrière la chaise: je me laisserais tellement faire. D'un ton faussement bourru, dirait:

– Mon petit sacripant, j't'ai eu!

Et m'embrasserait en riant. Ma mère chantait.

Elle sourirait aux repas, je lui dirais que c'est bon. Je la remercierais après souper. J'essaierais de l'aider. Je l'embrasserais avant de me coucher. Comme les autres enfants. Ma mère chantait.

... Et je rêverais à elle, la nuit. Une grande fée recouverte d'étoiles, de sa baguette magique me ferait visiter des pays merveilleux. On rirait tout le temps, on chanterait ensemble des mélodies parce qu'elle m'aurait appris. Les voisins nous regarderaient, nous envieraient. On serait heureux. Elle me donnerait un peu d'argent, m'habillerait comme les autres enfants. J'aurais des amis et serais fier de ma maman. Je serais heureux. Si ma mère pouvait toujours chanter.

Mais j'ai fait un bruit sur la galerie. La musique s'est arrêtée. Je retenais mon souffle pour ne pas faire peur à l'harmonie enfin trouvée. Un long silence inquiet erra. Puis un filet très doux a rejoint mon oreille, s'est amplifié, a pris son élan et une chanson, de nouveau, a habité notre nid de printemps. Je ne me souviens pas de ce qu'elle chantait mais c'était si doux, si beau. C'était ma mère.

Dans mon enthousiasme, à un certain moment, je n'ai pu me retenir. Je me suis montré et dit tout mon plaisir, mon admiration. Mes rêves, mon affection. Elle a paru agacée. Je suppliais:

– C'était si beau, maman! Continue!...

Gênée, elle m'envoya jouer dehors.

– Maman, c'était si beau! Chante encore. Pourquoi tu ne chantes pas plus souvent?

– Non. Va-t-en.

J'ai eu beau la supplier, cajoler. Lui promettre que je ne dirais rien à personne si elle chantait encore. Rien à faire. J'ai espéré, attendu, en vain prié. Ma mère ne chantait plus.

Ce soir-là, en me couchant, j'ai récité la prière que j'avais apprise et que j'ai depuis oubliée. Mais j'ai ajouté – et je m'en souviendrai toujours –

– Bénissez les mamans qui chantent pour leur enfant.

Je n'ai plus jamais entendu chanter ma mère.

Francis observa un long silence. Le psychologue lui suggéra la détente complète, le sommeil profond. Puis...

Pourquoi doit-on tant souffrir quand on est petit?... Souvent j'avais mal à la tête: je me demandais si tout le monde ressentait la même chose. Ça bourdonnait. C'était lancinant. Puis ça me descendait dans le coeur. Je me demandais: qu'est-ce qui se passe dans la tête de papa, maman? Et dans leur coeur? Est-ce que ça va être comme ça toute ma vie?...

Les enfants des voisins parlaient à leurs parents. Leurs parents leur répondaient. Ils riaient ensemble. Bien oui, je l'avais vu chez le voisin où j'étais allé avec mon père; Tit-Claude a dit quelque chose de drôle et son père a ri. J'étais assez fier pour lui!... En passant près de lui, quand nous sommes partis pour l'étable, son père lui a mis la main sur la tête. Claude l'a regardé, a souri. Mais d'un sourire!... C'est comme si tous les anges l'avaient caressé de leurs ailes en passant. Je me suis approché de lui en suivant nos parents. Il m'a parlé de tant de choses! Il était devenu comme son père: un homme possédant toute une terre. Je n'écoutais pas ce qu'il disait, je désirais seulement m'approcher de lui pour communier au respect. Tit-Claude a parlé, parlé: j'en suis devenu aigri. Puis, j'ai été jaloux. Je l'ai haï. Il était pédant, que je me disais. Je lui en ai voulu, mais pas longtemps. S'oublient vite les rancunes d'enfant.

Quand mon père fut prêt à partir, il a commandé froidement:

– Embarque, on s'en va.

En chemin, lui ai demandé:

– As-tu trouvé ça drôle ce que Claude a dit à son père?

– Il dit rien que des niaiseries.

Je n'étais pas qu'un peu fier de me faire confirmer mon idée. J'ai commenté:

– Nous autres, on est plus sérieux que ça.

Mon père a ajouté sèchement, même un peu menaçant:

– Puis t'es mieux de le rester!

J'ai eu un froid au coeur. Je cherchais sa complicité, il me jetait sa menace. Comme un os à un chien. Puis gruge! que je le sentais m'ordonner. Je n'espérais même pas sa main sur ma tête; d'ailleurs, je ne l'aurais pas aimée. Quand on commence ça trop vieux, non préparé, ça fait rien que gêner. Encore une fois, il m'a repoussé seul dans mon petit univers à moi. Mon trou de boue. L'important, c'est que lui n'y soit pas.

Je m'étais inventé dans ma tête des parents à ma mesure, des frères, des soeurs et un ami. Un seul.

Dans mon cas, on ne peut pas faire confiance à beaucoup de monde. Il s'appelait Pierre, avait droit à tous mes secrets. Il me contait ses peines: ses parents ne l'aimaient pas. Je lui expliquais que mes parents, moi, m'aimaient beaucoup, me cajolaient, me donnaient beaucoup d'argent. J'étais le mieux habillé de tous les enfants du village, même si je venais de la campagne. J'avais des bonbons tous les dimanches parce que j'avais été sage. Et sur un ton entendu, un air un peu snob: même si parfois, j'avais été moins sage, ils me les donnaient quand même. Relevant le nez, convaincu de ma supériorité, j'ajoutais leurs commentaires: on te les donne parce qu'on sait que tu te reprendras cette semaine et que tu seras encore plus sage que d'habitude. Ma mère m'embrassait sur les deux joues, mon père me levait au bout de ses bras. Je leur faisais toutes sortes de promesses et n'écoutais même pas ce que je leur disais. C'était seulement pour qu'ils continuent. Ça se passait tous les dimanches après la messe.

Tit-Pierre me contait que ce n'était pas comme ça chez lui. Il entendait crier, rire les enfants des voisins, à la brunante quand le soir descendait. Parfois, leurs parents jouaient avec eux. Ils avaient l'air heureux.

– Chez moi, me confiait Tit-Pierre, je ne pouvais pas partir en voyage avec mes parents. Rejeté, exclu. D'ailleurs, ils se chicanaient tout le temps avant de partir parce que ma mère n'était jamais prête à temps. Mon père lui criait toujours:

– Fais ton pis, si tu veux vèler c'printemps!

Ma mère se fâchait toujours et ça continuait tout le voyage, du moins quand j'étais avec eux. Chez les voisins, quand ils sortaient en auto, c'était toute la famille ensemble. Je le sais, je suis déjà parti avec eux.

J'étais assis en arrière et je leur parlais comme je te parle. Pas plus compliqué. Même que parfois, gentiment, les parents nous parlaient:

– Tiens, regardez donc ça, les enfants.

Ou bien,

– Comment ça va en arrière, vous autres?...

– Ça va bien, maman.

– Puis notre nouveau petit ami?

Je ne pouvais répondre, j'avais envie de pleurer. Je te le dis, Francis, des fois, je me demande pourquoi je ne suis pas né de l'autre côté du chemin.

Pierre me demandait souvent pour être mon frère. Je refusais toujours.

– Pas question. Nous sommes des amis, ça suffit. Un jour, je te présenterai ma mère. On la fera chanter. Tu verras comme c'est facile de s'endormir le soir quand, pendant le jour, on a entendu chanter sa mère.

– La mienne ne chante jamais, se plaignit Tit-Pierre.

– T'en fais pas. Toi et moi, on va partir un orchestre rock.

Le père du voisin aurait souri en m'entendant. Il m'aurait mis la main sur la tête et parlé comme à un grand en s'en allant. J'aurais fait résonner la batterie pour que tout le rang m'entende. Lui, aurait peut-être joué de la guitare. En se déhanchant?... Pourquoi pas. Et nous aurions joué le plus beau concert devant le plus beau public en quelques instants ... de complicité et de silence. Il en faut si peu pour rendre un enfant heureux.

Et je rentrais chez moi, dans ma triste réalité, mes bras battant encore et toujours l'espace stérile de mon absence.

– C'est si difficile d'être un enfant. Qu'en sera-t-il quand je serai grand!...

Une pression un peu plus forte sur mes tempes, un peu trop de sang dans mon coeur, un peu plus d'eau dans mes yeux. Ah! ce vide obsédant! Et monté dans ma chambre, me suis enroulé dans ma solitude d'enfant.

Un enfant de quatre ans déjà triste n'est plus un enfant. Il est déjà grand, mais si malheureux! Un malheur d'enfant est si dévastateur quand on le laisse pénétrer. Dès la surface, il faut l'attraper, conjurer, l'annuler d'une caresse, d'un baiser. Parfois, on fait le jeu de l'enfant mais notre attitude le lui montre clairement. Mieux vaut trop de caresses, de baisers, trop de bonnes paroles que pas assez. Si le mal pénètre, s'insinue, atteint le coeur, là, il empoisonne la vie. Toute la vie. L'enfant réagira mal aux attaques, contrariétés, dangers. La moindre insécurité le fera basculer, déséquilibré. Il ne pourra s'immuniser contre les microbes, souffrira d'une SIDA psychologique, d'un syndrome immuno déficitaire acquis psychologique. Toute sa vie. Il en coûte si peu d'un sourire de la main, d'une caresse des yeux, d'une parole du coeur pour qu'un enfant soit consolé. Il en coûte si peu d'un air faussement bourru au sourire largement complice pour qu'un enfant retombe sur ses pieds, puis ouvre ses ailes pour de nouveau s'envoler. Il en faut si peu pour qu'un enfant soit heureux. Ou malheureux.

Fragilité du destin, de l'oiseau dans son nid. Fragilité de la vie. Un aigle, un écureuil, un coup de vent, un autre enfant méchant et la coquille se brise ou c'est l'oiseau traumatisé. Toute sa vie, il portera l'insécurité de l'oiseau au bord du nid ne sachant sur quel côté tomber. L'amour donné à un enfant ne donne peut-être pas d'assurance pour l'avenir mais permet tellement d'espérances.

chapitre XII

Ah! toutes ces crevasses creusées par ces abandons répétés, ces indifférences multipliées! Que suis-je donc moi-même, qu'est-ce que je fais ici? J'étais de trop dans cette vie. J'essayais encore d'être gentil, je parlais doucement à maman. Elle ne me répondait pas. J'attendais et recommençais. Là, elle me répondait quelque chose, impatientée. Je m'éloignais sans rien laisser paraître et dans mon coeur s'élevait une tempête. Une tempête de pourquoi. Être si dépendant et si rejeté, je n'ai jamais rien vécu de pire dans la vie. Faire souffrir un enfant ne devrait être pardonné.

Et j'essayais de nouveau à rejoindre mes parents. Les vaincre, gagner par mes délicatesses, gentillesses, sourires, caresses.

– J'ai ramassé toutes mes affaires, maman, pour te faire plaisir.

– T'es mieux de toujours les ramasser!

Ça tranchait, coupait, me fendait le coeur. Pourquoi?

Un après-midi où maman était malade à la maison, je suis allé cueillir des fraises des champs pour lui faire une surprise. Elle les aimait tant. J'étais allé très loin, j'avais beaucoup cherché. Je n'étais pas encore habitué à deviner leur présence. Je m'étais imposé de ne pas en manger, comme un sacrifice à ma maman. Après des heures d'une longue patience, je suis revenu avec une toute petite provision. Je les ai lavées sans bruit pour ne pas déranger ma mère, les ai écrasées et sucrées comme elle les aimait apprêtées. Et tout fier, tout heureux avec mon précieux cadeau, jubilant, les lui ai présentées. Elle est restée surprise, puis embarrassée. Je n'arrivais pas à comprendre son hésitation. ...Et elle les a refusées... J'étais encore plus surpris. Je suis ressorti de la chambre, égaré, perdu, tête basse et coeur gros, cherchant un espace pour comprendre, tenant encore précieusement mon petit plat blanc. Mon précieux fardeau, mon beau cadeau, mon beau projet, tout, entre mes mains, devenait petit oiseau blessé, fête ratée, rejet. Je n'arrivais tellement pas à comprendre que je suis retourné la voir.

— Maman, pourquoi tu ne veux pas? J'ai fait tout ça pour te faire une surprise, te faire plaisir. Tu aimes tellement les fraises, d'habitude!

— Non, je n'ai pas faim. Mange-les toi-même.

— Maman, ça me ferait tant plaisir si tu...

— Tu vois pas que je veux dormir?...

Je suis sorti de nouveau de la chambre de ma mère et encore un peu plus de sa vie. Mon plaisir dans mes mains, ma fête dans mon coeur, ma preuve d'affection, tout était refusé. J'ai déposé mon plat sur la table à ma place et l'ai regardé. Que c'est compliqué d'être un enfant, de faire plaisir à sa mère, d'être heureux en l'aimant! Je regardais ce coulis délicieux qui m'avait demandé tant d'efforts pour le préparer et surtout pour ne pas le manger moi-même, qui, maintenant, ne me disait plus rien. Il semblait empoisonné comme ma joie. Qu'il semblait amer! J'ai hésité longtemps. Peut-être qu'elle va changer d'idée?... Peut-être qu'au souper?... Et je l'ai mangé. Et je l'ai détesté. Détesté! J'avais tant travaillé, espéré et j'étais tellement déçu!... Il n'était même pas bon!...

Je suis parti dehors et j'ai regardé les oiseaux nourrissant leurs petits. Ils ouvraient si grand leur bec, criaient si fort! Leur mère apportait un coulis qu'ils avalaient goulûment. Et les parents revenaient vers leurs enfants qui criaient sans arrêt. Fasciné, mon coeur se cherchait un nid. Suis allé dans le jardin, ai ramassé les bêtes à patates que ma mère m'avait demandé d'enlever quand j'en voyais. Je les ai mises dans une petite boîte en tôle. Rendu dans la cuisine, je les ai écrasées comme mes fraises. ... Et j'ai eu envie de les manger pour me punir de ne pas savoir me faire aimer.

J'ai arraché quelques mauvaises herbes dans le jardin, joué avec le chien, soigné les poules. C'était défendu, mais à quoi bon essayer de se faire aimer?... J'ai lancé le grain. Petit! Petit! Petit!... et les poules accouraient, mangeaient, me regardaient. Elles gloussaient gentiment, avec expression comme des: s'il vous plaît, des: encore, en me fixant d'un oeil puis de l'autre. Je ne pouvais résister: maintenant que j'avais désobéi, autant continuer franchement. Près de la tasserie de foin, un grand coin où on entreposait le grain, j'ai vu de gros rats. Ils allaient, venaient sur la grosse poutre. À chaque passage, un grand frisson me courait dans le dos: ils étaient si gros! Et j'aimais cette sensation, sans savoir pourquoi.

Au grand hangar pour ranger les instruments aratoires, j'ai encore regardé les bourdons entrer et sortir. En grands cercles, puis plus petits, ils voletaient tout autour et finissaient par se poser sur les planches. À pied, ils se dirigeaient vers leur nid, y pénétraient un peu mystérieusement. Bien sûr, je n'avais pas le droit d'être là, non plus. J'ai surtout violé les interdits en appuyant sur le côté, comme je l'avais vu faire par l'employé, une latte assez longue sur le mur pour tuer les bourdons. Quand un premier s'est approché en marchant, j'ai tourné la latte sur le plat. J'ai senti la résistance du corps du bourdon que j'écrasais. Je me suis mis à hésiter. Seulement là, je me suis rendu compte que j'allais tuer. Je savais que je lui faisais mal. Je savais que si je lui sauvais la vie, il me piquerait. Je savais que je devais tuer, tuer... J'ai eu le vertige; paniqué, me suis sauvé. La latte est tombée par terre et j'ai couru. Le bourdon blessé me sifflait dans le cou, se cognait sur ma tête pendant que je gesticulais en criant. Je me suis jeté par terre en me roulant et il m'a piqué, piqué... Je hurlais de douleur. Il a fini par me laisser. Je suis entré en pleurant. Ma mère criait dans la cuisine, hurlait comme si elle avait été piquée elle aussi. Mais par moi. Les reproches pleuvaient, les accusations se multipliaient, les annonces de punitions menaçaient d'empirer mes brûlures. Entre deux cris, au désespoir, ai supplié:

– Maman, ça fait tellement mal!...

– Qui t'a montré ça aussi?

– C'est l'homme engagé. Tu le sais, il s'est déjà fait piquer... puis... tu l'as frotté...

Je venais de lancer une sonde, tâter le terrain. Brutalement, sur un ton qui ne souffre pas de réplique:

– C'est pas pareil.

Je me souviens, elle l'avait frotté, frotté dans le cou, dans le dos. Avec de l'huile. Puis frotté encore. Ah! je la revois! Je pense que j'en étais jaloux. Là, je lui demandais un peu d'huile sur mes brûlures, une petite caresse de main de maman sur la plaie de son enfant, je lui demandais seulement... Je crois qu'elle me faisait plus mal que le bourdon. J'ai été chercher la bouteille d'huile dans la salle de bain, espérant de toutes les flammes qui montaient dans mon cou... Elle était retournée se coucher. Hésitant, je me suis présenté avec la bouteille dans la porte de sa chambre. Maman était couchée dos à moi. En refoulant mes larmes, suppliant comme un enfant qui supplie un peu d'affection, qui s'offre sans défense du fond de l'abîme de son impuissance, j'ai murmuré presque tout bas, hoquetant, brûlant, désespéré:

— Maman, s'il te plaît, voudrais-tu me frotter un petit peu...

Ce n'était même pas une question, seulement une dernière supplique comme un SOS, avant de sombrer dans une mer de feu, celle du rejet de sa mère. Sans bouger, de derrière l'immense mur de ses épaules, élevé, anonyme, vint la réponse comme pitié pour un vulgaire petit chien errant blessé:

— Prends une serviette, mouille-là d'eau froide puis mets-la autour du cou. Ça va être meilleur que l'huile.

Une bouteille d'huile à la main, écrasé dans le cadre de la porte de l'absence, devant le dos de ma mère, le cou en feu, j'ai touché le fond de la détresse. L'enfer. Jamais je ne croirai que l'enfer, c'est pire que ça. Je suis resté là longtemps car il faut du temps pour descendre aussi profondément. Et je descendais et descendais et... Le cou me faisait moins mal que le coeur. Je restais figé. J'étais prêt à accepter d'autres cris, menaces, gifles même, plutôt que de croire à cette évidence. Quelque chose se produirait... je ne pouvais pas croire... L'impossible... Je descendais toujours. Mes yeux fixes, même ouverts, ne voyaient plus rien, le coeur me battait dans les tempes, je ne serrais plus ma bouteille, ne me sentais plus les jambes. Quand la bouteille tomba, ma mère sursauta, me croyant parti ou parce que j'étais là depuis longtemps. Je ne sais plus. Se retourna, enlignée sur les reproches... puis me regarda sans un mot. Je demeurais de cire, fixé, figé, parti. Indifférent à sa nouvelle tempête. Elle dit sans intonation – encore manière de gâcher ma fête – :

— Approche.

Là, il me fallait revenir, comprendre, me dégourdir. Il me fallait défaire les chemins du désespoir. Croire. Un peu machinalement, incrédule, me suis penché, ai ramassé la bouteille et me suis approché du lit. Je n'étais pas encore sûr ni du passé ni du futur. Lui ai tendu la bouteille au bout de mes bras ne sachant toujours pas si elle me la lancerait à la figure, ou une gifle, ou...

– Penche-toi.

Je me suis agenouillé, ai posé ma joue droite sur le lit... et elle m'a touché!... Ma mère me touchait! Pour vrai. J'en étais gêné comme si c'était impudique. Un peu d'huile mouillait sa main rude et cette main coulait dans mon cou. D'un côté, puis de l'autre. Puis encore. Sa main est descendue un tout petit peu entre les épaules. Et elle frottait, mais pas trop fort à cause des piqûres. Sa main chantait dans mon cou, et c'était ma mère!... Je me suis senti si détendu, soumis! Mes genoux faiblissaient, mes mains abandonnées, au bout de mes bras pendants, maintenant touchaient au plancher. C'était comme prendre ma revanche sur l'employé, prendre ma place d'enfant. Extasié, tout entier me suis livré à la volupté.

Son mouvement s'est ralenti puis arrêté. Dans un souffle, j'ai supplié, sans bouger:

– Encore un peu, maman. S'il te plaît, maman!...

– J'ai la main toute graisseuse, maintenant.

– Si tu voulais continuer encore un tout petit peu, j'irais te chercher une serviette, après, pour t'essuyer.

– Vas-y tout de suite.

J'étais revenu presqu'avant de partir. J'avais si peur de perdre cette maman. Cet instant! Elle s'est essuyée pendant que je m'écoulais en remerciements.

– Ça ne fait plus mal, maman. Tu m'as guéri. Tu devrais me frotter plus souvent. Est-ce que je peux retourner tuer des bourdons?...

– T'es mieux de ne plus venir brailler parce que tu t'es fait piquer!

Bourrue, oui, mais au moins elle m'avait touché, frotté. Guéri.

Je suis parti sur le bout des pieds et sur le sommet de ma reconnaissance. Ce que je pouvais être heureux!... Je flottais dans les nuages. J'oubliais les indifférences, les cris, les méchancetés. Dehors, je courais partout. Derrière la grange, j'ai crié. À tue-tête. Pour rien, ou plutôt, pour tout. L'essentiel: une caresse. J'ai fait peur aux oiseaux, aux poules tellement je criais fort ma joie. Dans le grand hangar humide, les échos me répondaient, narquois. Je les engueulais, cherchais le combat pour montrer la force, la supériorité d'un enfant aimé. Je sautais. J'ai pris l'allée du trécarré et couru de toutes mes forces, jusqu'à épuisement. Ça m'a soulagé. À moitié étouffé par mon coeur dans ma gorge, mes respirations saccadées, je me suis demandé ce qui m'arrivait. Le coeur voulait me sortir de la poitrine, l'air me brûlait les poumons. Je ne sais trop pour quelle raison, j'ai posé ma main sur la clôture électrique pour les vaches. Sous le choc, ai sursauté, mais je n'ai pas regretté. Je peux devenir un homme maintenant que je suis un enfant aimé. Je me suis emmêlé, noyé dans toutes sortes de bonnes résolutions, promesses d'obéissance, soumissions, tendresses. Je parlais tout haut pour prouver ma sincérité et prendre à témoins le soleil, les fleurs et le vent.

Après le souper, ce soir-là, j'ai répété mes promesses à ma mère, l'ai encore remerciée et lui ai timidement demandé:

– Voudrais-tu me frotter une dernière fois avant de me coucher? Seulement un petit peu?...

– Non, là, je n'ai pas le temps et tu sais que je suis malade.

Avant de me coucher, j'ai fait une longue prière, puis j'ai parlé longtemps tout seul avant de m'endormir. Tout bas pour ne pas déranger ma maman. Je voyais la vie toute fleurie, des sourires partout, des bonheurs éclatants sous la main d'une maman... avec un peu d'huile. Finis les bourdons, la brûlure. Je suis un homme maintenant.

Chapitre XIII

La nuit du vendredi, quand mon père arrivait, je me faisais souvent réveiller. C'était la terreur en la demeure. Une fois, j'ai entendu mon père:

– Il a crié des noms à la maîtresse. Il ne fout rien à l'école, ne pense qu'à s'amuser. Jouer. T'es pas capable de l'élever, ton gars?...

– Ton gars! ton gars!... c'est facile à dire... rétorqua ma mère.

– C'est aussi facile à faire... avec tous les petits jeunes qui viennent travailler ici.

– Tu sauras, Éric Labrecque, que je fais pas pire que toi! Et que tu te soûles, en plus... stérile!...

Ce n'était que le début des cris qui me réveillaient et se continuaient tard dans la nuit. Je pouvais me rendormir et plus tard, les entendre encore. Toujours à mon sujet. Qui étais-je donc? Qu'est-ce que je leur avais fait? Je me sentais si coupable!...

– Ton gars!...

– C'est pas mon gars!...

– Il a fait pleurer la petite voisine, il a volé une balle à l'école, il a brisé la bicyclette du petit nègre, il..., il...

Toujours il. Jamais de Francis. Je n'ai pas de nom? Ton gars ou bien il. Un il impersonnel comme: il pleut, il neige, il fait froid. Qui suis-je pour faire crier mes parents, attirer le mauvais temps?... Et je me retournais, meurtri, écrasé par ce mystère. Je me couchais sur mon mal.

– Tu as mal au ventre? Couche-toi sur le ventre: ça va passer, me criait ma mère.

Je n'avais plus besoin de lui crier ma détresse: je savais le remède. On ne m'appelait Francis que pour m'assouvir de reproches, m'accuser. Toujours sur le ton de la colère. Je n'ai toujours entendu Francis que les jours de tempête. Ton gars... Il... Et parfois, François, disait mon père sur un drôle de ton. Ma mère se fâchait toujours. Et je me sentais encore coupable de les empêcher de s'aimer. Étais-je donc né si mauvais? Et qui était ce François en moi qui les empoisonnait?...

Toutes les fins de semaine, en présence de mon père, je me rétractais, baissais la tête, levais les yeux. Je sens encore cet arrachement des muscles de mes yeux qui partaient de si bas pour voir de si haut descendre la violence de mon père. Il ne me regardait pas: il voyait, criait, puait. Je m'offrais à lui sans défense. Je restais là, à le regarder, l'espérer. En confiance. Ma bouche crochie par la peine, la douleur; ma peur appelait sa pitié.

– Papa, papa, tu es tout pour moi. Je ne puis rien sans toi. Je suis ton enfant. Tu ne pourras pas me faire de mal. Je reste offert à ta présence, démuni, sans défense, dans le rayon de ta violence. Pour la désamorcer. Je sais que tu ne pourras pas me frapper. Comme une victime offerte, j'espère apaiser ton courroux. Médiation.

Il criait. Il criait tellement fort que je ne comprenais pas. Je me mettais à pleurer tout haut pour dire ma peur et appeler sa pitié. ...Et souvent, il me frappait. Un coup de pied sur le haut de la cuisse et je me retrouvais écrasé au pied du mur. Il en voulait à ma mère et c'est moi qui payais. Ah! le désarroi d'un enfant qui a tant besoin de ses parents! La totalité du rejet et de l'insécurité. De la culpabilité. Abandonné, mais sans pouvoir m'en aller. Abandonné, mais sans pouvoir rester. Névrosé, à cinq ans.

Une fois chassé de son chemin, papa se rendait à ma mère. Maintenant, les deux criaient en me regardant. Vers moi, de grands gestes. Ils se battaient à cause de moi.

– Non! Je m'appelle Francis, répétais-je en pleurant.

Impuissant, tout se hérissait en moi. Les cris augmentaient. Le tonnerre dans la maison se déplaçait. Il s'approchait de moi, roulait de gros yeux, menaçait. C'était vraiment moi le coupable. Si mes parents se battaient, étaient malheureux, c'était de ma faute. Sans savoir pourquoi. Que la vie est difficile quand on n'est pas parents!... Au moins, si ma jeunesse, mon innocence avaient été paratonnerre! Mais non. Livré sans défense à la méchanceté des grands, je subissais l'orage, me sentais coupable du déchaînement des éléments. Même pas un grand arbre pour me mettre à l'abri, un terrier comme chez les animaux. Même ma grande chambre vide ne me protégeait pas.

Certaines nuits du vendredi au samedi, je savais que papa arriverait, saoul, violent, animal. Dès l'après-midi, je commençais à trembler. Ma voix parfois, en parlant à ma mère, se brisait dans ma gorge. Je paniquais. Maman faisait semblant de ne pas remarquer. Au souper, je ne mangeais pas. Maman insistait si peu. Concluait:

– Tu mangeras plus, demain.

Au milieu de la nuit, papa me réveillait.

– Arrive. Viens voir ta mère.

Ta mère, disait-il avec mépris. Endormi, trop lent, apeuré, je tardais, craignais. Papa me saisissait, méchant. Un bras me soulevait brutalement du lit, me sortait de la chambre, me cognait sur le chambranle, me soulevait au-dessus des marches que mes pieds frôlaient à peine. Je touchais parfois le plancher de la salle à manger et me retrouvais dans la cuisine, face à ma mère. Il criait, méprisant:

– Et ça, qu'est-ce que c'est?...

Mon père n'était qu'un bras, un levier m'arrachant au temps, à la nuit, à mon espace et me brûlait à l'épaule sous mon poids. Moi, j'étais un objet. Pire, une accusation, une preuve, un jugement. Pièce à conviction. J'étais LA cause des chicanes de mes parents. Qu'il est pénible d'être impuissant; douloureux d'être un enfant! Entre les deux, au-dessus de ma tête, passait la tempête. Les injures volaient, les accusations claquaient, les ordres contradictoires me déchiraient.

– Va te coucher, criait ma mère!

– Reste là, hurlait mon père!

Entre deux plaies, je tremblais. Un poussin égaré quand passe l'ombre du renard. Perdu dans un grand champ, un enfant quand s'abat l'orage. Parfois, un grand coup de pied dans mon dos et je me retrouvais aux pieds de ma mère. Une souffrance de plus dans mon petit corps, une insoutenable insécurité, une autre humiliation dans mon petit coeur, un autre pourquoi dans ma petite tête. Maman me prenait par un bras,

– Va te coucher, j't'ai dit!

Apeuré, ne sachant que faire, ignorant si le tonnerre éclaterait encore, j'hésitais, puis, frôlant le mur, je glissais de peur vers ma chambre. Sous le lit, je pleurais. Qu'est donc lourd le mystère de la haine dans un petit coeur d'enfant! Non, mon père ne m'aimait pas, ne me protégerait pas. Je n'avais qu'une mère qui criait.

De douleur, d'épuisement, fourbu de souffrances, finissais par m'endormir. De froid, pendant la nuit, je me réveillais et me couchais dans mon lit. Une mère indifférente, un papa violent; entre les deux, des larmes d'enfant. C'était le vendredi.

Au matin, j'avais mal partout. C'était toute ma vie qui faisait mal. Je n'entendais plus de bruit dans la maison, mais j'avais encore peur. Je me posais tant de questions... Toute ma vie n'était qu'une énorme question: elle s'élevait, éclatait et retombait en pluie de pourquoi. Sur chaque chose et sur moi. Qu'est-ce que je suis? Francis Labrecque, ce n'est pas moi, ça. Pourquoi suis-je ici? Pourquoi je ne suis pas dans la maison du voisin?... J'étais une plaie. La faim me faisait descendre dans la cuisine. Dans la chambre, papa ronflait, le danger guettait. Sans bruit, je mangeais quelque peu et sortais avec des fruits. Il m'arrivait d'aller m'asseoir sous la galerie, près du chien pour manger.

Papa me l'avait dit:

– C'est là que tu devrais rester. Pas dans MA maison! avait-il vociféré.

Dans les fils d'araignées, les odeurs de chien, l'humiliation, je rongeais ma détresse, cachais ma peur, me soumettais à lui. Je me punissais de mes crimes, ceux que j'ignorais. Entre un mur de ciment et un chien, je ruminais mon chagrin. Qu'est-ce que je vais faire? Où est-ce que je vais aller?...

C'était tous les vendredis soir... Si je pouvais sauter cette nuit-là, disparaître. Si je pouvais m'absenter de cette vie. J'ai fini par demander à ma mère:

– Pourquoi je ne pourrais pas aller rester chez le voisin? Il y a des petits enfants là-bas. Je pourrais jouer avec eux autres. Je ne fâcherais plus papa.

– Ça n'a pas de bon sens. Tu es ici, puis tu restes ici. Va jamais leur parler d'ça!

Je ne comprenais pas pourquoi elle était devenue fâchée, menaçante.

Pendant toute la fin de semaine, papa ne me parlait pas. Il m'ignorait. Mes parents, eux, se parlaient comme des couteaux tirés: secs, coupants, blessants. Ils s'aiguisaient l'un sur l'autre, tranchaient, claquaient au-dessus de moi. Ah! l'insécurité de l'enfant fragile sous le ciseau de ses parents. Chaque fois, mon coeur sursautait, bloquait ma gorge. J'étouffais. Je m'écrasais dans mon assiette, ou je frôlais le mur. Disparaissais. La distance me rassurait. J'allais voir les animaux à l'étable, leur parlais tout bas. Tout était si calme, apaisant. La fin de semaine, je préférais l'étable à la maison. Je pouvais caresser les animaux, leur parler. Ils ne criaient pas, ne blessaient pas. Je flattais les vaches, leur donnais du foin. Parfois, léchaient ma main. Je caressais le cheval, lui donnais du grain. Il passait ses grosses babines en caresses sur mon bras. Je grattais les petits veaux entre les oreilles, ils crochissaient de plaisir; couraient, sautaient, parfois bêlaient vers moi: ils étaient heureux. Pourquoi, ce n'est pas comme ça à la maison?...

Puis, j'allais me promener dans la tasserie de foin. En haut, au fond, j'avais réussi à sortir un ballot de foin d'entre les autres. Dans ce trou, je descendais et ramenais le ballot enlevé juste pour qu'il tienne au-dessus de cet espace. Il y faisait froid, il y faisait noir; j'étais seul, en sécurité. Je me blottissais dans ce petit rectangle, mon espace à moi. Sur le dos, les mains croisées sur ma poitrine, les yeux clos, je m'imaginais dans ma tombe, regardant défiler les êtres et les choses. Je refaisais ma vie.

J'avais des parents extraordinaires. Ils me parlaient toujours doucement, même si parfois empruntaient un air sévère. Ils m'aimaient – je le sais! – me gâtaient. Je les voyais quand ils étaient petits enfants comme moi. Bons, travaillaient aux champs, aidaient leurs parents. Plus vieux, ils remplaçaient les hommes engagés, comme le fait le grand fils du voisin, Mario Boutin. Mes parents se sont rencontrés lors d'une danse au village. Ils se sont regardés avec de grands éclairs dans les yeux. Leur coeur souriait sous les étoiles. Ils se parlaient doucement comme leurs parents. Papa a demandé la main de maman;elle était tout de blanc habillée, éclatait au soleil. Mais son papa ne voulut pas. (...Oui, j'aime mieux que son papa n'accepte pas: ça va être plus beau.)

– J'ai besoin de ma fille à la maison. Les enfants plus jeunes, les travaux de la ferme...

Et autres raisons que je sentais sans pouvoir les dire tout bas. Mon père a tout fait parce qu'ils s'aimaient. Ils se sont rencontrés souvent en cachette: c'était si beau de les voir, le bonheur fleurissait dans leurs yeux. Ils étaient heureux. Ils se sont décidés, ont élaboré un beau projet, et papa a enlevé maman pour la marier, l'aimer, la sauver d'un père possessif. Un véritable enlèvement. Dans un monde si catholique, rural, plein d'adultes si sérieux. Le corridor n'était pas large; les créneaux, peu nombreux. Mon père a accepté d'affronter, se battre, défendre. Il a pris le risque: il a gagné. Il avait trouvé une cause digne de lui: ma mère.

Et j'étais l'effet de cette cause. Ils sont allés se cacher dans une autre ville, mais allaient travailler sur une ferme. En bicyclette. Tout l'été. En cachette. Comme moi dans son ventre ...et ma maman qui m'aimait déjà!... Je suis sûr que je les marierai, auront beaucoup d'enfants qui joueront avec moi. Je leur montrerai les nids de couleuvres, la beauté des bébés tamias, comment attrapper les grenouilles ...pour les relâcher. Et mon secret pour prendre les souris: j'en prends tant que je veux avec mon piège ...et je les donne au chat. Ensemble, nous ferons des voyages en auto, admirerons des paysages, verrons le train passer; sur le bord de la mer, irons manger. Nous verrons de nouveaux papillons, des goélands et mes parents chanteront en revenant. Dès que je commençais à pleurer, mon rêve s'évanouissait et me retrouvais dans ma tombe. Les murs étaient froids, humides: je frissonnais. Je sortais de ma cachette et allais me promener dehors. Peut-être que mon écureuil passerait, un mulot... ou un chien perdu?

Quand je revenais de l'école, souvent la porte était barrée. Je devais attendre. Quand il faisait froid, dans l'étable me réfugiais. Comme le petit Jésus, que je me disais. Je parlais aux vaches, m'attendrissais devant leurs grands yeux tristes. Tellement que je les soignais souvent. Pour les consoler, que je disais à ma mère. Elle avait parfois un sourire, parfois une impatience:

– On n'aura plus de foin, c'printemps!

Je suivais la progression des oestres sur le dos des vaches, puis, quand les larves commençaient à sortir de la peau, une pression tout autour j'exerçais pour les faire aboutir. Sous la douleur, la vache levait souvent la patte arrière jusqu'au ventre, du côté où j'étais. J'avais prévu, je l'évitais. Puis je caressais la plaie en expliquant à la vache qu'elle souffrirait moins maintenant.

Un coup d'oeil pour voir si quelqu'un était arrivé à la maison... puis j'allais voir les poules. Un grand grillage les empêchait de se répandre dans l'étable. Maman voulait des poules! Aimait les poules! Mais pas les petits enfants. Elle leur parlait en les soignant, leur disait des mots doux, les appelait par leur nom même si elle les mêlait souvent. Aucune ne s'appelait François. Allait toujours caresser celles qui couvaient et envoyait des becs à celles qui pondaient. Les poules ne manquaient jamais d'eau ni de grain. Ni d'affection. Mais quand j'étais là, seul, abandonné dans l'étable, je courais après les poules, les faisais crier, sauter. On se venge toujours sur des plus petits que soi. Les plumes volaient dans les airs et les fortes odeurs aussi. Et à mes bottes, des saletés qui souvent m'ont dénoncé. J'étais puni: les devoirs tout de suite, un petit souper en vitesse puis la couchette. À dix-huit heures, j'étais au lit et méditais sur l'affection de ma mère pour ses poules.

Un jour, un des voisins m'a donné un couple de lapins. Je sautais de joie. Pour un peu forcer ma mère à accepter, le voisin est venu lui-même les porter chez nous. Ma mère a fini par dire, oui. Comme j'en ai eu soin, comme je les ai aimés! Mais il fallait les nourrir. Pas question de toucher au jardin, ni de laisser les lapins en liberté. Alors, j'allais chercher du foin, arrachais du trèfle et de la luzerne. Ma mère s'impatientait. La seule place qu'elle avait trouvée pour les garder, c'était au deuxième étage d'un vieux hangar où se trouvait un peu de vieille paille moisie. Mes lapins se languissaient. Perdaient peu à peu de leur appétit. Je les descendais dès que ma mère était partie. J'ai même arraché quelques carottes du jardin pour mes lapins. Malgré tout, le poil s'est mis à tomber par plaques. Mes lapins avaient l'air si malheureux. Un jour, pendant que j'étais à l'école, la femelle a disparu. Je n'ai jamais pu savoir ce qui lui était advenu. Ma mère a toujours dit que ce n'était pas elle, mais j'ai fini par l'accuser d'avoir volé ou tué ma lapine. Elle ne s'est même pas fâchée, ne m'a pas puni: je crois qu'elle venait d'avouer. Je lui en ai toujours voulu. J'ai eu de plus en plus d'attentions pour le survivant qui semblait de plus en plus malheureux. Peu de temps après, un matin, je l'ai trouvé mort. Ce fut le grand chagrin. Pas de petit frère, pas d'ami, même pas de petit lapin!... Adieu, nombreuses portées, petits lapins multipliés. C'est si beau, si doux, un petit lapin, je les aurais tellement aimés. Ça vous regarde doucement, ne mord pas, vous mange dans la main. On peut les caresser. Les aurais tellement aimés! Mais une maman avait décidé qu'il n'y aurait pas de lapins chez nous. Pas de lapins dans ma vie. Et c'était ma maman.

Seul, sur le bord du chemin, me suis retrouvé; j'y entendais rire et jouer les enfants du voisin. C'est là qu'à la longue, entre les roches de la levée du fossé, j'ai découvert les couleuvres. Elles qui faisaient si peur, tellement fuir, pourquoi m'ont-elles semblé amies, complices? On s'est toute de suite compris. Est-ce parce qu'elles n'étaient pas aimées?

Ici, Francis a recommencé à parler au présent. Le psychologue m'a expliqué que ça pouvait dépendre de la profondeur de son sommeil hypnotique. Quoiqu'il en soit, Francis s'est permis une longue pause, puis a souri en racontant. Comme si son récit lui caressait la figure en passant.

Douce, légère, tiède en tout temps, la couleuvre se glisse, gracieuse sur mon bras, se coule en caresse dans ma main. Ne craint pas, se laisse cajoler, ne cherche pas à se défendre, se sauver. Elle fait confiance. Ses yeux roulent tout autour, mais ne semblent pas effrayés. Sa lancette sort sans arrêt, mais n'est pas agressive. Elle explore, sonde l'atmosphère. Dit bonjour. C'est une offrande de caresses comme les coups de langue du chien qui pourtant pourrait m'arracher toute la main. La couleuvre n'essaie pas de mordre, ne crie pas, ne menace pas. Elle s'enroule autour de mon cou, apprécie ma chaleur, gondole, crochit puis s'écoule par le bout de la tête. La rattrape dans l'angle de mon coude et la glisse dans ma poche. La tête sortie, travaille de la queue, se raidit, puis se détend, fait confiance. Et sa lancette qui me répète toujours: merci. Si je la sors de ma poche, elle se vrille quelque peu mais toujours apprécie mon jeu. Elle finit par y retourner, toute entière cachée, collée sur ma cuisse. Elle accepte mon chemin, accompagne mon retour. Je sais qu'elle ne peut entrer dans la maison; elle fait peur sans raison. Puis elle pourrait se faire blesser: on ne sait jamais, entre deux cris... C'est pourtant si drôle de la voir sur le parquet! Comme elle a peur, semble nerveuse. Elle n'est pas faite pour les maisons. ...Peut-être moi non plus. Il me semble que je serais bien, couché dans le foin, ou entre deux roches... justement où elle a son nid... Avant d'entrer, sur le gazon, une dernière caresse et la laisse partir. Elle se faufile dans l'herbe, s'éloigne sans bruit, mais je sais qu'on se retrouvera. Nous sommes toujours fidèles à nos rendez-vous.

En entrant, je reçois toujours ordre de me laver parce que j'ai dû jouer où je n'avais pas d'affaire et avec ce que je n'avais pas d'affaire.

– Maman, comment ça se fait qu'une couleuvre, c'est jamais chaud?

– Veux-tu me laisser la paix avec tes couleuvres! C'est répugnant!

– ...Bon, j'en parlerai au vent.

C'est ainsi que j'ai appris à n'aimer que les animaux. Ils sont si doux, naïfs, sans défense. Ils font confiance, respectent, ne gardent pas rancune. Le chien nous lèche la main même si la veille, on lui a donné un coup de poing. Son regard reste doux, affectueux, son dos se cambre sous la caresse même si on l'a dompté. Moi, je n'accepte plus la caresse, ne veut plus donner la main. Tendre la main, c'est dans le froid, dans le noir: c'est dans l'insécurité; dépendant, m'en remettre à un autre. Je n'y crois plus maintenant. Je ne crois plus à rien. Si je tends la main, ils la mordront et n'y mettront pas de pain.

Refoulé vers les animaux, poussé dans le vent, abandonné à moi-même, me restaient les jouets que la nature m'offrait, ceux que j'inventais. Les coccinelles, les mouches à feu, les vers sur les choux, si drôles, si nerveux, les grenouilles et bien sûr, les couleuvres. Quel merveilleux livre que celui de la nature! Que de personnages l'habitent, que d'histoires le colorent! Il déborde de tant de formes et de besoins, d'habitudes et de couleurs. Il s'emplit d'un couvert à l'autre de surprenants moyens de locomotion, de curieux instincts de survie et de mystérieuses renaissances chaque printemps.

Les animaux ont des petits mais ne semblent pas les abandonner tout de suite. Combien d'heures j'ai passées à regarder les oiseaux nourrir leurs enfants, surtout les hirondelles. Pendant l'absence des parents, sous leur nid, je me cachais et criais. Les petits ouvraient grand leur bec, prévoyant nourriture: je leur avais joué un bon tour. Puis les parents arrivaient et c'était l'échange de beaux becs nourrissants, comme tous les becs d'ailleurs. Puis la vache qui léchait son veau naissant, l'allaitait, semblait tant l'aimer. Quand on le sevrait, la mère meuglait des nuits de temps pour retrouver son enfant. Parfois, se déchirait la poitrine sur la clôture de barbelés, défonçait les barrières pour retrouver son petit. ...Si je partais de la maison, je ne sais pas si ma maman ferait tant de bruit et ne dormirait pas la nuit? Et combien de temps?... Une petite fugue?... Combien d'heures ou de jours lui faudrait-il?... Elle penserait d'abord que je suis parti à la pêche: elle aime tellement m'y envoyer. À la nuit, elle pensera que je suis peut-être tombé à l'eau. Pourquoi pas?... Dans le coude de la rivière, près de la clôture où finit notre terre, l'eau est si sombre, et mon père m'a dit, très profonde. C'est beau, c'est bon, c'est doux l'eau sur la peau. Je descendrais comme un grand personnage en visite dans un royaume dont on n'a plus jamais le goût de revenir. Je verrais les poissons: m'accepteraient-ils, moi qui leur ai tendu tant d'hameçons? Ma mère serait bien obligée de s'inquiéter pour M. le Curé, les voisins.

– D'habitude, il ne s'éloigne pas.

– A-t-il déjà semblé malheureux?

– Il ne s'éloigne pas, d'habitude!

Et mon père, lui, quelle crise, il ferait!... pour les autres.

Je pourrais aussi suivre la rivière près de la grève: on ne me verrait pas des maisons. Jusqu'au village. Après, il doit bien y avoir d'autres fermes. Je dormirais la nuit dans une tasserie de foin. Je boirais à la rivière, je mangerais...? Si je partais avec quelqu'un de plus vieux?... Il doit bien y avoir d'autres petits garçons malheureux. Une grosse corneille croassant m'a fait sursauter. Quelques oiseaux s'amusaient dans un arbuste, d'autres planaient très haut au-dessus de la rivière et moi, je restais très bas, rêvant à m'y jeter. Seulement pour ma maman. Qu'elle sache... J'ai démêlé ma ligne accrochée depuis des heures dans un arbuste et suis revenu sans poisson. Comme d'habitude. Je sentais déjà la morsure, la brûlure en dedans quand mes parents diraient encore une fois à la visite:

– Il va souvent à la pêche, c't'enfant-là, et ne prend jamais rien.

La visite fera quelques farces que mes parents trouveront très drôles et je serai encore plus humilié. Je me sentirai encore plus incompris parce que, même si je me rends à la rivière, je ne pêche presque jamais: je ne fais que regarder l'eau et les oiseaux. Bientôt, je cesserai d'apporter ma ligne, de plus en plus fasciné par les oiseaux qui volent si haut et les poissons qui nagent sans respirer... dans l'eau si sombre, au coude de la rivière... où finit la terre.

J'écoutais toujours Francis. Maintenant, j'avais les yeux pleins d'eau. Elle descendit bientôt et mouilla ma voix. Le psychologue semblait indifférent, toujours pareil. Fonctionnel. On est psychologue ou on a de l'émotion. Que pensait-il de moi? Peut-on pleurer sur les enfants des autres?... Notre patient s'activait, tranchait de grands morceaux de vérité dans le bloc du passé. Il s'arrêtait souvent pour respirer, ne pas s'étouffer dans sa rage, ses larmes. Un rot de son enfance lui emplissait la gorge. Francis ravalait, chassait le mauvais goût. Grimaçait son passé. Reprenait son récit.

chapitre XIV

J'ai continué à déranger, être de trop dans ce monde de bruits, d'odeurs si fortes, de cris multipliés. Ce monde sans tendresse, non fait pour les enfants. J'essayais pourtant. J'acceptais de me coucher seul à la maison, tous les jours l'après-midi. Je dormais seul et me réveillais seul. J'avais peur. Je voyais les rideaux battre au vent et j'imaginais quelqu'un qui me surveillait, voulait m'attraper. J'avais froid dans le dos. Puis le moindre bruit me faisait sursauter. Je me levais, me sauvais dans la cuisine plus éclairée. J'avais peur. Puis je fuyais dehors, contournais la maison, fixant chaque ouverture au cas où en sortirait quelqu'un. Même à l'arrière où coulait toujours un peu d'eau. Sur un terrain détrempé si difficile pour moi, je me risquais pour protéger la maison des voleurs ou autres malfaiteurs. Et j'attendais des heures. Ma mère et l'homme engagé n'arrivaient toujours pas des champs. Je m'ennuyais. Je n'avais jamais rien pour jouer, m'occuper. J'attendais. Des heures. Que c'est long pour un enfant de huit ans!

Quand ils arrivaient enfin, je courais au devant d'eux, frisonnant encore, chargé d'émotions:

– Je pense qu'il y a quelqu'un dans la maison. J'ai eu si peur! Je suis resté pour la surveiller.

Indifférente, ma mère portait un regard distrait sur la maison. Impatientée:

– Maintenant, laisse-moi travailler. Tu vois bien que tu me déranges.

De dépit, au bord des larmes, je me renfrognais, broyais du noir en les regardant décharger le foin. Encore seul, même encore plus seul parce qu'ils étaient là, tout près qui se parlaient doucement. Toujours prêts à me rejeter. J'avais risqué ma vie, que je me disais, j'avais peut-être sauvé la maison du feu ou des voleurs. J'essayais de me rendre utile. Je voulais...

Mais à quoi bon? Ils m'ont abandonné à la maison, à ma peur,... à mon abandon. Je n'osais pas encore entrer dans la maison parce que j'avais encore peur. J'attendais toujours. C'était si long!

Quand l'homme engagé, Réal Dubois, un colosse dans la vingtaine, sortait de la grange, seul, je lui disais:

– Je pense que j'ai sauvé la maison aujourd'hui. J'ai eu si peur, c'était si long, tout seul!

Ma mère, devinant mon manège me criait:

– Laisse-le donc tranquille avec tes enfantillages!

L'homme, sans un mot, me passait la main sur la tête affectueusement, jouait un peu dans mes cheveux en souriant. Pourquoi n'était-il pas une maman?...

D'autres après-midis, j'allais les rejoindre au champ. Ma mère me criait:

– Va t'en. Reste plus loin. N'approche pas. Pourquoi...?

Question que je n'entendais pas à cause du bruit du tracteur ou de la portée du vent. Je m'asseyais au pied d'un piquet, jouais avec un brin d'herbe, tentais d'en faire un sifflet; je m'amusais avec une fleur, lui disais mes regrets. Je changeais de place, suivant de loin leur travail; parlais au grillon, apprivoisais les couleuvres; j'examinais les bibittes, en faisais mes amies, parfois les larmes aux yeux.

Puis ce fut défendu d'aller aux champs. Un après-midi, n'en pouvant plus, j'ai été rejoindre ma maman. Le tracteur était arrêté, la voiture désertée. J'ai eu un frisson. Où sont-ils?... En danger? Ah! bien là, je vais pouvoir les aider, peut-être les sauver.

Ils seront bien obligés de me reconnaître après ça. Prudemment, de la voiture me suis approché, ai fait le tour, regardé dessous. Suis monté dessus, au loin ai scruté. Toujours personne. Un drame, que je me suis imaginé. Des bandits!... Et j'ai crié:

– Maman! Maman!... Où es-tu? Réal!...

Pas de réponses. J'ai cherché dans le champ, approché du défaut de côte qui aurait pu les cacher. Exploré la pointe qui s'avançait vers la rivière plus bas. Examiné les arbres, baissières, fossés. Je criais maintenant à tue-tête. Toujours pas de réponses. Sont-ils baillonnés?...

Je vais les trouver, je vais les sauver. Ensuite, ils vont m'accepter! J'ai crié, couru partout, approché de l'eau. Seraient-ils noyés?... Mon coeur s'est serré. J'ai eu peur. Je me suis imaginé seul dans la vie, à huit ans. Dans une grande maison froide, sans maman. Seul toute la semaine et mon papa, seulement les fins de semaines. Toujours soûl bien entendu. Je ne serais jamais capable! Faire à manger, le ménage, l'épicerie: je sais si peu lire et compter. Conduire le tracteur comme maman, payer Réal: je n'aurais pas d'argent. Faire le train... Ah! que je suis démuni, perdu! Est-on si faible à huit ans?... Assis au bord de la rivière, je regardais couler l'eau tranquille, indifférente, les feuilles des arbres continuaient à bouger comme avant et les oiseaux voler. Je me suis senti si seul, si malheureux. Et j'ai pleuré. J'ai regardé l'eau et souhaité m'y jeter. Et j'ai crié encore. Et j'ai encore pleuré.

– Maman! Maman!...

Ah! que je souhaitais donc la revoir, me jeter à sa taille, la serrer dans mes petits bras, lui dire que je l'aimais, que j'avais tellement besoin d'elle. Que j'étais pour l'aimer toujours, faire tout ce qu'elle me dirait. Que je... En pleurant:

– Maman! Maman!... Où es-tu donc?...

Tout à coup, l'ai vue sortir du bouquet d'arbres, un peu plus loin dans le champ. Réal s'en est allé vers le tracteur; elle, elle s'est dirigée d'un pas décidé vers moi. J'ai couru à sa rencontre en l'appelant joyeusement. Cette joie exultait dans mon coeur: j'ai retrouvé ma maman! J'ai retrouvé ma maman!... J'ai peut-être fait peur à des bandits qui la tenaient prisonnière. Mais Réal, pourquoi ne l'a-t-il pas aidée? Peut-être parce que ce n'était pas sa mère? Je pensais si vite, si fort en grignottant la distance qui nous séparait. En remontant la pente qui nous divisait. Elle marchait vite, je courais. À mesure que nous nous approchions, mon coeur se gonflait de renconnaissance, lui jurait toutes sortes de promesses d'obéissance, sagesse.

– Maman! ...

Encore quelques secondes et je la serrerais dans mes bras, elle me serrerait sur son coeur. Puis, je m'arrêtai, interloqué: elle avait l'air si fâchée!...

– Maman, que je lui répétais en pleurant.

... Et sur mes deux joues mouillées de larmes, deux gifles brûlantes claquèrent dans le silence...

J'ai pivoté, étourdi, je suis tombé assis. Le dos tourné vers ma mère; ma figure, vers la rivière. Hébété, c'était le vide. Le pôle nord venait de changer de place avec le pôle sud, l'horizon était à la verticale, le ciel avait disparu. Je me sentais seul au milieu de l'océan. Un océan d'incompréhension, une mer de mystères. Sans un mot, ma mère venait de me séparer d'elle à tout jamais. Elle venait de me livrer pour toujours à moi-même. Seul, à tout jamais! Sans papa, sans maman, au milieu d'une côte que je remontais vers elle. Maintenant assis par terre, tourné vers la rivière, je regardais couler l'eau comme mes larmes. Et me demandais comment on fait pour mourir. La rivière, de mystérieuse, dangereuse qu'elle m'apparaissait déjà, m'était devenue sympathique, refuge, maternelle. J'ai commencé à aimer les poissons et à leur parler. Oui, oui. Attendez un peu. Je suis resté complètement immobile, paralysé, mon coeur en étau entre deux brûlures. Je ne sais combien de temps je suis resté là, figé au fond de ma misère, appuyé de toute la pesanteur obstinée de mon chagrin. Quand je me suis levé, on aurait dit que tous mes gestes étaient rouillés, que ça grinçait de partout, que je réapprenais mes mouvements, ma coordination. Très lentement, ne pensant à rien, je me suis dirigé vers la maison. Je ne les ai pas regardés en passant. Tête baissée, replié sur mon chagrin, – le plus grand – ce chagrin d'enfant incompris qui n'arrive pas à se faire aimer. Si démuni, que vaut donc la vie?...

Rendu à la maison, je suis monté à ma chambre et assis sur mon lit. Je pleurais abondamment. Je tenais à l'envers un livre d'images pour enfants et le lisais en mouillant les pages. Je songeais à ma souffrance sans défense, transpercée de pourquoi. Je souhaitais maintenant la présence des bandits qui pourraient me tuer. Je me suis assis et je les ai appelés dans mon dos. Je les désirais, les aimais. Je me disais: c'est à ça qu'ils servent les bandits, aider les enfants qui pleurent, les libérer de la vie. Je les ai appelés, appelés. Tout bas puis tout haut. Avec eux, je serais parti. Avec eux, je vivrais leur vie. J'entrerais dans les maisons où dorment seuls des petits enfants, l'après-midi. Je les emporterais pour faire pleurer leur mère. Elles me téléphoneraient, me supplieraient à la télévision pour leur ramener leurs petits. Je les écouterais, je jouirais de leurs souffrances. Ça me ferait du bien. Je me vengerais. Je leur dirais: non, vous ne méritez rien. C'est votre enfant et vous l'avez frappé, dans une côte, près d'une rivière. Vous l'avez rejeté parce qu'il vous cherchait. Vous ne méritez pas d'enfants! Je vais le torturer et vous entendrez ses cris. Il saura que c'est de votre faute et il vous en voudra toute sa vie. Vous l'aurez mérité! Et j'ai crié à tue-tête comme si torturé. J'avais mal à la gorge, mais je me faisais du bien. J'ai marché, marché dans toute la maison. Je suis entré sans peur dans toutes les pièces. Je cherchais toujours les bandits, les appelais sans arrêt. Dans la chambre de ma mère, j'ai voulu tout casser, cadres, fenêtres. Arracher les draps, tout jeter par terre.

Quand les deux sont arrivés des champs, je me promenais sur le gazon le long du chemin, en face de la maison. Je m'arrêtais souvent, m'asseyais par terre pour suivre de plus près une fourmi, regarder un papillon. Quand le souper fut prêt, ma mère m'appela. Je ne répondis pas. Au deuxième appel, elle menaça. Je me suis buté, si malheureux, prêt à tout faire pour empoisonner sa vie, comme elle empoisonnait la mienne. Finis les autres, la société! Je m'étais replié sur moi, cloîtré pour la vie. Puis Réal arriva. Il s'est assis par terre en face de moi. Sans un mot. Je ne l'ai pas regardé. Je ne voulais plus voir personne. La colère me rongeait. Il a fini par dire doucement:

– Francis, as-tu faim?

Je n'ai pas répondu. Après un moment,

– Tu sais, cet après-midi, tu nous as dérangés: c'est pour ça que ta mère s'est fâchée.

Je me disais tout bas: c'est pas vrai, c'est pas vrai. Je n'ai pas dérangé: ils ne travaillaient pas. Il ment lui aussi. Il ment comme ma mère. Réal finit par dire:

– Ta mère t'aime bien, tu sais.

Ah! là, une tempête s'est déclenchée en moi. J'ai crié, révolté jusqu'au plus profond de moi:

– C'est pas vrai! C'est pas vrai! Ma mère ne m'aime pas!... Elle me hait!...

Le tonnerre, les éclairs, une grosse tempête tonitruait dans mon coeur et je n'entendais pas ce que Réal disait. Je ne cessais de répéter: C'est pas vrai! C'est pas vrai! Puis, il arrêta de parler; moi, de crier. Après un long silence, il essuya les larmes qui coulaient sur mes joues. J'ai eu un geste de recul.

– Francis, je vais te dire un secret. Il ne faut pas le dire à ta mère: ça va rester entre hommes, entre toi et moi. Je ne viens pas travailler ici seulement pour aider tes parents. C'est aussi pour te voir, te parler un peu. Tu as remarqué, chaque fois que je pars, je viens te faire une petite caresse. C'est parce que je t'aime, tu sais.

J'ai gardé le silence. Lui aussi. Longtemps. Il m'attendait. J'étais si loin!... Il a fini par placer ses deux mains très délicatement sur mes deux joues encore douloureuses. Il les a à peine effleurées. S'est un peu approché de moi et lentement m'a soulevé au bout de ses bras puissants et attiré vers lui. Il m'a collé sur son torse, puis serré bien fort. Ma tête se pressait sur son oreille et tout mon corps entrait sur sa poitrine. Ses deux mains ouvertes me couvraient tout le dos. Il me serrait si fort! Jamais personne ne m'avait jamais caressé de cette façon. Il répétait:

– Oui, Francis, je t'aime bien, tu sais. Je t'aime bien.

J'avais tellement envie de ne pas le croire!... Mais j'étais si bien dans ses bras! Ça me faisait tellement de bien!... J'ai succombé. J'ai fini par serrer son cou de mes deux petits bras et collé ma joue si fort sur la sienne. ...Et j'ai fini par le croire... un petit peu.

Quand on est si fourbu de souffrances, on s'accroche à la moindre espérance. Même le mensonge a des attraits.

Il s'est levé et m'a amené à la maison. Ma mère faisait semblant d'être douce. Pour se faire pardonner. Par moi ou par Réal? Je ne voulais même pas le savoir. Jamais, je n'oublierai ses gifles! que je me répétais. J'ai mangé en silence. Eux parlaient de temps en temps. Après mon dernier verre de lait, sans dire un mot, j'ai monté me coucher. Je me suis étendu tout habillé sur le lit. Bientôt, j'ai entendu quelqu'un monter délicatement l'escalier. Je me suis raidi: je ne voulais pas la voir. Je ne voulais rien savoir. Mais dans la porte, c'était Réal qui me souriait.

– Ce soir, je viens coucher avec Francis, mon nouvel ami. S'il veut bien de moi, bien entendu.

Il s'est assis sur le bord du lit. Il passait sa main sur mon front et dans mes cheveux. Ne parlait plus. J'ai recommencé à suffoquer, ma bouche à se tordre, mes larmes à couler. Sans effort, mon coeur battait très fort.

– Si tu veux, je vais te déshabiller moi-même. Tout seul. Laisse-toi faire. C'est la première journée de notre beau secret, ça vaut la peine.

Il a enlevé très délicatement mes petits souliers et mes bas. Il m'a gentiment assis sur le bord du lit, a relevé mes bras comme pour un jeu et...

– Hop! le chandail est enlevé.

J'ai gardé les bras levés. Il les a baissés en souriant. Son index est venu me chatouiller le menton. J'ai souri aussi. Il a retiré ma petite culotte courte et m'a glissé sous les couvertures. J'étais couché sur le dos et lui s'est étendu sur son côté droit, près de moi, son bras gauche très pesant étendu sur ma poitine. Du bout des doigts, il jouait dans mes cheveux, parfois caressait mon cou. Ses doigts étaient rudes, mais au moins, ils me touchaient. Son bras était pesant, mais au moins il savait que j'avais un coeur: il le sentait battre sous son biceps. C'était peut-être vrai qu'il m'aimait. Spontanément, ai tourné ma tête vers lui et, dans un souffle, très bas, ai demandé, suppliant:

– Voudrais-tu être mon papa?

Il a semblé surpris, s'est rapproché encore plus, a embrassé bien fort et bien longtemps ma joue meurtrie. A même laissé ses lèvres collées. Je sentais son souffle chaud, si doux. C'est comme s'il voulait éteindre le feu de mon chagrin. Sur mon autre joue, la large paume de sa main était devenue caresse, baume. Ses doigts serraient maintenant le dessus de ma tête. J'ai cru être heureux.

De plus en plus souvent, je fixais son beau gros biceps mystérieux. C'était toute la force de mon nouvel ami Réal qui respirait sur ma poitrine. Ah! les moments que j'ai passés à le regarder si près de mes yeux, presqu'à portée d'un baiser, monter et descendre au rythme de ma respiration. Il était là, offert à ma détresse, comme un beau fruit mûr gonflé de promesses. Il semblait de satin aux reflets mordorés comme ces feuilles habitées qui reflètent les couleurs. Feuilles épaisses, gonflées de santé qu'on ne peut s'empêcher de toucher en caresses émerveillées. J'ai avancé ma main droite et déposé du bout de mes doigts un lent baiser. Je me disais: Sûrement que la fleur n'est pas loin. Ai tourné un peu la tête: elle respirait à mon oreille. Ses pétales s'ouvraient légèrement, puis se refermaient comme ces grandes fleurs de mer qui se nourrissent en respirant. Au coeur de sa corolle, au milieu du pollen et des belles étamines, je sentais son coeur qui s'offrait, qui m'aimait. Il rejoignait en moi quelque chose d'indéfinissable et très doux, remuant tout un jardin de fleurs et de papillons, d'oiseaux et de grillons chantant dans l'abondante fécondité de la tendresse offerte. On dirait qu'il communiquait au centre de mon être avec la racine-mère, existentielle, le pivot relayant toutes mes émotions. Il en faisait peu à peu un énorme bouquet, les couleurs rejoignant les odeurs, les pétales dansant une valse en se formant en fleurs qui s'offraient l'une après l'autre, éclatantes, souriantes, éblouissantes sur la tige du bonheur. Je les regardais, les yeux agrandis d'émotions, les sentais me remonter dans le nez, me chatouillant le coeur en passant et créant en mon âme une douce atmosphère d'odeurs. J'ai regardé de nouveau son biceps qui respirait encore doucement sur mon coeur. J'ai ensuite placé ma toute petite main sur cette grande force qui s'offrait dans mon désert d'affection. Ce long baiser de mes doigts recueillis m'émouvait beaucoup, laissant dans tout mon être une étrange sensation de bien-être qui se répandait partout, soulevait ma poitrine, détendait tous mes muscles, peuplant mes yeux d'étoiles qui remplissaient maintenant ma chambre, pendant que des lumières frétillantes titillaient sur tout mon corps offert aux divins plaisirs de la tendresse. De témoins de la méchanceté qu'elles étaient, mes joues devenues jardins de roses, recueillaient dans leur calice doré la douce haleine du bonheur, tout simplement parce qu'un homme m'avait offert le doux présent de sa présence.

N'en pouvant plus, j'ai lentement sorti mon bras gauche laissé entre nous et l'ai glissé avec précaution entre son cou et ses épaules. Je crois qu'il m'aidait, faisant seulement semblant de dormir. Savait-il que je l'admirais?... Son large front dévoré par tant de cheveux touffus, abondance de ses dons, ses paupières baissées, calmes, détendues invitaient au repos du corps et de l'âme. Ses belles joues descendaient lentement puis s'arrondissaient tout à coup en une belle surprise invitante, pour des baisers si doux et d'autres joues caressantes. Son nez semblait seul éveillé dans ce beau visage du repos. Ses lèvres légèrement charnues, arrondies, gonflées m'excitaient doucement, me troublaient. Je ne comprenais pas pourquoi, ni comment. C'est peut-être ce qui en faisait tout le charme discret. Je les baisais de mon regard fixé, les sentais partout sur mon corps obsédé. Elles soulevaient en moi de tels voiliers d'émotions que même aujourd'hui, je ne peux les rassembler en des mots témoins. Je me suis avancé si lentement, goûtant chaque parcelle d'espace me séparant de ce désir brûlant et posai dans une apothéose de chatouillements mes petites lèvres d'enfant sur sa bouche généreuse. Puis, j'ai placé mes deux bras derrière son cou, l'ai serré de toutes mes forces, mes lèvres sur ses lèvres, mon coeur palpitant sur son coeur, tout mon corps secoué de bonheurs inconnus.

Aujourd'hui, je dis: j'ai embrassé une fleur, il en est sorti un Prince Charmant. J'ai fait l'amour avec une fleur, elle s'est semée, transplantée partout sur mon corps. Chaque pore de ma peau respire son odeur et pousse sa tige en témoin du bonheur. Je suis un jardin de roses, d'oiseaux et de papillons. À défaut de mère, me suis découvert un père et l'envie d'être heureux. Je me suis endormi en rêvant de sourires et d'amitiés.

Ah! ce que les oiseaux ont chanté en cette nuit! Au matin, ma chambre vibrait encore de mélodies. Mon Prince était parti, mon Chevalier de la Rose enfui. Il était si tard aussi: dort-on plus longtemps quand on est heureux? Vite habillé, je suis descendu, indifférent à ma mère: j'avais un père maintenant. À l'avenir, il sera mon héros, l'objet de toutes mes pensées. Je lui raconterai tout, partagerai tout, il sera mon ami. J'ai pris tout ce qu'il fallait pour manger et me suis empiffré sans dire un mot. En sortant de la maison, sans avoir encore regardé ma mère:

– Réal sera mon papa.

Rendu un peu plus loin, j'ai ajouté:

– Et ma maman aussi.

J'ai cherché partout. J'ai fait tous les bâtiments. Sans demander à maman, je me suis rendu au bout du champ. Il était là, à travailler. S'est arrêté, est descendu du tracteur et m'a serré la main. M'a dit comme à un homme:

– As-tu bien dormi? Tu as l'air en pleine forme.

– Ah oui! Merci.

Sans hésiter, spontanément, j'ai ajouté:

– Veux-tu être ma maman aussi?

Je pense qu'il hésitait un peu. Peut-être trop de responsabilités d'être en même temps papa et maman. D'un petit garçon malheureux. Seulement un grand frère peut-être, au moins! que je souhaitais dans ma tête. Puis il m'a dit:

– Tu es un homme maintenant. Quand on est un homme, on a moins besoin de parents. C'est des amis qu'il nous faut. Veux-tu être mon ami?

Et il a passé en caresse sa belle grosse main sur ma joue droite. J'ai regardé la côte tout près que je ne finirai pas de remonter vers ma mère, puis j'ai pris la paume de ses deux mains que j'ai appuyées fortement sur mes deux joues blessées pour désamorcer le passé et vivre le futur sans danger. Je me suis lancé sur lui et l'ai serré bien fort dans mes nouveaux petits bras d'ami. De grosses larmes coulaient sur mes joues, mais c'était mon coeur qui débordait. De tendresse.

Réal m'a pris dans ses gros bras, serré sur son coeur et placé devant lui sur le siège du tracteur. Je tenais le volant et je crois qu'il me tenait dans son coeur. Par dessus mes épaules, tenait lui aussi le volant comme un grand frère qui protège, soutient, défend. Nous avons fait tout le champ. J'étais très fatigué, mais la fatigue est douce quand on s'est fatigué en même temps que son copain. Dans le même but. On s'est arrêté et on a bu chacun notre tour à la grosse cruche d'eau reléguée dans l'ombre au flanc du fossé. Avec une petite tape dans le dos:

– Ouais, tu as bien travaillé.

Je ne portais plus par terre, j'étais prêt à recommencer.

– Voudrais-tu, mon ami, me faire une commission? Pour sauver du temps, va dire à ta maman de préparer tout de suite le dîner... pour deux hommes.

Et sur un ton d'ogre enragé:

– Nous avons faim!!!

– C'est vrai. J'y vais.

Je suis parti en chantant: Nous avons faim! Nous avons faim!... En entrant dans la maison, j'ai répété en chantant encore: Nous avons faim. Réal s'en vient. Nous avons faim. Réal s'en vient.

– Bon, c'est assez. Va te laver.

J'ai pensé que Réal se laverait aussi en arrivant et j'ai obéi. Je l'ai attendu dans ma chambre en relisant le livre d'images pour enfants. Je l'avais remis à l'endroit comme Réal l'avait fait avec moi. Au dîner, j'ai pris mon couvert près de ma mère et l'ai déménagé près de mon ami. Ma mère a grimacé, Réal lui a souri. Elle s'est calmée et j'ai mangé près de lui.

C'est Réal qui me servait et on avait bon appétit. Mais n'ai pu le suivre jusqu'à la fin: ce qu'il mangeait, mon nouvel ami!... J'ai pris deux assiettées de soupe comme lui, mais n'ai pu finir ma viande et mes carottes.

– Tu finiras ça, au souper, me lança ma mère, froidement. Maintenant, va te coucher.

J'ai regardé Réal, il m'a fait signe que oui. J'ai promis:

– Je vais te rejoindre, cet après-midi.

– Je ne serai pas loin.

Couché sur le dos, j'imaginais le bras de Réal passer sur ma poitrine et j'ai posé ma main sur son biceps. Je l'ai serré si fort, si longtemps, douce chaleur sur mon coeur. Et il battait si fort! Je pensais: Réal, on va travailler ensemble. Tu n'auras plus besoin de ma mère pour t'aider. Je vais dormir un peu, puis te rejoindrai.

Au réveil, je me suis précipité au champ. Je l'ai aidé, aussi émerveillé qu'avant. Pendant le train du soir, j'ai fait tout ce que j'ai pu. Il m'a encore envoyé dire de préparer le souper. Elle m'a répondu:

– Je sais. Va te laver.

J'ai pris ma douche et attendu son retour et le souper. Peu après, assis près de Réal devant la télévision, j'ai caillé, comme disait ma mère. Réal m'a pris dans ses bras et monté me coucher. Ma mère a crié:

– Va pas lui donner c't'habitude-là!

Je me souviens seulement d'une caresse. Quand je me suis réveillé pendant la nuit, je me suis aperçu qu'il m'avait aussi déshabillé. Je sentais une douceur, une tendresse dans tout mon corps. J'ai passé ma main sur ma poitrine où il avait laissé le signe de son bras. Puis j'ai étendu mon mouvement, puis de même avec mon autre main. Ma poitrine était devenue chaude, transparente. Mes mains voyaient mon coeur et mon coeur battait dans mes mains. De plus en plus vite. Tout mon corps se concentrait sur mon coeur et se sentait caressé. Mes jambes, mes cuisses, tout le tronc: un délicieux frisson. Je pensais à mon grand Réal, et j'étais bien.

Le lendemain, je lui ai tout conté parce que j'avais promis. Avec un beau sourire, il a passé sa main dans mes cheveux.

– Maintenant, tu seras toujours heureux.

Je ne savais plus que dire, tellement ému.

Un long silence. Francis s'était tu. Me parlant à moi-même, et un peu pour le psychologue, j'ai commenté:

– Il est curieux que de simples gestes et si peu de paroles puissent faire tant de bien! Pourquoi les corps sont-ils si avares de leur âme?... Et les Réals si rares?...

chapitre XV

De l'autre côté de chez nous, chez le voisin, c'était une maison vide. Une roulotte. Pas de terre. Le père arrivait le mercredit soir. La mère, le jour, n'était jamais là. Pas d'enfant, sinon deux grands la fin de semaine parfois. Ne restaient jamais longtemps. Vraiment une maison vide. Que ça semblait ennuyant! Mon père détestait ces gens. Ils devaient être bien méchants. C'était des gens de la ville: pas d'animaux, pas de terre. Mystère. Je voulais toujours aller voir de près cette maison un peu hantée. Elle me fascinait. J'avais tellement le goût d'aller voir, peut-être casser quelque chose parce qu'ils n'étaient pas comme les autres. Mais c'était bien défendu d'y aller, même d'en parler. Ils semblaient des ennemis pour mes parents. Ils l'étaient devenus pour moi, j'ai voulu me venger. Les venger.

Un après-midi où j'étais seul, encore! j'ai brisé toutes les vitres de l'arrière de la maison.

– Maintenant, mes parents vont-ils me parler? Savoir que j'existe? Je leur ai rendu service.

L'auto arriva, la portière s'ouvrit... et les cris! Un grand bonhomme grisonnant, une jambe plus courte que l'autre, violent. S'est approché, m'a accusé. Terrorisé, n'ai pas répondu.

– Ce n'est toujours pas les Boutin, leurs enfants sont bien élevés.

Je venais de découvrir que je n'étais pas comme les autres; j'avais quelque chose pour me faire remarquer: je n'étais pas bien élevé. Ma mère s'est fâchée. Il suffisait que je sois mal élevé pour que ma mère s'occupe de moi. J'avais déjà mal dans le dos. Je tremblais. Un curieux mélange de satisfaction et de regret.

– Au moins, ils parlent de moi, savent que j'existe.

J'entendais le tonnerre gronder au loin, parfois éclater près de moi, puis s'éloigner. Les bruits me terrorisaient plus que la brûlure que je ressentais. Le bruit, que c'est insupportable! Puis les grands roulements de tonnerre recommençaient, se multipliaient, toujours de plus en plus fort, de plus en plus brûlants dans mon dos, puis sur mes mains, bras, figure. Ma mère criait, mais au moins elle savait que j'étais là. Et le voisin aussi.

Je suis toujours resté intrigué par le mystère de cette maison vide, abandonnée tout le jour par la mère et toute la semaine par le père. Pas de chien, chat, seulement des oiseaux. Des nids partout, des écureuils, beaucoup de toiles d'araignée. À l'abandon. Tout ce qu'il faut pour attirer les esprits, les revenants comme on dit. J'y allais de plus en plus souvent, attiré par tant de mystères. Et j'ai reconstitué son histoire. C'était facile. La maison avait l'air sinistre, abandonnée, le terrain malpropre, les gens mystérieux... et je n'avais pas le droit d'y aller. Tout était clair: c'était une maison hantée. À l'arrière, une fenêtre sans rideaux; sur son rebord, un nid d'oiseaux. C'était une chambre. Vide, sale, délaissée. Je l'ai bien vue par la vitre encrassée. Au plafond, un trou plein de fils d'araignées; des fils électriques en pendaient. Ce ne pouvait être que la chambre d'un enfant qu'ils avaient torturé. J'ai eu grand frisson: j'ai compris qu'ils l'avaient torturé à l'électricité.

Je sentais des frissons d'horreur sur tout mon corps, entendais ses cris. Le père était soûl, lançait l'enfant sur la mère. Elle l'attrapait et le lançait sur le père. Tombé par terre, l'enfant était renvoyé à coups de pieds. Il pleurait, devenait tout rouge, étouffait. Puis vert, bleu, de toutes les couleurs de la souffrance, de toutes les couleurs de la mort. J'ai été voir sous la galerie s'il y avait de la place pour un enfant et un chien. Ils l'ont peut-être enterré là?... De maigres herbes gricheuses poussaient partout. Et le chien était parti. Je me voyais sous terre avec l'enfant, regardant entrer et sortir mes parents. Ils passaient sur moi sans même y penser. Ils étaient comme ces méchants de la ville, toujours absents.

Puis survint l'événement le plus sombre de ma vie. Un soir de printemps, ma mère m'avait demandé d'aller fermer la porte du poulailler parce que les poules maintenant toutes rentrées. Je n'y étais pas allé immédiatement parce que je voulais finir de souper avant. Mes parents qui avaient entrepris une chicane particulièrement violente pendant le repas, en arrivèrent encore à moi. Je m'y attendais toujours en tremblant. Mon père cria:

– Puis regarde ton gars. Tu lui as demandé d'aller fermer le poulailler: y es-tu allé?...

Ma mère prise en défaut à cause de moi, hurla, menaçante, comme elle n'avait jamais hurlé après moi.

– VA FER--MER LA PORTE!!!

Je suis resté figé, incapable de bouger. Tellement terrorisé que ma gorge s'était bloquée, que mes jambes s'étaient dérobées et que j'avais tellement envie de pleurer que je ne le pouvais pas, que je... Comme un assassin, elle tenait son couteau d'une main, sa fourchette de l'autre, me terrorisait pendant que ma vue s'obscurcissait. Puis, d'un bond, elle s'est levée et lancée vers moi en criant à tue-tête, les yeux exorbités, tenant toujours dans ses mains les armes pour me transpercer. Puis ce fut un grand vide, confus comme quand on est trop secoué, on ne voit pas distinctement. Je me souviens seulement que quelque chose s'était passé entre mon père et ma mère. J'ai vu bouger très rapidement, entendu des bruits, des cris. Se sont-ils battus? Mon père a-t-il donné une poussée, a-t-il frappé ma mère ou je ne sais quoi?... Après, j'ai seulement vu au travers d'un écran d'eau, ma mère étendue par terre. Et mon père qui mangeait. Elle ne bougeait plus. Je l'avais tuée. Je l'ai vue sur le dos, étendue de tout son long sur le plancher de la cuisine, ses cheveux épars autour de sa tête, les yeux fermés. Et mon père qui mangeait. Un couteau et une fourchette de chaque côté d'elle. J'ai vu ce spectacle, je le revois encore comme si c'était hier. J'étais sûr qu'elle était morte, et par ma faute. Je l'avais tuée. Mon père mangeait toujours, comme si de rien n'était. Je me répétais tout bas: Maman est morte. Maman est morte. ...Et mon père indifférent qui continuait à manger ne faisait toujours rien pour elle. Le mépris que j'ai ressenti pour lui, ce soir-là!...

Après un moment, une éternité, je ne sais pas, la mort dans l'âme, les jambes flageolantes, les yeux tellement embués, je me suis dirigé à tâtons vers la porte de la cuisine, ai subi la torture de descendre l'escalier sans tomber, puis me suis rendu au poulailler fermer cette maudite porte. M'y suis appuyé sur cette porte de malheur et j'ai si fortement voulu détruire l'univers!... J'ai tué maman. J'ai tué maman. Je voulais être le premier à me détruire. Le premier à souffrir. À me punir. Combien de temps suis-je resté là, collé de tout mon corps, la figure écrasée sur cette porte maudite, la mort de ma mère dans l'âme?... Je me souviens seulement qu'il faisait de plus en plus noir et que la fraîcheur du printemps frissonnait dans mon dos. Je ne pouvais plus me retourner, regarder à nouveau cet univers. La honte, la culpabilité m'écrasaient. Qu'est-ce que mon père va me faire?

Comment oserai-je m'endormir ce soir?... Que deviendrai-je sans ma mère?... Je ne me voyais que sous la galerie avec le chien. Puis demain, le soleil, mes amis: comment les regarder? À l'école, qu'est-ce que le monde va dire?... Devant le juge que je ne pourrai regarder, ni personne d'ailleurs, je me voyais à genoux, tête baissée, pleurer toutes les larmes de mon corps, toute la honte de mon âme. Sans le regarder, je lèverais mes petites mains, mes petits bras vers le juge, le supplierais: Pitié, pitié, Monsieur le Juge!... Et quoi d'autre? Je ne recommencerai plus? Je n'ai pas fait exprès?... C'est moi qui ne l'avais pas fermée la maudite porte du poulailler. C'est moi qui avais tué ma maman. C'est moi qui ne supporterais pas cette honte tout au long de ma vie... Et je pleurais, pleurais, la joue fortement appuyée sur la vieille porte ravinée d'un poulailler de malheur. ...Mais c'est quoi la Vie?... Pour moi, elle venait de se terminer.

Puis quelqu'un a pris ma petite main glacée, a insisté doucement. Me suis retourné, tête baissée, honteux, ne voulant plus rien voir, ni personne. Je l'ai suivi, me voyant entrer en prison pour la vie. Sans un mot, suis rentré à la maison avec mon père. Ai légèrement levé la tête pour voir ma mère sur le plancher. Elle n'était plus là. Seulement un couteau et une fourchette. Surpris, j'ai balayé du regard le champ de bataille. Elle était assise dans la berceuse près du poêle éteint à l'autre bout de la cuisine. Dépeignée, très pâle, elle me dit d'un ton neutre, sans un geste:

– C'est l'heure d'aller te coucher.

Trop de mystère commande l'obéissance. Complètement hébété, sans réaction, machinalement, je me suis dirigé vers ma chambre. Lentement, je me suis étendu sur le lit, tout habillé. J'ai balbutié:

– Il fait froid: je veux mourir de froid.

Ce furent mes premières paroles après le pire drame de ma vie. Je regardais le plafond. D'énormes nuages noirs se bousculaient dans le ciel de mon âme. D'énormes questions me congestionnaient le cerveau, m'étouffaient le coeur. Ahuri, je me laissai enfoncer dans un engourdissement morbide, espérant n'en jamais ressortir. Jamais un tel silence n'avait envahi la maison. Mais pas un silence de paix. Silence lourd, mystérieux. J'ai dû m'endormir parce qu'émergeant des ténèbres du sommeil, à tâtons, me suis déshabillé. Glissé sous les couvertures d'ombre, me suis couché sur le ventre appuyant bien fort ma poitrine douloureuse maintenant ouverte d'une plaie qui ne guérira jamais. Le lendemain, je me suis levé et tout s'est passé comme d'habitude. Ils n'ont jamais parlé de cet incident, voulu m'expliquer, rassurer, consoler. Me déculpabiliser. Si ma mère n'était pas morte, je crois que moi, j'étais un peu moins vivant. Dans ma tête et mon coeur, jamais ça ne tournera comme avant. Mon enfance venait de se terminer. Dans un naufrage. J'avais neuf ans.

Après avoir si peu mangé ce matin-là, je suis sorti. J'ai lentement revécu ma descente de l'escalier, mes pas douloureux vers le poulailler. La porte ouverte maintenant, les poules gloussaient. Mon coeur fermé, j'étouffais. Planté dans la porte, je revivais la scène de la veille. Mes yeux se sont remplis de larmes et une rage sourde s'est emparée de moi. Non, je ne veux pas. Je ne peux plus. J'en ai assez. La vie est trop compliquée. Et j'ai dû constater: je suis si malheureux! Rien ne marche avec moi. Je ne suis qu'un malheur. Hagard, j'avançais de quelques pas vers les bourdons et restais là, perdu dans mes pensées. J'avais besoin d'être piqué. Puis quelques pas dans une autre direction, et je me figeais dans mes réflexions. Puis je pivotais un peu et me détruisais d'accusations. J'étais comme un pion qu'on bougeait dans la cour entre l'étable et la maison, n'ayant d'autre choix que le chemin ou la rivière. J'étais seul comme toujours. Les oiseaux chantaient, la vie continuait. Pourtant, tout était changé, plus rien ne reviendra comme avant. J'ai tué maman. Je sentais une poussée en moi, une grande poussée qui voulait sortir. Mes bras, mes jambes avaient besoin d'agir, mon corps de courir, s'essouffler, se vider. Il me fallait frapper, briser, tuer. Être frappé, brisé, tué. Un ressort irrésistible dans mes jambes, violent dans mes bras. Et le coeur qui me faisait si mal! Puis je me suis laissé aller. Qu'est-ce que ça fera? Peu importe, j'ai assez souffert.

J'ai été chercher mon fouet pour les vaches, formé d'une gaule et longue broche. J'ai pris mon élan et frappé, frappé par terre, fait siffler dans le vent. J'ai frappé les bâtiments, cassé des vitres. Puis j'ai pris le chemin des champs. J'ai coupé à grands coups toutes les fleurs qui brillaient au soleil, l'herbe qui poussait au vent. Je faisais des détours pour aller chercher, plus hautes, les touffes de marguerites provocatrices. Je les brisais, coupais. Elles allaient retomber plus loin ou pendaient à leur tige, meurtries, brisées, tête pendante, parce que j'ai été meurtri, brisé. J'ai voulu aimer, j'ai fait confiance. J'ai donné ma main. J'ai même pardonné. Mais c'en est trop. C'était maintenant la grande tempête. Dans tous ces tremblements de terre, ces cataclysmes, le tonnerre tomba. Dans ce bruit d'enfer, le ciel se déchira, et dans un grand éclair jaune où s'immobilisa pour toujours toute mon enfance, où tout le paysage se figea pour l'éternité, dans un grand champ, entre un immense rocher et un bouquet d'arbres, j'ai vu dans une lumière tragique, tremblottance, le coeur saisi par cette orgie de bruits... j'ai vu que je n'étais pas aimé. J'étais de trop, j'ai été rejeté. J'ai essayé de conquérir et j'ai été vaincu. Il a fallu me rendre à l'évidence, il m'a fallu comprendre. L'arbre de mon corps se trouvait fendu en deux, du haut jusqu'en bas, massacré, éclaté, si mal brisé qu'il ne guérira jamais. Les branches de mes mains étendues dos à la terre, j'ai senti un froid au coeur qui ne se réchauffera jamais. J'aurais peut-être pu accepter, mais j'ai refusé. De tout mon être! J'aurais peut-être pu me résigner, mais je me suis révolté. De tout mon être! J'ai haï. Des torrents de pluie coulaient de partout, une pluie froide, drue, pénétrante, glaçante, me délavait, vidait. Et je restais immobile, sans défense, mesurant ma déchéance.

– Je ne suis pas aimé. Ils ne m'ont jamais aimé. Qu'est-ce que je suis venu faire ici? Ils m'ont amené chez eux et m'ont abandonné dans ce champ. À la pluie, sous l'orage, dans le froid et le vent. D'immenses nuages noirs se bousculaient tout là-haut, à une telle vitesse! mais ça me laissait indifférent. Tout pouvait m'arriver maintenant, me faire mal, me détruire... me punir d'être là. Me mutiler, m'autodétruire? Ils sauront que je suis là, abandonné dans le champ avec le troupeau qui se regroupe d'instinct. Moi, je me regroupais avec mon ressentiment, leur reniement, ma haine, leur trahison. J'ai eu la foi; j'apostasie. Je les ai aimés, j'ai voulu partager ma chaleur avec la leur, j'ai voulu qu'ils viennent chercher mes caresses que je ne pouvais seul leur donner. Sincèrement, je les ai aimés sans me demander s'ils m'aimaient, s'ils le méritaient. Je me suis donné plus qu'on peut l'imaginer. Maintenant, c'est terminé.

Je me suis réfugié sur mes terres, ai léché mes plaies et préparé une guerre. La vraie guerre, celle du mal. J'ai essayé d'aimer... pour rien. Maintenant, je vais haïr. J'ai essayé d'aider, rendre service, mais je pouvais si peu. Pas capable, pas assez fort, trop petit, trop fatigant... Mais je ne pouvais donc rien faire d'autre qu'aimer?... Je ne produisais pas, je ne rapportais pas: on m'a abandonné. Poids inutile, embarras. J'entendais mon père dire à ma mère:

– Pour voir si on avait besoin de ça, aussi! C'est à toi, t'as rien qu'à t'en occuper.

De trop! quand on est si faible, démuni, si dépendant, on a si peur d'être de trop, rejeté. Abandonné. On essaie de s'accrocher, attirer l'attention, aimer tellement que l'autre ne pourra que nous aimer. Mais non. Je me rappelais encore mon père qui menaçait:

– Si tu continues, tu vas coucher sous la galerie. Avec le chien.

Mes yeux s'agrandissaient de frayeur. D'incompréhension. Quel crime avais-je commis?... Coucher seul, dehors, à la noirceur: quelle horreur! Je me voyais recroquevillé comme le chien dans le sable, près de lui, collé au solage. Tout habillé...: je le méritais peut-être. J'ai même essayé de m'y coucher un après-midi, après ma sieste. Mais ça sentait si mauvais! Et le sol était si dur! Inégal, humide. Humiliant... Non, je ne méritais pas ça! Mais maintenant, je n'en étais plus si sûr.

Et recommençait le massacre. Toutes les fleurs, herbes, tout ce qui s'offrait à ma vindicte, revolait, mourait. Je faisais des détours pour rejoindre toute vie, bourdons, papillons qui défiaient ma rage, survivaient à ma mort intérieure. J'ai tout massacré. Même un crapaud que j'ai réussi à couper en deux, de quelques coups de fouet. Meurs, chien! Suis revenu épuisé, encore enragé, tellement plus triste.

J'ai encore frappé, frappé. Puis, j'ai pris l'échelle et rejoint le nid d'hirondelles sous la corniche. Je suis monté ne sachant même pas si j'irais jusqu'au bout. La mère qui couvait est partie en criant, est revenue, m'a attaqué sans me toucher, mais c'était épeurant. Suis quand même resté indifférent. Puis le père s'est ajouté. J'ai considéré ce nid de la vie, bien rond, bien chaud, promis au bonheur. Cette famille unie. Pour moi, un défi. J'en suis venu le coeur si gros, mes yeux si brûlants. Je pensais aux si beaux petits que leurs parents nourrissaient au printemps d'avant. À leur droit à la vie. J'ai posé ma main, senti la rondeur des oeufs, chaleur. À l'intérieur du nid, sa douce solidité m'a montré leur espoir dans l'avenir. Ma présence menaçante d'enfant si malheureux, m'a montré leur faiblesse, la fragilité du bonheur. Je m'imaginais casser les oeufs, arracher le nid. Je me sentais me faire si mal!... Me torturer. Ai pris un oeuf, l'ai longuement regardé, ai pensé à ma mère et jeté par terre. Les hirondelles attaquaient de toutes parts; leur ai lancé un deuxième oeuf qui est allé s'écraser très loin. Il n'en restait plus qu'un. Je me sentais si méchant! Je me méprisais tellement! J'ai pris le dernier dans ma main, l'ai considéré, caressé et voyant ma mère qui m'écrasait, je l'ai écrasé lentement, regardant couler entre mes doigts ce liquide jaunâtre, gluant, puant: mon coeur. Mes genoux ont tremblé sur le barreau d'en haut. Si j'étais tombé, je n'aurais même pas eu peur, crié. Je le souhaitais, d'ailleurs. Je me serais laissé aller comme un oiseau blessé par le plomb du chasseur. Étendu sur le sol, n'aurais rien dit. Souffrant, très blessé ou très douloureux, j'aurais attendu, ne me serais pas relevé. Si quelqu'un veut s'occuper de moi... sinon ça ne me fait rien de mourir. Après ce que j'ai fait à maman... Après ce qu'ils m'ont fait... Après ce que j'ai fait aux oiseaux. Après...? Il n'y aura plus d'après. Mais j'étais toujours là, flageolant en haut d'une échelle, de l'échelle du malheur. Ce vide, cet espace entre la corniche et le sol me fascinait. C'est au milieu de cet espace que je me sentais à ma place. Flotter, balancer doucement, ne plus dépendre de cette vie où tout ce que je touchais m'empoisonnait. Ne plus toucher le sol, le sol de mes parents, leur échapper, ne plus respirer à la hauteur des malheurs qui m'assaillaient. Non, au-dessus, échappé, évadé. Accroché à la place d'un nid d'oiseaux qu'habitait la vie, mais que j'avais détruit. Je serais dévoré, déchiqueté par eux qui se vengeraient: je le méritais. Tous les malheurs étaient pour moi, je les méritais. Les appelais. J'ai regardé le nid, admiré, aimé et l'ai arraché. Comme ma vie. De toutes mes forces, l'ai lancé dans un tourbillon de plumes et poussière aux parents qui criaient à tue-tête. Ah! le mal que je me suis fait! Ah! le mal que je méritais! Un froid glacial me traversait le coeur; une honte, le cerveau. J'avais tout brisé dans ma vie. Le peu que j'avais, le peu qui me restait, je l'avais moi-même détruit. Pour me punir. Parce que je ne suis rien, mérite rien. Maintenant que je n'ai plus rien, n'aime plus rien, je pourrai être méchant, détruire, faire le mal sans me poser de questions, sans réfléchir. Il s'agit maintenant de ne plus m'attacher à personne, n'aimer personne. Être mal élevé, c'est ça la liberté. La liberté de l'enfer.

Quand un enfant malheureux va jusqu'à briser des oeufs d'oiseaux dans le nid du printemps, c'est qu'il a épuisé tous les autres moyens de se faire souffrir. Ce n'est rien que manger de la terre, se blesser par accident, se couper, se faire dévorer d'ulcères ou d'un cancer. L'important, c'est de se punir, de souffrir.

Essayer d'être malheureux. Par rage de justice. Et si coupable, j'étais malheureux jusqu'au fond de l'âme.

Désespéré, ne m'écoutant plus, plongeant dans ma nouvelle vie devenue mort, je suis allé partout où fourmillait la vie. J'ai voulu détruire: j'étais jaloux. Ma vie venait de finir, pourquoi, eux, pouvaient-ils survivre? Je voulais me faire souffrir. Détruire ce que j'avais aimé. Mourir. Me suis penché au-dessus de la fourmilière, ai longtemps regardé les fourmis. Elles ne se souciaient guère, habituées à mon manège. J'ai voulu imprégner dans ma tête leur image fébrile; une dernière fois dans ma vie, leur activité, santé, plaisir en famille. Puis, les yeux pleins d'eau, de plusieurs coups de bottes, ai détruit leur maison, avenir, sécurité. Les ai piétinées rageusement, détruisant toute vie, mes amies... Maintenant, vous n'avez plus rien, vous non plus. Vous êtes mortes, démunies, sans abri. Maintenant, vous êtes comme moi: crevez dans la nuit. Je ne veux plus d'amis. Je n'aurai plus jamais d'amis!... Et je pleurais abondamment les laissant à leur catastrophe. À la deuxième fourmilière, ai recommencé. Elles furent surprises et aussi désemparées. Mourez, mourez, misérables: la vie n'est pas pour nous! Au nid de couleuvres que j'allais si souvent visiter, je n'ai eu à attendre qu'un instant pour qu'une d'elle se présente. Je l'ai prise hypocritement: elle était heureuse, me faisait confiance. Je l'avais si souvent caressée, mise dans mes confidences. Ses petits yeux ronds clignaient encore me regardant d'un côté, puis de l'autre. Sa lancette me saluait inlassablement. Que son langage était simple: je l'avais tellement compris, aimé! J'ai ressenti un petit vertige, une envie de l'épargner. Elle en savait tant sur ma vie. Pourquoi ne pas lui conter la mort de maman? Comme je me sentais coupable? Comme j'étais malheureux?... Puis je la serrerais encore un peu, la laisserais couler en caresses dans ma main: j'en ai si peu reçues... J'ai hésité, mais la vie était allée trop loin contre moi. Aujourd'hui, plus rien n'est simple: j'ai cessé d'aimer... Aujourd'hui, c'est la fin: tu dois mourir, toi aussi. Je l'ai violemment lancée par terre. L'ai piétinée. Seule sa tête bougeait encore de gauche à droite. Ma couleuvre non plus ne comprenait pas ce qui lui arrivait. Avant que son regard ne rencontre le mien, – jamais je n'aurais supporté ses douloureux pourquoi répétés –, d'un grand coup de talon assassin, l'ai chassée de la vie.

Puis j'ai marché, nouveau maître de la méchanceté, frappant toutes les roches, écrasant toutes les mottes. Des larmes coulaient sans arrêt, mon coeur saignait devant tout ce mal que je faisais, toutes ces vies amies que je détruisais. Écroulée mon enfance, terminé ce bonheur que j'espérais. Je ne serai plus jamais heureux. Ma vie ne sera plus que souffrances, mais il ne faudra plus que ça paraisse. Je détruirai leur monde tout autour de moi. Briserai, saccagerai. Aujourd'hui, je repars à rebours de la vie, à rebours de l'espérance. Je pleurerai, mais je serai seul. J'aimerai, mais j'aurai honte. Mon coeur, personne ne le saura. La tendresse, la bonté, les empoisonnerai, car ce sont elles qui font espérer. Infidèles, font tellement souffrir. Aujourd'hui, je penche mon coeur sur le bord du fossé, le vide de son contenu. Aujourd'hui, un poing battra dans ma poitrine, le fiel coulera dans mes veines, car la vie ne vaut pas d'être vécue. La vie a détruit ce qu'elle avait promis.

... Et je suis revenu pleurer, pleurer, pleurer, étendu à plat ventre sur le bord du chemin, mon petit corps secoué, parallèle au cadavre d'une couleuvre écrasée.

Francis se tordait de douleur. Seuls ses pieds et sa tête touchaient le lit, le lit de la réalité; tout le reste de son corps tentant d'échapper à la douloureuse opération. Sa poitrine se soulevait comme couleuvre en son milieu blessée, se vrillait tout son corps sur son petit lit de fer. Francis pleurait à chaudes larmes, parfois criait, souvent mangeait ses mots disant sa peine pourrie par le refoulement et par le manque d'instrument dont avait souffert son enfance. N'en pouvant plus de voir Francis se tordre ainsi, j'ai éclaté en sanglots. Me suis assis près de lui et essuyé ses larmes. L'hypnotiseur le calma, l'endormit plus profondément.

L'anesthésie de l'hypnose n'atteint que certaines fonctions du système moteur. Alors, la douleur refoulée, par contre, la grande souffrance du coeur quand elle a libre cours, s'élance sans contrainte, arrache tout sur des passages trop sensibles par ses flots libérés et ses mots trop étroits noyés de sanglots. Ces raz-de-marée qui vidaient sa mer d'amertume et secouaient tout le paysage me rendaient victime autant que bourreau. Je souffrais autant que lui, peut-être plus. Une fois réveillé, Francis serait détendu, libéré. Moi, je retournerais chez moi, gardant bien vivace le spectacle de sa vie de souffrances.

C'est toute une société, ses lois, ses hypocrisies, ses lâchetés qu'il dénonçait, qui torturaient Francis.

– Tu seras à mon image et à ma ressemblance. Tu seras ce que j'ai décidé, ce dont j'ai besoin. Toi, tes besoins n'existent pas. Seule, la société existe. Les personnes passent, la société demeure.

Je me sentais complice de cette société voyant Francis se torturer, revivre à ma demande son passé. Complice de cette société qui, à l'instar de Procuste, célèbre brigand grec, amenait dans sa caverne les passants égarés. Étendus sur son lit de fer, tous devaient être à sa mesure, sa norme. Les trop courts étaient étirés, les trop longs, amputés. Étant ramenés à la norme de ce brigand de société, les passants recouvraient leur liberté. Mais dans quel état! Au moins, ils étaient conformes. L'essentiel était sauf. Le lit de fer du conformisme social dans la caverne carcérale étirait, amputait le pauvre corps de Francis endolori. Il enchaîna:

– Je m'enfonçais sous la nappe du silence. De plus en plus profondément. De plus en plus étanche. À mon insu, se formait un caractère dont j'ignorais tout. Incapable de dire des mensonges, encore moins la vérité, je refoulais tout, me blessant toujours davantage. Mes périodes de mutisme se multipliaient. Ma mère ne me parlait pas, je ne lui parlais pas. Je fuyais mon père. Parfois, je parlais tout bas, remuant seulement les lèvres. Ou par onomatopées. J'imitais un bruit de tracteur, d'auto, le plus souvent de mitraillettes. Je ne riais pas. Je m'enfonçais. Ma mère me disait étrange à la visite, ne me comprenait pas, s'inquiétait pour moi. Hypocrite. Elle savait très bien d'où je venais et où j'allais. C'est elle qui m'y poussait. Elle m'avait trahi et jouait l'innocente. Elle m'avait détruit et se disait victime.

chapitre XVI

À cinq ans, Francis entrait à l'école. Inapte, mais il avait l'âge prévu pour ce goulot d'étranglement de la société. Fermé ou fantasque, dans la lune ou violent, il subissait et on le subissait. Gêné au début, docile, soumis, écrasé, il devint peu à peu impoli, de plus en plus agressif, puis régulièrement violent. Il n'avait rien vu d'autre à la maison, il croyait que c'était le seul comportement. Il n'étudiait presque jamais, semblait de moins en moins intéressé. L'école s'en est bientôt aperçu et il fut délaissé, d'autant plus que la mère ne manifestait aucun intérêt. Avec le temps, Francis devint un laissé pour compte. On le refilait d'une année à l'autre, d'une enseignante à l'autre. De chaque nouvelle enseignante, un nouveau commentaire le stigmatisait. Pas intéressé. Enfant-problème. Socio-affectif. Etc.. Ces évaluations court-circuitées, parce que globales et sans nuances, alourdissaient son quotidien, hypothéquaient son avenir.

– Je comprends bien aujourd'hui, me disait Francis, que des enseignants, enseignantes, sous le coup de l'épuisement, l'exaspération, éclaboussent des élèves par ces petites expressions qui minent une réputation et nourrissent les préjugés. Entré dans cet engrenage, un élève n'en sort pas.

Ses évaluations écrites ne brillaient pas davantage. L'école n'était pas faite pour lui, ou il n'était pas fait pour l'école. D'ailleurs, on ne lui demandait pas de vivre le présent à l'école, mais de préparer son avenir, lui qui n'avait même pas vécu son passé. On lui demandait de souffrir le présent pour être heureux plus tard.

– Et j'avais déjà pris ma décision: finie la soumission, avait conclu Francis. Je veux être remarqué. M'imposer.

Cet avant-midi-là, toute la classe faisait son entrée dans l'école après la récréation. Les longs corridors s'étiraient, si hauts. Si hauts aussi les crochets pour pendre le manteau d'extérieur. Aussitôt, saisissait une forte odeur âcre de linge mouillé et de bottes en caoutchouc. Des chuchotements emplissaient tout l'espace, une activité fébrile, appliquée, marquée par le souci évident de bien faire, dévorait toute l'attention. Une grande enseignante, tête levée, attentive, supervisait l'ensemble, voyait tout et devinait le reste. Comme un chef responsable pendant que son troupeau s'activait. Oui, ces enseignantes, après avoir tout vu, devaient sentir plus loin. L'enfant qui n'a pas déjeuné, celui qui n'a pas dormi, celle qui tousse depuis si longtemps, l'autre qui n'a toujours que son linge d'été, et... Dany a-t-il été battu cette nuit?... Comme la mère poule qui fait le tour, traîne ses ailes, ramène un égaré, aide un retardataire, couvre l'ensemble, touche presque chacun et, par électrification, rejoint tout le monde. Ceux qui n'ont pas été saisis, aidés, ont senti un grand courant, la douce présence. Décidée. Ils sentaient qu'elle ne les laisserait pas aller.

Tous s'affairaient maintenant à sortir le matériel de français.

— Mademoiselle Monique, j'ai oublié mes affaires à la maison.

— Ah non!...

— Est-ce que je peux suivre avec Patrick?

— Tu sais ce que tu fais avec Patrick: ensemble, vous perdez votre temps.

— Mais là, on va travailler.

Peu de temps. Francis et Patrick s'étaient mis à parler tout bas. La grande soeur de Patrick avait reçu un ami qui avait couché à la maison. C'était important pour un enfant.

— Ils se sont tenus par la main puis par le cou toute la soirée, se sont caressés. Quand ils se sont couchés, j'ai entendu des chuchotements et ils se sont roulés dans le lit, c'est certain.

— Patrick, qu'est-ce que tu dis? interrogea Monique d'un ton sévère.

Patrick devint tout rouge et les yeux agrandis par la surprise. L'enseignante présentant quelques feuilles d'exercices,

— Francis, va à ta place. Fais ce travail, seul.

— Maudit que c'est plate, icitte! J'peux même pas travailler avec un autre.

Francis a fait tout le bruit possible avec sa chaise, son bureau. A bougonné, marmotté à l'enseignante des insultes qui ont fait rire Patrick. Monique s'est levée, est allée donner un travail supplémentaire à l'impoli qui a joué l'insulté. Francis a commencé à travailler, est allé aiguiser son crayon en dérangeant la fillette d'à-côté pour la faire se plaindre. C'était si facile avec Chantal, la capricieuse: les plaintes étaient son seul moyen de communication, les grimaces, son seul moyen de se faire aimer.

— Francis, va porter ton crayon et viens te mettre debout en avant. Regarde les autres pour voir comment ça travaille des bons élèves.

Au début intimidé, l'enfant osa bientôt quelques gestes dans le dos de l'enseignante. Quelques élèves ont ri, Monique a regardé. Puis, aux moments d'inattention, ce furent les mouvements de karaté. De plus en plus d'élèves étaient amusés.

— Francis, c'est assez. Tu t'en vas chez Monsieur le Directeur.

— Qu'est-ce que j'ai fait?

Avec le Directeur, la discussion a recommencé mais peu de temps.

– Je téléphone tout de suite à tes parents. Ça fait assez longtemps...

– Ma mère n'est pas là.

– Ton père?

– Il est parti.

– Je me reprendrai. Assieds-toi là et tu vas me faire une petite composition sur ce qu'est le travail sur une ferme.

Vingt minutes plus tard, Francis produisait un relevé de plusieurs exemples de travaux ruraux.

– Maintenant, tu vas en faire autant sur le travail dans une classe.

Une demi-heure plus tard, Francis n'avait que quelques phrases d'écrites.

–Pourquoi tu n'écris pas, demanda le Directeur?

– Je n'aime pas le travail d'école. C'est pas du travail, ça.

– Pourquoi tu ne travailles pas comme chez vous?

– À l'école, j'ai des amis.

– Puis des amis vont t'empêcher de t'instruire pour gagner ta vie?

– J'ai pas besoin de l'école: c'est plate.

– Chez vous, tu n'as pas d'amis?

Un non! sec a poussé le Directeur à changer de sujet. Dans sa tête, il pensa au psychologue, travailleur social, etc.

Les dessins de Francis parlaient douloureusement. Ils ne racontaient pas, ils accusaient. Ils ne chantaient pas, ils criaient. Ils ne s'offraient pas à la caresse d'un regard amusé ou ému, mais brisaient le silence, s'attaquaient au coeur. Comme tous les dessins d'enfants battus, négligés, violentés, ses dessins criaient au secours, à l'aide. Une psychologue, avec la collaboration d'une enseignante, avait décelé des signes de violence familiale au travers des dessins de Francis. Un arbre coupé par un gros homme, en tombant faisait dégringoler du nid des petits oiseaux qui se tueraient. Les parents oiseaux paniquaient et un enfant pleurait. Un autre dessin représentait un enfant immensément petit perdu au centre d'une feuille blanche. Parfois, un tronc d'arbre ouvert d'un grand trou d'où sortaient des couleuvres s'enfuyant dans toutes les directions sous un soleil noir. Sur ses dessins, les adultes n'étaient qu'immenses bras et jambes, les enfants minuscules et les maisons sans fumée, portes ou fenêtres. Petit enfant fermé, le jeune Francis attira un peu de pitié et souleva quelqu'inquiétude. On en parla à l'école mais personne n'osa avertir la Protection de la Jeunesse. L'année suivante, Francis changea d'enseignante et la psychologue devenue responsable de toutes les écoles de la Commission Scolaire, ne pouvait guère qu'effleurer les surfaces et soulever certaines hypothèses. Le personnel au courant des doutes souhaitait que le temps arrange les choses et que rien de trop grave ne se produise. De plus, les rancoeurs que soulevait la conduite de Francis ne poussait pas ses victimes à dépasser tellement leur travail immédiat. Survivre était leur premier objectif. Surtout les jours où Francis décidait de ne pas fonctionner. Heureusement que la Direction soutenait ces enseignantes: c'était au Primaire.

On a offert une année de rattrapage à Francis. Il a refusé. Il a compris qu'il ferait une année de plus à l'école. Qu'il perdrait une année de bon temps. Peut-être tout simplement, Francis avait-il compris que le rattrapage réfère à une normale, à une supériorité et qu'il ne voulait pas être rattrapé. Bien sûr, l'école était un beau restaurant bien fait, hygiénique, mais n'offrait qu'un indigeste menu.

À neuf ans, il était déjà dans une classe spéciale, sur la voie d'évitement. Sans succès, on lui cherchait une case dans le système scolaire. Année après année, il avançait à reculons dans ce monde de l'éducation fait pour une moyenne ou une norme à laquelle il échappait. Il échappait à leur courbe statistique. Dans leur courbe, il prenait le champ. Le champ du disfonctionnel, du travail manuel, du candidat au changement d'école. Un caractériel, quoi. Il était l'incarnation de leur principe d'exception. Personne plus que lui ne s'éloignait de leur moyenne de comportements tolérables. Ce n'était pas confortable d'être en dehors de leur moule, et il le leur rendait bien. Régulièrement, plus régulièrement que les autres, l'épouvantail de son dossier accusait un nouveau fait négatif, grimaçait d'un nouvel échec cumulatif. Son dossier était clair, fonctionnel: d'un seul coup d'oeil sur des fiches où tout l'accusait, Francis devenait hors-cadre, hors-voie, hors-circuit. Un dossier pour société pressée. Son premier dossier... judiciaire. Comme la prison produit le geôlier, le dossier judiciaire produit le prisonnier. Francis se préparait.

Sa petite individualité marginalisée ne pesait pas lourd dans ce grand ensemble de l'école, surtout parce que les ensembles, la moyenne, la norme sont plus faicilement classables, manoeuvrables et utiles économiquement. On ne s'intéresse qu'à ce qui se ressemble, se répète ou s'enchaîne. Et on en fait un standard. Le singulier est digéré par le pluriel, la spontanéité par la norme, l'individu par la statistique. La machine s'enraye dans les richesses des ensembles tandis que l'individu étouffe dans les pauvretés de l'anonymat. Dans ce système où la science a tout prévu, organisé, standardisé, on ne peut plus être heureux du bonheur des autres, ni souffrir de leur malheur. Le bon Samaritain d'enseignant ne peut plus s'arrêter le long des routes pour soigner les malheureux. ...Il laisse opérer les services publics: psychologue, infirmière, travailleur social, Protection de la Jeunesse. L'enseignant, à cause du nombre d'élèves, se voit privé d'un contact empathique avec le petit marginal. Le petit être ainsi déclassé se sent jugé et méprisé du haut de la moyenne et se retire bientôt à la frange de la normalité. Il développe un comportement de marginal. Le marginal n'a pas sa place à l'école. Sa seule présence est contestation du système: c'est un iconoclaste dans ce monde d'images. Francis n'entrait pas dans les définitions, débalançait les équations et faisait éclater les éprouvettes. Non, on ne réussissait pas à le perforer pour le faire entrer dans la Machine. C'est un peu pourquoi Francis détestait tant les enseignants, enseignantes, non seulement parce qu'ils incarnaient ses parents à l'école, représentaient l'autorité, mais aussi parce qu'ils étaient la courroie de transmission du système qui le démolissait. Et qu'il essayait de démolir.

L'école n'a pas tous les torts, mais elle y participe, les perpétue. Complice. La pauvreté est d'abord politique, économique, affective; elle ne devient scolaire que par accident. Et l'école prend un malin plaisir à l'accentuer.

Francis raconta: ayant refusé une année de rattrapage après quatre ans de tiraillements, on m'a déménagé à une école spéciale de Granby. L'école des fous, tranchait la réputation. C'était assez vrai. J'avais neuf ans. Tout au long de mes trois ans passés là, je suis resté moi-même. Même que j'ai découvert au contact des plus vieux – douze, treize ans – que la marginalité avait quelques avantages. On pouvait dire ou faire à peu près n'importe quoi, on pouvait même menacer, et tout passait avec quelques remarques paternalistes des enseignants, enseignantes. J'y sentais, mêlée à la pitié, une sorte de patience résignée, du genre:

– Il n'y a rien à faire avec lui. C'est un cas désespéré.

Ils essayaient de survivre, quoi. Mais bientôt le primaire ne voulut plus de moi. J'étais devenu de plus en plus indiscipliné, dominateur, violent. Tout passait par moi dans la classe, tout le niveau et presque toute l'école. Les nouveaux n'avaient qu'à bien se tenir et apprendre à partager: les friandises, l'argent, la bicyclette à prêter. J'étendais de plus en plus mon domaine et affirmais mon autorité.

– Il a douze ans, on l'envoie au Secondaire. Il va perdre ses amis et se faire placer.

Ce fut la promotion du Secondaire... le prestige à douze ans. Le niveau académique n'avait aucune importance, seul, mon comportement. Comme si tu mesures 1,20 mètre et pèses 50 kilos, tu passes au Secondaire. C'était l'exception qui sortait de l'école des fous à douze ans. J'étais encore une exception.

À l'école Secondaire Notre-Dame du Sourire, la directrice, c'était une Femme, une Maîtresse Femme. La Rose-Anna de l'Éducation... avec sa série de Ti-Counes comme délateurs. Comme certaines autres femmes présumément libérées, elle avait atteint le pouvoir grâce à la discrimination positive. Comme certaines d'entr'elles, elle exerçait ce pouvoir avec les mêmes méthodes que pendant ses années d'esclavage:

obséquiosité, délation, hypocrisie, dénonciation, trafic d'influences, la vengeance, le supplice de la goutte d'eau, etc. Ou le pouvoir transformé en dictature pour se venger. C'est le manque de pouvoir dans le passé qui pousse certaines d'entr'elles à se prostituer psychologiquement pour atteindre et conserver ce pouvoir dont elles furent privées si injustement d'ailleurs pendant des millénaires. Comme quoi, la libération ne donne pas l'équilibre. Dans les jeunes démocraties africaines, l'opposition n'est pas tolérée. C'est le pouvoir absolu. L'apprentissage du pouvoir prend du temps, se dégage dans des comportements compulsifs et la décollation de plusieurs têtes. Celles qui ne lui reviennent pas. Quant aux nouvelles dictatures blanches, elles non plus ne souffrent pas d'ombrage, surtout pas celle d'un Noir. Car cette école était aussi reconnue comme école catholique et raciste. Les Noirs n'y avaient jamais survécu longtemps, avait appris Francis. Les Nègres Blancs non plus. Il ne suffisait pas d'être blanc en dehors, il fallait aussi l'être en dedans. N'est pas l'élu qui veut au royaume du facisme. Il te faut la bonne proportion de front et de menton, la bonne couleur, longueur de cheveux et profil nordique. Profil canadien vaut rien. Sais-tu qu'il ne faut jamais rester quinze jours sans coucher avec une femme?... Tu es responsable du SIDA dans le monde entier si tu es gai, responsable de toutes les toxicomanies du pays si tu as acheté un gramme de hasch et deviens révolutionnaire international si tu participes au système de lettres d'Amnistie Internationale?...

Francis continuait à raconter: au primaire, quand on m'isolait dans un petit coqueron pour me punir, on me faisait écrire sur les travaux de la ferme, les sports, mes intérêts. Au secondaire, c'était pour descendre les enseignants, enseignantes, les dénoncer.

Je les ai toujours haïs ces gens-là, mais jamais pour m'abaisser à ce niveau-là. Je le sais, mon professeur de français était un Noir et la Direction me demandait à moi aussi de l'accuser de tout ce que je voulais. Martin, puis Tétreault, eux autres, ça ne les forçait pas: ils se prostituaient avec la Direction. Les petits jumeaux musclés, en jeans sexés et veste de cuir serrée, eux autres furent bientôt expulsés. Ils n'étaient pas grands mais se tenaient debout. Et Guérin, l'hypocrite, qui ridiculisait tous les gars qu'il soupçonnait de marcher pour cacher que lui-même était gai. Et Lasnier, le petit pouilleux qui rêvait tellement aux relations gaies qu'il s'imaginait que tous les hommes le draguaient. Et Messier, la grande sale qui se faisait lécher par une autre hypocrite de l'école assoiffée de délation. Que c'était petit!... Et tant d'autres choses. Non, je préfère la prison à ce cirque d'hypocrites, la délinquance, au facisme, être un marginal plutôt qu'un *stool* dit normal. Ça aussi, c'est seulement plus tard que je l'ai compris.

Avec notre directrice, non seulement il ne fallait pas être noir à l'extérieur, mais il fallait ne pas l'être à l'intérieur non plus. Encore moins dans sa tête à elle, car le raciste est violemment anti-gai, anti-tzigane, anti-liberté, anti-etc. Qu'on pense à la montée hitlérienne des années trente dans les pays catholiques. Même si la petite histoire actuelle tend à étouffer cette époque, l'hitlérisme était presqu'aussi fort au Québec, en France, en Italie qu'en Allemagne. Le Gouvernement canadien, sous les pressions du Québec et de l'Église catholique, a envoyé combien de milliers de Juifs aux fours crématoires en leur refusant l'asile au Canada?... Dans notre école, donc, on idolâtrait les valeurs de famille absolue, d'ordre absolu, d'uniformité absolue des comportements de société monolithique et sclérosée . Cela justifiait les dénonciations systématiquement anonymes, l'aplaventrisme devant tous les principes comme la pureté de la façade, l'absolue priorité du paraître sur l'être et les petites manigances mesquines pour bien asseoir le petit pouvoir local de la Direction qui se prévoyait des alliés circonstanciels de tout crin afin de soutenir son prestige essentiel en cas d'éventuelle contestation. C'était l'obséquiosité érigée en système. La Direction adorait les petits drames, voire les inventait ou provoquait afin de goûter le doux plaisir de les dénouer et se donner à elle-même et aux autres une impression de pouvoir et d'efficacité. Oui, c'était l'éducation par la délation, anonyme bien sûr. Les Albigeois, Iconoclastes, Huguenots, Noirs, Juifs et toutes les races de dégénérés qu'on considérait comme un saint office de torturer avant de les exécuter sont encore aujourd'hui, sous d'autres noms, les boucs émissaires chargés des crimes que l'on se reproche inconsciemment ou non, afin de se donner bonne conscience. Et aujourd'hui, s'ajoutent plus ouvertement les gais afin de trouver une cause au SIDA. Comme on a trouvé les Juifs comme cause de la peste au Moyen Age. La majorité morale (?) ne peut tout de même être soupçonnée! Oui, il faut se battre pour la vérité et la justice, pour le droit à la tendresse, se battre pour le droit à la non violence. Les rares survivants des Quakers pourraient en parler ainsi que les pacifiques, voire les neutres, qu'on qualifie de traîtres. C'est bien de leur faute aussi! Ils prônent la tendresse dans un monde de performance et de domination... et achètent des LEGO à leurs enfants au lieu de chars d'assaut!

À l'école Secondaire Notre-Dame du Sourire, j'ai été orienté dans les T.G.A., troubles graves d'apprentissage. J'ai fréquenté l'atelier de menuiserie. J'aimais bien ce professeur-là, mais encore plus le bois.

Tout fut facile. J'ai tout de suite dominé la classe, l'ai mise à mon pas. J'ai trouvé les manies et faiblesses des enseignants, déterminé ceux que la classe devait chahuter. L'assistant-directeur, le psychologue, l'agent de fréquentation scolaire m'ont tout de suite connu, les surveillants et responsables des retenues. Je n'étudiais pas davantage, arrivais en retard. Souvent absent, toujours indiscipliné. Chez les élèves, je m'étais rapidement fait beaucoup d'amis.

– Viens-tu fumer?

– Bien sûr!... C'est du bon. Combien?...

– Pour toi, c'est...

– J'en prends.

Et le mouvement fut lancé. La roue a tourné de plus en plus vite. Surveillé, harcelé, la tension a monté, le drame s'est joué. Je fus pris, accusé.

Au Tribunal de la Jeunesse, à un moment d'inattention, en courant, me suis sauvé. Quelques jours plus tard, je fus repris. Là, on me tenait solidement par ma ceinture dans le dos, ne me laissait aucune chance. J'ai subi tout un sermon: pour toutes les fois où je n'étais pas allé à la messe depuis des années. J'ai attrapé une travailleuse sociale et la menace du Centre d'Accueil fermé si je ne me conduisais pas bien à l'école. Dernière chance, avait conclu le juge. Mais on a toujours des délais avant que tout s'applique, encore un bon bout de corde: avertissements, menaces, encore une chance, mais là, c'est la dernière, etc. Je le savais, en ai profité. Je pouvais lancer n'importe quoi en classe, même si c'était dangereux, organiser tous les chahuts, régulièrement une heure durant, et poser de temps en temps un couteau sur mon bureau quand l'enseignant essayait de m'énerver. Mais il fallait choisir l'enseignant: ceux qui n'étaient pas protégés par la Direction. J'ai même menacé mon prof de français devant le responsable de la discipline et insulté ce responsable: ça n'a rien fait, je n'ai même pas eu un seul reproche. La Direction ne voulait pas de ce prof dans l'école, elle voulait le forcer à démissionner. Il y avait deux classes de profs dans cette école: ceux qui étaient soutenus par la Direction et les autres. Il s'agissait de les identifier. C'était simple, on s'essayait et on voyait tout de suite la réaction de la Direction.

J'avais déjà appris à répliquer, transformer en accusations les reproches adressés. Je savais déjà blesser, humilier les enseignants et les élèves. Parler toujours avec mépris de toute forme d'autorité et de toute personne l'exerçant. Montrer que je n'acceptais rien. Je ridiculisais toute demande: un mot, un grognement, une attitude de rejet global, voire, un geste obscène. Il me fallait l'unanimité contre moi. Comme à la maison.

Seule, une enseignante me résistait. Douce, patiente, jamais de colère, me parlait avec bonté. Cela m'agaçait. Je ne pouvais accepter cette faiblesse de ma part. J'ai voulu savoir jusqu'où elle irait. Je l'ai humiliée devant toute la classe, accusée de me jouer dans le cul, ridiculisée dans tout ce qu'elle faisait et disait. Évidemment, la Direction m'a cru. J'ai poussé la classe au même comportement. Une fois, elle s'est impatientée et m'a puni. Comme la Direction ne s'occupait pas des cas de discipline dans ses groupes, elle téléphona elle-même à la maison. Ma mère l'a envoyée promener. Le lendemain, après le cours, l'enseignante m'a obligé à rester en classe. Quand tous furent partis, elle s'est approchée de moi, m'a regardé dans les yeux et dit très calmement:

– Francis, tu ne réussiras pas à m'empêcher de t'aimer.

Deux grosses larmes ont coulé sur ses joues pendant qu'elle me regardait tristement. Elle m'a fait signe de partir. C'est comme si quelque chose s'était brisé en moi. C'est comme si mon empire avait vacillé un instant devant deux larmes d'une femme qui m'aimait. Elle savait que j'avais scellé mon coeur. Elle savait que je jouais un jeu. Comment avait-elle pu lire en moi? Que savait-elle de mes tourments?... J'ai respecté son respect. Devant la classe, j'ai montré la même façade, gardé la même carapace, mais elle demeurait un défaut à ma cuirasse. Le mieux que j'ai pu lui montrer, c'est mon absence. Plus de chahut, vulgarités, mais une superbe indifférence. Parce que j'avais une image à préserver. Je ne la regardais pas dans les corridors, ne lui répondais pas quand elle me saluait. C'était le mieux que je pouvais faire pour elle. Elle s'appelait Luce et je ne l'oublierai jamais.

Un jour, elle a amené deux petits enfants à l'école. Les siens. Dans le corridor, l'ai vue de loin à la récréation. Elle les présentait fièrement à ses amis, élèves, enseignants, enseignantes. Elle souriait, ses enfants souriaient.

— Stéphanie, elle a quatre ans.

Belle, ouverte, pas gênée pour deux sous, elle barragouinait quelques phrases, puis se collait à sa maman. Luce lui passait la main sur la tête.

— Elle compte jusqu'à dix et connaît trois couleurs.

Quelques filles de ma classe étaient impressionnées. Luce était si fière, caressante, aimante. Ces enfants-là étaient heureux.

Le plus vieux, une mèche blonde dans ses cheveux noirs, habillé à la mode, amples vêtements qui élargissaient ses épaules, gonflait sa poitrine, larges manches et jambes de pantalon prolongeant ses mouvements. Il s'avançait tête haute, souriant, fier de sa maman. Il se passait la main dans les cheveux, souriait: lui aussi était heureux. En entrant dans la salle du personnel, Luce lui a donné une petite poussée et, déséquilibré, il s'est trouvé collé au chambranle. Il a souri au jeu, semblait épanoui. Sa mère s'occupait de lui, le reconnaissait. Sa mère était fière de lui. Dès la porte fermée, lui ai crié de loin quelque insanité. Mes amis ont ri, par habitude, solidarité.

Ce soir-là, avant de m'endormir, j'ai pleuré. Pleuré sur cet enfant qui avait en abondance ce que je n'ai jamais eu. Sur ce qu'il était et que je ne suis plus. Pleuré sur une maman qui nous manque toute notre vie, surtout si nous n'en avons jamais eue. Pleuré tout court. Parce que je me suis enfermé dans le carcan de mon image méchante. Pour me venger, me cacher. Pour vivre des amitiés falsifiées parce que les vraies n'ont jamais existé. Longtemps pleuré.

À l'école secondaire, j'ai aussi tout de suite remarqué un enseignant qui marchait; il ne s'en cachait point mais ne s'en vantait pas non plus. Il fumait sûrement. Puis un jour, il a acheté du hasch de Martin Prieur, un autre vendeur de mon coin. Mais pas sûr, hypocrite, crosseur. Martin l'a dit à plusieurs de ses amis de garçons et filles. À moi aussi. Je lui ai dit de se la fermer.

– Qu'est-ce qui va lui arriver?... Tu sais quel genre de Direction qu'on a à l'école! Pour une fois qu'un enseignant vit comme nous autres...

Mais la nouvelle avait fait son chemin. Tout le monde dans la ville ne parlait que des enseignants drogués qui faisaient le commerce de la drogue dans l'école et sûrement de l'importation de l'étranger.

Poussé par la Direction?... Ici, les gens sont comme ça. L'enseignant fut victime de chantage par la Direction de l'école, menaces, insultes. On le surveillait partout, suivait ses cours en cachette par l'intercom, poussait des élèves à le dénoncer. C'est ce qui fut offert à Martin dont le dossier était devenu trop lourd. Pour ne pas se faire chasser de l'école, la Direction lui a dit d'accuser l'enseignant de trafic de drogues. Martin l'a fait tout de suite sans hésiter et son dossier fut détruit.

Pourtant, ce Martin-là, lui aussi marchait, fumait. Il se faisait payer pour seulement faire la planche avec ses clients de sexe. Ses bottines de travail, il les avait exigées en plus du prix convenu. Par chantage. Je le sais, c'est un de mes nouveaux clients qui me l'a dit. Martin travaillait pour son père Claude comme pusher. En auto, il amenait l'acheteur dans une cour semblant abandonnée et faisait la transaction. Dans la maison d'en face, le père prenait des photos. En plus d'être un important pusher, Claude Prieur travaillait pour la police et dirigeait un florissant commerce de pièces d'autos volées. Sous la protection de la police. Il essayait de faire prendre le plus de monde possible, provoquait, essayait de faire parler. Il essayait de se faire de nouveaux amis, les mettait en confiance, puis tentait d'obtenir des tuyaux, des preuves pour dénoncer. Son gars allait bien avec lui. Un jour, Claude Prieur a réussi à prendre son frère. André Prieur considérait son frère comme un gars normal, ne se méfiait pas. Mais Claude, en hypocrite, accumulait les noms, preuves, photos. Quand tout fut prêt, il dénonça à la police son propre frère. Le délateur Prieur choisit comme récompense un voyage de quinze jours en Floride, en décapotable blanche, toutes dépenses payées. Il amena un couple qu'il tentait d'approcher pour les manipuler. Et au lieu d'amener sa femme et son fils. De plus, il choisit un jeune serin parce qu'il suçait bien. C'était son principal besoin. Il a dépensé le plus qu'il a pu, gaspillé, pris tous les hôtels les plus chers: la carte de crédit de la police lui ouvrait toutes les portes. Au retour, le serin fut congédié et André, son frère, condamné. Ce fut à ce moment que Claude cessa les paiements d'un emprunt de huit mille dollars à la Caisse d'Économie, lequel emprunt avait été endossé par son frère. André dut payer le reste de la dette de son propre frère délateur qui l'avait fait emprisonner.

Martin avait un bel exemple à suivre et le suivait bien. C'est ainsi qu'un jour, il reçut la volée qu'il méritait et disparut du coin. Enfin! C'est ce genre de rapaces qui nous font du tort. Ils nous font passer pour des détraqués, des maniaques. Nous gagnons notre vie, respectons ceux qui nous respectent. Je n'ai jamais volé un de mes clients. Ai toujours tenu mes promesses. Je reste sur ma voie, me soumets aux lois. Les gens qui suivent nos coutumes ne regrettent rien. Si jamais je rencontre quelqu'un de pas correct, je n'ai qu'un mot à dire. Notre solidarité nous tient. Il faut savoir ne pas faire tous les coups soi-même. Des services, ça s'échange, des coups de main, des coups de coeur. Et on sépare le butin. Faut savoir être généreux. Et c'est si facile quand on se sent aimé!

Avec le temps, à l'école, je m'absentais de plus en plus souvent, arrivais en retard matin et midi. Je portais des bottes de travail, des poignets cloutés et une éternelle casquette en cuir. À tout moment, j'étais suspendu de l'école pour quelques jours. Ainsi, j'avais plus de temps pour consolider mon pouvoir. Meilleur service aux consommateurs de drogues et de sexe. Meilleures fêtes, tard le soir. Ces jours-là, je n'entrais pas à la maison. J'étais toujours invité à tellement d'endroits! Quand je revenais à l'école, j'étais encore plus perdu dans les cours et recueillais encore plus de prestige pour ma suspension et mes nouvelles aventures. ... Et une fois, j'ai été suspendu pour deux mois... Revenu, je n'ai résisté que trois jours à ce régime d'enfer qu'est l'école et suis retourné de moi-même et pour toujours aux rites de la nuit. J'avais treize ans.

chapitre XVII

Peu de temps après avoir quitté l'école, un dimanche matin, on devait aller bûcher dans le bois. Mon père, moi et mon copain Jean-Guy. Jean-Guy Courchesne était mon *partner*, comme je l'appelais. On s'était connu à l'école, se complétait. On était jeune, souvent emballé, avec de la force à revendre et beaucoup d'énergie. J'avais treize ans, Jean-Guy, un peu plus. Ça nous amusait le bois, c'était un défi. Mon père avait l'air en forme, décidé, mais je craignais toujours qu'il fasse une gaffe devant mon ami. J'avais peur d'avoir honte de mon père. Tout fins prêts, chaudement habillés, sans nourriture, seulement un thermos de chocolat chaud, nous sommes partis. Aussitôt rendus au bois, il nous a laissé la voiture et il repartit avec le tracteur.

– Bûchez en attendant que je revienne. J'ai à faire... Ne venez pas dîner, je vais vous l'apporter.

Il est parti, nous laissant seuls, isolés par la distance, avec notre courage et nos deux bras. Nous avons bûché: coupé, ébranché, mis en quatre pieds, cordé. Nous avons même brûlé les branches. Il n'arrivait toujours pas. Nous n'avions plus de chocolat chaud et nous avions faim. Il était quinze heures et nous n'avions toujours pas dîné. Nous avons pensé qu'il aurait pu avoir un accident, un empêchement grave. Malgré la distance, nous sommes revenus à pied. Il n'était même pas à la maison. Comme nous finissions de manger, il est arrivé. Soûl. Il nous avait laissés travailler et geler tout seuls dans le bois, et lui s'était soûlé!... Je lui ai quand même dit, en entrant dans la maison, comme un homme parle à un autre homme:

– Vu que tu n'arrivais pas et qu'il était quinze heures trente, on est revenu à pied pour dîner. On est pas mal avancé, là-bas.

Mon père n'a pas dit un mot, s'est approché de moi par en arrière et m'a donné une violente taloche derrière la tête. J'en ai levé de ma chaise et c'est mon front qui est allé frapper la table devant mon assiette. Je me suis levé, insulté, indigné, humilié jusqu'au fond de mon âme. Prêt à l'attaquer. Frapper mon père... Il s'est mis à crier qu'on était supposé rester dans le bois, travailler au lieu de venir paresser à la maison, etc. Et il m'a frappé, frappé devant mon ami Jean-Guy. À coups de pieds, à coups de poing, il m'a crié des injures. Des humiliations que je n'oublierai jamais. Je n'ai pas pleuré, on ne pleure pas à treize ans devant son ami quand un père nous frappe comme un ennemi. On ne pleure pas, on veut tuer!... Jean-Guy grimaçait, impuissant, souffrait pour moi. Il souffrait plus que moi dans mon corps. Je souffrais plus que lui dans mon coeur.

Dans sa crise, mon père hurlait; entre les jurons, m'accusait. Est revenu: François, ma mère; s'est ajouté: l'école, la drogue... puis les allocations familiales. Oui, il perdrait les allocations familiales parce que j'avais quitté l'école! Je n'en revenais pas. J'ai compris à quel niveau il pouvait s'abaisser. Tout ce que je représentais pour lui: des allocations familiales. Le mépris que j'ai ressenti pour lui!... De la pitié?... Je ne crois pas. Là, j'ai cessé de me protéger. Plus rien ne m'atteignait, pas même lui. Plus rien, je crois, ne m'atteindra jamais, après avoir vu le degré d'abjection où peut descendre un être humain. J'ai méprisé la Direction de l'école secondaire, ce n'est rien comparé à mon mépris pour lui. Moi qui le croyais un père... mon père... Tout ce qu'il a engendré en moi, c'est le mépris. Je le lui ai rendu. Polluant, puant. Désespérant. Sur une cuisse, il m'a donné un tel coup de pied avec sa bottine à bout d'acier que j'en ai souffert pendant des semaines.

Mais dans mon coeur, saignera toujours cette plaie qu'il a ouverte ce jour-là. Mon père m'a fermé sa porte pour toujours. Il a pris pour moi la décision que j'hésitais seul à prendre depuis longtemps. C'était terminé. Fini à tout jamais. Je partirai. Il n'aura plus jamais de nouvelles de moi. Je mourrai plutôt que de revenir ici. Je l'ai renié comme mon père.

Je me suis réfugié dans ma chambre, si humilié devant mon ami. Sans dire un mot, Jean-Guy m'a suivi. J'ai ramassé quelques petites choses auxquelles je tenais et nous sommes partis pour toujours.

– Papa, tu as réussi à faire un tel vide autour de toi! Aujourd'hui, je peux peut-être dire que je te pardonne, mais ça fait toujours si mal!... Mes vols, mensonges, violence, méchancetés, mes condamnations, mes jours et mes nuits en prison, ma honte devant mon image, ma rage devant mes barreaux, ma douleur quand j'écoute mon coeur, mon désespoir quand je regarde mon avenir, tout ça, je te le dois. Je te hais pour te tuer. Je ne sais pas si je le ferais. Peut-être que j'hésiterais... comme à treize ans?... Je suis entré par effraction dans ta vie, tu m'en as sorti de la même façon. Ces treize années ont pesé lourd sur ma vie, m'ont écrasé, détruit. Ces quelques années dont un enfant à tant besoin!

Jean-Guy m'a tout de suite trouvé un *pusher* de ses amis pour me garder, me cacher. M'initier. On apprend vite à treize ans. Mais on est imprudent. Je me suis souvent trouvé dans le pétrin, Jean-Guy et son ami m'en ont toujours sorti. Puis j'ai tellement appris que j'ai pu entraîner des copains mal pris eux aussi. On opérait séparément, chacun dans son coin, s'aidait pour les coups durs, partageait souvent le butin. On était bien. En marge, mais on se respectait. On en avait une famille maintenant. Et c'était bien moins douloureux qu'avant. Jean-Guy me l'avait dit:

– Ta famille, maintenant, c'est ici.

Jamais mon père ou ma mère n'aurait fait pour moi autant que lui. Il ne criait jamais après moi, répondait toujours à mes appels. Ce n'est pas lui qui m'aurait laissé seul, enlisé dans un trou de boue. Ce n'est pas lui qui m'aurait parlé durement, humilié devant ses copains. Il prenait ma défense, m'encourageait, me félicitait de mes bons coups. Je crois qu'il m'aimait comme un grand copain aime son grand copain. Il me donnait parfois l'accolade. Je sentais tout son corps frissonner contre mon corps. Il me regardait tendrement souvent. Je l'admirais de connaître tant de choses. Même l'étreinte à quinze ans. Je lui ai laissé cette joie: il le méritait bien.

Jean-Guy ne m'a jamais parlé des derniers coups par mon père portés. Seulement, un soir où nous étions seuls chez son ami, il m'a pris dans ses bras et dit à l'oreille, tout bas:

– Francis, je ne te laisserai jamais tomber.

Il m'a serré si fort! que j'ai compris un grand engagement de sa part. Sécurité. Maintenant, ce n'était plus seulement moi qui pouvais serrer quelqu'un bien fort. Un autre pouvait me rendre la pareille. Et avec tant de sincérité. Je lui ai confié mon corps. Tant qu'il voulait. Mais savait ne pas en abuser. Je préférais Mireille. Il le savait et n'était pas jaloux. J'avais l'impression d'être devenu un homme. En si peu de temps, un enfant devient-il autonome?...

Parfois, j'aimais ce jeu même si ce n'était pas de ma lignée. Mais son regard était si tendre, son feu si doux!... Comme pour Réal, je l'aurais désiré comme père. Et mère. De même pour Mireille: j'ai souvent désiré avoir ses parents au lieu des miens. Autant de questions, autant de mystères. Un peu de drogue aide à oublier les questions sans réponses. Les enfances sans amour. Jusqu'à la prochaine morsure où remonte devant son avenir un grand pan de sa jeunesse, le mur de sa détresse. Non seulement comme souvenirs, mais comme cause de son échec.

La drogue, c'est le seul marché du travail des jeunes. Il n'y en a pas d'autre. Pas de chômage, il y a toujours des besoins. Pas de stagnation, il y a toujours de l'avancement. Des plus jeunes arrivent sur notre marché. De plus en plus jeunes. Ils ont été rejetés par la mère. Et le père. Comme bois d'épave, ils jonchent la grève au matin. La vie nous les envoie. La normalité s'épure de ses déchets. Nous, on fait le décompte, jauge les possibilités de chacun, les oriente vers leur nouveau destin. Ils cherchent un frère ou une soeur, compréhension, tendresse, chaleur. Surtout pas des autorités comme ils ont connues. Combien de jeunes ont coulé sous le seuil de l'affection? Combien ont calé dans la marginalité?... Et notre petit monde s'organise, multiplie, renforcit. Des niveaux de secrets s'établissent, une hiérarchie s'échafaude. Ainsi, si un maillon faiblit, cède, trahit, la chaîne se reformera plus loin, ailleurs avec de nouveaux amis. Tout n'aura pas été détruit.

Puis on devient plus audacieux. De l'avancement, ça se paie. L'abondance aussi. Des parcomètres, on passe au vol à l'étalage; des cabines téléphoniques, on se ramasse au dépanneur. Puis la sacoche. Puis la menace d'un couteau. Le plus avancé a le morceau: il est respecté. Quand il a bien confiance, il le prête.

– Pas chargé. Pour te faire la main. Dans les stationnements, la nuit. À la sortie des clubs, au petit matin.

À mesure qu'on s'aperçoit que ça marche, que le monde a peur, on prend de l'assurance, on voit plus grand. Les besoins aidant. La considération aussi, le prestige. On ne te coupe pas la parole, t'écoute avec respect. Quand on prononce ton nom dans le milieu, personne ne parle, même qu'on se vante d'être ton ami. Tu es devenu un monsieur.

Jamais on ne te parlera de soumissions humiliantes, des coups de pied de ton père, des crises de ta mère, de ses abandons, sa sécheresse. Ta misère passée ne hantera que toi-même. Ta souffrance, ta douleur que tu traîneras comme un boulet te réveillera la nuit, peuplera tes cauchemars et rougira tes yeux devant le spectacle d'un enfant que sa mère embrasse tendrement. Tu garderas pour toi tes tourments, les cacheras au lit de ta détresse, les reverras souvent en cauchemars effrayants. Tu crieras en t'éveillant la nuit, inventeras une histoire à dormir debout pour rassurer tes amis surpris. Comme je fais, tu te recoucheras soulagé d'avoir parlé à Jean-Guy, Mireille ou à d'autres. De nouveau, te retrouveras seul sur cette trappe qui s'ouvre quand tu fermes l'oeil. Tu auras peur de te rendormir. Tu souhaiteras de pas rêver, entrer lourd dans l'ombre et en ressortir lavé des souvenirs hantés. Ça t'arrivera souvent aussi, mais tu te sentiras fragile intérieurement. Il faudra te durcir extérieurement pour compenser, t'oublier, parader. Annuler?... On ne sait jamais. Il faut surtout cacher. Les autres ne doivent pas savoir, même deviner. Et on se rassure par un bon coup de poing inutile, une méchanceté, dureté gratuite. Vandalisme, abus. La méchanceté est le paravent de la faiblesse; la dureté, de la tendresse.

Baudruche gonflée, tu te seras fabriqué un petit univers aussi impressionnant que fragile. Que personne n'approche avec une épingle de vérité, des yeux perçants d'empathie, car insécurisé par la peur d'être démasqué, dégonflé, tu attaqueras. Belle au Bois Dormant piquée par un fuseau, tu refuseras ton destin, craindras le sommeil de cent ans peuplé des cauchemars de ton enfance. Attaquer, toujours attaquer. Créer le vide autour de toi. Atmosphère aseptisée de tendresse, sensibilité, bonté. On s'étourdit dans la violence et le crime pour oublier les oiseaux, les fleurs... et son enfance.

Au matin, restent les dettes de la nuit, mes dettes de la vie. Je paierai plus tard. Je volerai, me ferai des clients, des amis. Comme Jean-Guy. J'ai fait les toilettes des Galeries, celles du terminus, le parc. À la piscine, ça marche; sur le pouce, c'est facile. J'ai une belle petite gueule, qu'on me dit. Un petit air vicieux. Mes fesses s'arrondissent, durcissent, mes épaules se développent. Jean-Guy m'encourage, m'aide beaucoup. Il est venu avec moi pour m'habiller. J'étais sexé, qu'il m'a dit. Je l'ai bientôt expérimenté et j'ai beaucoup aimé... le fric. Je pensais aux nouvelles expériences de fin de semaine. Aux amis à épater. Je leur payais souvent le hasch: ils n'avaient pas d'argent.

– Je vais te le remettre la semaine prochaine.

Promesses à répétition: le vide, là aussi. Et ils en redemandaient. Ils me remerciaient, cajolaient, fêtaient. Je ne pouvais leur résister. J'étais apprécié. La première fois de ma vie, j'étais aimé. C'est moi qui payais, mais ça me faisait du bien. Ça valait bien quelques sucettes, une petite flatte, tellement de caresses de la part de messieurs très sérieux. Et si affectueux. Ils me promettaient la lune en plus de quelque argent. La plupart me respectaient. Je me sentais aimé et ça me faisait du bien! J'ai tellement appris en si peu de temps!

Presque tous les soirs, mes amis arrivaient de partout. On se tenait, savait se reconnaître. Certains apportaient un peu de bière, de drogue, de la musique, du rêve. De l'oubli en bouteilles, de l'euphorie à la pointe d'une aiguille. Un de ces soirs, j'ai proposé:

– Simon, le dépanneur près de chez nous, va avoir tout un magot en fin de soirée: c'est la fête à Granby. Tu n'es pas connu par ici. Tu serais bien capable de nous payer la traite, ce soir.

– Mais...

– Arrange-toi avec Martinelli, y a pas plus traître que lui. J'pense qu'il a fait tous les dépanneurs de la Rive Sud: il n'y en a pas un qui lui résiste.

– ...

– En tout cas, on vous attend tous les deux chez Joe Louis vers minuit. Sonnez deux coups et demi.

Et le paradis redescend sur la terre pour une autre nuit.

– Ah ben maudit! c'est mon client du vendredi! Sa femme n'est jamais là ces soirs-là et il lui faut son p'tit gars. C'est son seul plaisir dans la vie. Avec le bien-être social et une femme qui l'épie... Tu n'irais pas, Stéphane, à ma place ce soir?

– Mais j'ai jamais fait ça avec un client. Pis, j'le connais pas, ton gars. Qu'est-ce qu'il a l'air?... Pis, il voudra pas.

– C'est bien facile avec lui: tu te laisses faire, il fait tout lui-même. T'as rien qu'à venir quand il est prêt. Ça prend pas dix minutes, pis il te donne vingt dollars.

– Non, non, j'ai jamais fait ça!

– Quand tu le fais avec ton frère Paul, ça te fait toujours pas mal... Et il n'est pas si laid, le bonhomme. Puis, on t'a rendu assez service, c'est à ton tour de faire quelque chose. Ça fait combien de fois que tu viens à nos party sans jamais rien apporter? Là, c'est le temps! J'téléphone au client, puis je suis sûr qu'il va être content de ta belle petite gueule. Puis sexé comme tu l'es, à part ça!... Wow! J'voudrais être à sa place... Il te donnera vingt dollars. Tu m'en rapporteras dix.

J'ai été obéi: j'ai aimé. ... Et la roue a tourné, tourné...

Chez mes parents, je mangeais, m'ennuyais, dormais. Je dormais, m'ennuyais, mangeais. Sauf le vendredi soir: je paniquais. J'ai toujours détesté les vendredis soir. Depuis que j'ai quitté la maison, je ne me suis jamais couché, ces soirs-là. J'ai fêté. Gelé comme une balle, avec des amis de gars, de filles à remplir l'appartement. Ma nuit du vendredi ne sera jamais une nuit comme les autres.

Francis commençait à s'agiter, le psychologue l'arrêta et suggestionna pour l'endormir plus profondément. Alors, tout redevint présent pour lui.

Je pars en voyage, m'évade. J'ai tant de vendredis à reprendre, exorciser. Tant de nuits à chasser! L'aube me retrouve défait, ramolli, perdu. Parfois euphorique, l'euphorie du vide. À mesure que s'évaporent les vapeurs fallacieuses, la détresse m'envahit toujours plus insidieuse. Je recherche un nouveau départ, une nouvelle fuite, de nouveaux effets. Je supplie:

– Un peu de rêve, encore!

Oublier. Enterrer son passé. Nettoyer son coeur. L'aseptiser. Le réussirai-je un jour? Une nuit de vendredi?...

Sous la galerie de ma drogue, entre un chien et des couleuvres, je refais ma vie à contretemps, à coups d'expédients. Qui comprendra?... Au matin, me regarde dans la glace. Mon père y apparaît, puis ma mère. Entre les deux, je me sens écrasé. Puis, je me vois par terre, aux genoux de ma mère, sous le lit, malheureux comme une pierre. Je fixe mes propres yeux, et ne me reconnais pas. Je n'ai jamais su qui j'étais. Je me fais peur: j'augmente la dose. Qui m'aidera?... La confiance n'existe pas, l'amitié non plus. Jean-Guy peut-être?... Mystère. Enfin, le matin est arrivé, mon père n'est pas venu: je peux aller me coucher. En après-midi, me réveillerai un peu plus endetté, souffrant, un peu plus malheureux qu'avant. Je m'écraserai devant la télévision sans son, la radio jouant très fort sur ces images sans signification. Comme ma vie. Images muettes venues d'ailleurs sur bande sonore tonitruante. Distorsions. Comme ma vie. Images de façade qui me tiennent à l'abri par beaucoup de bruit. Le fossé s'élargit. Ma réalité versus la réalité. Mon coeur quelque part est accroché dans le disque du passé, au fond d'un vieux sillon que creuse une aiguille entêtée. Grincements, brûlures, exaspération. La pression monte, le sillon se creuse; la douleur descend, le danger grandit. Explosion. Mes sons et mes images, ce que je suis et ce qui paraît: incohérences, inconséquences. Vide.

J'entame ma caisse de bière. Prépare ma prochaine nuit. Des amis viendront encore, épaves auxquelles je m'accrocherai. Ils ne seront que bruits coulant sur les images grimaçantes du passé, fantômes vaporeux glissant sur les murs du présent. Les laisserai m'étourdir, m'engourdir. Je produirai des bruits, moi aussi, à mon tour. Grinçants. Comme les leurs. Personne ne s'en apercevra. Nous aurons tous le même *buzz*, évaporés dans la même fuite, la fuite de nous-mêmes. Sur les marches du rêve, nous nous élèverons ...vers un peu plus de vide. Sur notre coeur, retomberons, plus douloureux qu'avant. Encore des pilules d'espoir, des fuites en avant. Encore l'oubli du présent, les orgies de la détresse. Nous nous amuserons à explorer les replis du manteau du temps, insouciants du grand filet qu'il deviendra pour couler au matin les cadavres de la nuit.

– Non! pas encore le temps, le passé le présent?... Une piqûre! s'il le faut.

Et le nirvâna enveloppe le malheur dans les fragiles couleurs des bonheurs falsifiés. Des aurores boréales se déploient dans un ciel vide. Des voies lactées se multiplient, des galaxies miroitent de paradis artificiels. Puis, tout disparaît dans de grands trous noirs, avalé par l'antimatière.

Mais un pauvre corps reste étendu, combattant ces poisons de la nuit qui faussent sa vision. La force, la beauté d'adolescents, d'adolescentes, leur bonté tant de fois abusée, leurs idéaux désespérés, leurs causes trahies, tout sombre sur quelques coussins par terre, au milieu de joints, seringues, bières, au son du heavy metal. Une jeunesse s'évapore, se fuit, se perd. Une jeunesse qui voulait aimer, se donner. Qui cherchait une cause, un modèle. Qui cherchait de l'air en appelant à l'aide. Exangue, se vide d'elle-même parce que d'autres n'ont pas su. Où n'ont pas voulu. Parce que d'autres ne les ont pas aimés quand ils étaient petits et leur laissent aujourd'hui une impression d'abandon.

– Voici un chien, une galerie, des bibittes, une garderie. Une école, un aréna, arrange-toi!, l'anonymat. Tu dois seul, faire le joint entre ton passé et ton futur; pour ton présent, voici du foin. Rumine.

L'enfant qui cherche un fruit, une borne, reçoit une bourse, un ordre:

– Dépense, ça fait marcher l'économie.

Dans un cri existentiel, un ultime conseil dans un gros rire gras, preuve suprême d'affection à l'enfant déjà loin:

– Et surtout, n'oublie pas tes condoms!...

Triste, s'ébranle le train de la vie avec ses coups durs métal contre métal, l'accélération, les vertiges de la lumière échappée, les espoirs enfuis, le ronron du quotidien dans une direction sans lendemain. C'est rapide, fonctionnel, rassurant, unidirectionnel. C'est l'avenir. Mais où va ce chemin? Le sait-il lui-même, le conducteur de train?... Puis, crack!... un accident viendra où on s'évadera du train. Le crack. On s'est fixé: ce sera notre dernier train.

Une éructation, deux grimaces, trois nausées; une grande lassitude, pustule du passé; une grande douleur lancinante. Autour de moi, toutes ces épaves...: nous avons coulé ensemble. ...Et maintenant, qu'est-ce que je vais faire?...: il me reste encore dimanche.

Francis, au berceau de ton enfance, as cherché les fleurs du futur. N'as trouvé que fleurs séchées, chardons d'incompréhension, désinstallations, brisants. As cherché pivot, base, racine. Tremplin pour demain. N'as trouvé que vide, indifférence, abandon. As cherché espoir, lumière, phare au chemin. N'as trouvé que ténèbres, refoulements, désespoir. As cherché sourires, joie, plaisir, inspiration pour la vie. N'as trouvé que tristesse, larmes et détresse. Que des:

– Va te laver. Couche-toi sur ton mal. Tu ne m'entendras plus jamais chanter.

Heureusement qu'il te restait les grenouilles et les grillons, les fleurs et les papillons. Quelques vaches, un cheval et des oisillons. Heureusement, ton Pierre imaginaire, tes rêves et tes illusions. Mais la vie se charge de nos illusions. On se présente à la vie les poches pleines d'illusions. Mais nos poches, nos poches, elles sont percées. Perdues au chemin du quotidien, envolées au vent des compromissions, au désir de promotions. On a beau revenir en arrière, les chercher, appeler. Non. Envolées, enfuies, évaporées. Elles résistent mal à l'air libre: elles partent avec lui. Parties au pays inaccessible des rêves et des libertés, au grand paradis des idéaux trahis.

TROISIÈME PARTIE

LE FUTUR

De sa prison, Francis m'a envoyé cette lettre.

Des dizaines de fois, je l'ai relue. Des dizaines de fois, j'ai frémi. Francis, merci.

Michel, pendant mes régressions, je n'ai pas tout dit. Tu as le droit de savoir; après tout ce que tu as fait pour moi, j'ai le devoir de te le dire.

Oui, Michel, j'ai tout vécu. Le commerce de drogues, de mon corps. Le vandalisme, le vol, les mensonges, l'abus de confiance de gens qui le méritaient. J'ai tout essayé, me suis piqué. J'ai aimé, j'ai nié, n'ai cru à rien. Sauf une personne peut-être... Toi. Mais le fil était si mince, le lien si léger. J'ai cherché, n'ai jamais rien trouvé. Sauf le vide. C'était mon royaume. J'ai craqué, me suis fixé. On se pique en bas pour que l'effet monte: entre les orteils, dans les mollets, les doigts, surtout les bras. Le sang giclait. Parfois, recueillais ce sang pour le congeler. Une fois légèrement liquéfié, me l'injectais. J'ai même dû faire réparer, à l'hôpital, la charcuterie de mon bras. En manque, je prenais des peanuts. *Une bonne poignée de pilules, tout d'un coup. Ça calme, assomme, fait oublier. Le manque est toujours terrible. Parfois, pousse au suicide. Même quand ça semble un jeu, l'essai est sérieux. Tout semble si creux, nébuleux. À quoi ça sert, la vie? À qui?... Vais-je continuer ainsi?... J'ai joué à me pendre, au moins dix fois dans une même soirée. Avec ma ceinture. Je jouais le jeu, respirais le risque. Comme l'imprudence folle en auto, en moto. Une seule petite roche, un seul petit trou sous la roue d'en-avant, une flaque d'eau, une autre moto en sens contraire et c'est la mort. La leur aussi. Beaucoup de mes amis sont morts ainsi. ...Il a perdu le contrôle de son véhicule... Et oui. Mais je sais qu'ils jouaient avec le* crack, *la* crainque, *les* peanuts. *Qu'ils ne supportaient pas la déprime au manque de cocaïne. Quand on apprend, on se saoûle, se pique... on joue avec la mort. Même si on est très beau, aimé, même si on est riche, nos parents de chics types. Le* down *aspire, avale. On chavire. Ce creux, ce plateau ou ce sommet où l'on se bat avec l'angoisse, cette détresse qui nous envahit nous fait regretter d'avoir commencé, mais il est déjà maintenant tellement trop tard! On s'écrase, si malheureux. Ou on s'agite, si nerveux. Si on a des amis accessibles, des voisins, des moyens, si on reste en ville, peut sortir, libre, on part, on cherche et on trouve. Aucune combine n'est impossible, aucun raisonnement inaccessible. Mais si on est un enfant, un adolescent, si on est isolé, trop surveillé, trop sévèrement puni, et si on vit souvent la détresse du manque, donc de plus en plus gravement l'asphyxie, un jour, le souffle nous manque. Je ne pourrai pas supporter ça toute ma vie. Je ne vivrai pas toujours ça. Ah! si j'avais de l'argent et vivais à Montréal!... Je ne ferais pas de peine à mes parents: ils ne sauraient pas. Je trouverais bien quelqu'un, de l'argent ou un expédient. On peut toujours* frienter *dans un tel besoin. Et le désespoir fait oublier tout ce qu'on possède pour une seule chose qui manque. Fait oublier tout ce qu'on est pour une seule pauvre petite chose qui nous manque. Fait oublier... Oublier. Oui, une dizaine de fois avec ma ceinture. Au début, j'y allais doucement pour étudier le choc, l'espace, la solidité. Le* thrill. *Ensuite, je me soulevais avec mes mains, étudiais l'effet. Je jouais avec les interdits, m'amusais. Je compensais le manque d'effets, me distrayais. Et recommençais. Sans trop y penser. Puis un autre essai. En se laissant davantage aller. On balance un peu plus longtemps, sent un mal de tête, un étouffement. Des points noirs, de plus en plus nombreux, papillottent aux yeux. Un engourdissement ramollit toute la réalité. Tout devient un peu plus flou, aléatoire, relatif. Le manque s'estompe un peu, se compense dans un* thrill *différent, dangereux, mais qui fait passer le temps. Si je reste accroché, c'est parce que ce sera mon destin. Si je me décroche, c'est que je dois continuer... À vivre. Comme à cent cinquante kilomètres à l'heure en moto, dans les pentes, les courbes, livré au hasard, offert à la mort. Griserie. Bienvenue la mort! Il faut que je m'offre à elle. Si elle me refuse, c'est que ma vie est correcte: je continuerai comme avant. Le hasard sera mon approbation morale. Ou ma condamnation. Les bras de plus en plus affaiblis pour se soulever après quelques balancements, le corps de plus en plus engourdi, la volonté, l'esprit recherchant de plus en plus sa dose d'inconscience, seul un souffle nous tient à la vie, l'absence d'une petite pierre sous la roue d'en-avant. Un hasard. Une sonnerie de téléphone, un réflexe, l'arrivée d'un ami. La chance?... Pour moi, la chance, ce fut toi. J'ai baissé mon arme, me suis rendu, soumis. Au noeud de ma ceinture, à demi étouffé, perdu, une pensée m'a ramené vers toi où je me sentais accueilli. J'ai relevé mes bras et rejoint, à demi-conscient, le crochet de mon jeu tragique et respiré jusqu'à toi. Te l'ai pas dit, maintenant, tu sais. Puis, ce fut la police. Vol à main armée.*

— Vous avez déchargé votre arme sur les policiers.

Michel, tu seras le seul à qui je l'aurai dit: je ne visais pas, je voulais être tué. D'ailleurs, me restait une balle. Les policiers ne l'ont pas déclarée. Il leur fallait un vrai coupable. Un bon, un sans rémission. D'ailleurs, ... elle n'était pas pour eux... J'ai pensé à toi, ce petit lien si faible, si ténu... Encore une fois, j'ai hésité, me suis soumis. Ai tenu parole: n'ai tué personne... Pas même moi. Merci, Michel! C'est grâce à toi.

Francis.

chapitre XVIII

Que c'est long, la prison!... Je me demandais si ce n'était pas plus long pour moi que pour lui. J'allais le voir moins souvent. J'avais repris ma terre; lui, ses esprits. Les régressions avec le psychologue et moi lui avaient semblé bénéfiques. Il étudiait, travaillait, menait une vie exemplaire.

– J'aurai terminé mon cours secondaire pour ma sortie, m'avait-il promis.

Il participait à toutes les activités, son regard était clair, sa vue portait loin.

– Michel, je lis tous les livres qui parlent d'agriculture, d'agronomie...

Mes yeux ont souri. Les murs ont disparu. Il a rougi.

– Francis, c'est les meilleures études que tu ne peux pas faire. À ta sortie, je te fais passer un examen.

Francis avait compris mon message, comme j'avais compris le sien. Il jubilait mais essayait de le cacher.

– J'espère que je vais réussir.

Nous avons bien ri. J'ai serré sa main. En trépignant sur sa chaise, il a ajouté:

– Ces bâtards-là, s'ils peuvent me laisser sortir!

Ce cri du coeur m'était servi à chaque visite et chaque fois, je riais. ... Ces bâtards-là... que je m'amusais à répéter. Nos relations étaient devenues toutes détendues, empreintes d'une spontanéité et simplicité charmantes. Comme on se sentait bien ensemble!

– Francis, comment réagissent les autres gars, ici, dans une institution à sécurité moyenne? Est-ce que ça les fait réfléchir, au moins?...

– En dedans, on cherche à aller plus loin que la réalité. On pense. On est obligé de penser. On ne peut rien d'autre que penser devant un mur de ciment.

La réclusion nous sort de la réalité; l'isolement nous pousse à nous échapper. Dans l'extraréalité. On essaie de se dédoubler, seul ou avec un autre. On réfléchit sur les extra-terrestres, la parapsychologie, Dieu, Satan. On proclame sa foi, partage ses expériences. Presque tous rejoignent l'Être Suprême. D'abord, pour se soumettre, ensuite pour demander de perdre ses peurs.

À ce sujet, Francis était bien pourvu. Peur des autres détenus ou des gardiens, peur des rapports disciplinaires ou d'une sortie retardée. Peur de sa double orientation sexuelle: était-il gai ou hétérosexuel? Devait-il choisir ou accepter les deux? Comment vivre les deux? Trouver l'homme et la femme qui accepteraient?... Il fallait ensuite se reconnaître égal aux autres, ni supérieur, ni inférieur. S'accepter soi-même. Ne pas se faire de drames, tout relativiser. On sait que les milieux fermés génèrent des fantômes, engraissent des monstres qui dévorent l'objectivité. Être positif, toujours garder son moral... Quel programme pour l'Être Suprême et son petit être Francis! Alors, il parlait. S'obligeait à parler. Puis, écoutait. Francis reprit.

— Ensemble, mais dans un petit groupe restreint où on se fait confiance, on communique ses goûts, ses désirs, ses espoirs. Ce qu'on fera dehors. Qui nous attend et si on se croit toujours attendu. Le chômage, le danger de se réembarquer, la réalité, surtout la drogue et la boisson. Même si on continue à consommer en dedans, on affirme que c'est bien mauvais. Mais le dire, libère un peu. On se fait sortir des fruits, de la levure de la cuisine et on se fait un peu d'alcool. On prend de la lotion après rasage, du cirage à chaussures qu'on fait bouillir. On hume de la colle, des produits issus de l'atelier de peinture. On se détruit pour oublier. Mais en parler conjure le mal; ne guérit rien, mais l'angoisse est un peu plus apprivoisée.

Enfin, on parle de sentiments: son amie, sa femme, ses enfants. Que font-elles? Sont-elles fidèles?... Mon fils me reconnaîtra-t-il, nous demande souvent Jean-Pierre, le doyen de l'établissement?... Et dans un cercle encore plus restreint, on partage ses sentiments intimes. Sur le ton de la taquinerie. Même si ça ne va pas jusqu'au bout, ça libère un peu. Ainsi se prouve-t-on confiance pour tout de suite, et en dehors, se promet assistance.

-Et ton Jean-Guy, comment va-t-il?

– Une chance que je l'ai. Je partage la même aile que lui. Mais pas la même cellule. On s'entraîne ensemble, s'encourage, protège. Il m'aide, soutient; je le suis. Personne ne peut me menacer, ne pas tenir parole à moi donnée, sans avoir affaire à lui. Ses épaules sont très développées – encore plus que les miennes – ses dorsaux sont très beaux et ses bras m'impressionnent. Il peut être aussi tendre que voyou. Tous les deux, on forme une belle équipe. Personne n'oserait nous attaquer. Son bras et mon bras, ça fait bien quatre-vingts centimètres. Et avec des tatouages!... En entrant dans ma cellule, il bombe le torse, gonfle ses biceps...

– Qu'est-ce que t'en penses aujourd'hui?...

– Attends pas que je me lève!...

Même si je réponds ça faussement menaçant, je me lève et en fais autant. Ensemble, on mesure près de quatre mètres.

– Que j'en voie donc un venir nous écoeurer!...

Chacun une petite tape sur les fesses et on s'asseoit. Cuisse contre cuisse: ah! cette chaleur!... D'autres fois, on s'échange quelques petits coups de poing, se serre le cou, se tasse dans le coin. Et parfois, on fait franchement l'amour.

Jean-Guy couche avec d'autres gars, surtout un dont il est presque l'amant. Ça ne me fait rien puisque je ne suis pas de cette race. Mais je le comprends bien. Actuellement, je le vois peu: il est enfermé dans sa cellule. Neuf jours. Ça faisait deux, trois fois qu'il faisait entrer des chats dans sa cellule, les caressait, faisait coucher sur son lit. Il les regardait dormir, les faisait ronronner. Ça, c'est défendu. En prison, on ne caresse pas les chats. Au lieu de les voir geler dehors en hiver, il ouvrait sa fenêtre et, entre les barreaux, les faisait entrer. Puis, était heureux de les voir heureux. Comme il avait fait avec moi.

Francis me racontait tout, comme ça, tout simplement. Comme si de rocker, il était spontanément devenu disco: quel changement! Et Jean-Guy pour moi était devenu un ami, lui aussi, même si je l'avais si peu connu. L'ami de mon ami... Aussi précieux l'un que l'autre, Jean-Guy avait maintenant une place de choix dans le même nid auquel rêvait Francis. Pendant la semaine, je parcourais le grand monde inaccessible pour eux et revenais tous les dimanches leur rapporter ses échos. Un message pour un tel, deux pour elle. Toujours la même: Mireille. Francis n'oubliait pas, même si les visites de Mireille s'espaçaient.

Serait-elle au rendez-vous dans quelques mois? Viendrait-elle au moins pour Noël?... Je rassurais mon petit oiseau prisonnier du nid et n'allongeais point ce sujet.

– Francis, pour la vie intime, la vie sexuelle en prison, j'espère que tu peux la vivre un peu... avec tant de si beaux gars... comme toi!...

– Michel, je trouve ça difficile. Mireille...

Ses grands yeux devenus tristes, muet, Francis songeait. Il continua:

– Bien sûr, j'ai Jean-Guy; on s'aime beaucoup, se fait du bien. Il mérite mes caresses, il déborde pour moi de ses faveurs. Mais on ne doit pas être trop vu ensemble. On était associé avant d'entrer ici; maintenant, il faut se séparer afin de montrer nos bonnes intentions, faciliter nos journées de sorties et rapprocher notre libération. Mais dans la prison, on a quatre détenus qui ont pris des hormones femelles et développé des seins. On les appelle...

Francis s'est penché et ma confié, tout bas:

– ... des pelottes à gosses...

Puis il s'est relevé, fier de son coup en passant sa main alternativement à la hauteur de ses pectoraux puis de ses hanches en répétant:

– Pour elle, pour lui; pour elle, pour lui...

J'étouffais de rire. Il était un peu gêné de m'entendre rire aussi fort. Il a continué:

– Elles m'excitent beaucoup. Une, surtout – Jessy Piché – qui me fait des avances. On s'est donné rendez-vous quelques fois pour la gaffe de cul, qu'on appelle. Je pensais à Mireille et ça m'a fait du bien. Mais là, Mireille, tu sais...

Un silence un peu lourd nous mit tous les deux mal à l'aise.

J'ai tout de suite questionné:

– Puis, t'es-tu fait d'autres amis à part Jean-Guy?

– Ah! si tu voyais Sylvain!...

Francis venait de se faire un nouveau copain. Ses yeux se sont fermés, une extase a transfiguré son visage. Un délicieux sourire l'a transformé en arc-en-ciel. J'avais l'impression du chant d'action de grâce de toute la nature après une longue, chaude et bienfaisante pluie. Quelle fraîcheur, quel soulagement! Je l'ai admiré et j'ai bu à grands traits le bonheur qui y coulait. Francis était heureux. Je l'étais. Il répéta:

– Ah si tu voyais Sylvain! J'espère qu'un jour, on se retrouvera tous les quatre ensemble: toi, moi, Sylvain et Jean-Guy!

– Pourquoi pas, Francis? Tes amis sont mes amis.

Mireille ne venait plus aux rendez-vous. Francis ne pouvait plus la rejoindre au téléphone. Au lieu de se torturer, – pense toujours positif! se rappela-t-il – du revers de son coeur, avait chassé l'intruse.

– Les femmes sont toutes pareilles, trancha-t-il d'un grand coup de refus global... Sylvain aidant.

– Francis, comment ça se vit une relation amoureuse en prison? Quelles sont vos chances de vivre vos besoins, les conséquences?...

– Quand je rencontre Sylvain, on se fait un clin d'oeil. Discrètement, je lui envoie quelques baisers. Il baisse les yeux et sourit. On sourit. Aux cours, je passe la main dans ses cheveux, lui joue dans l'oreille avec mon index. Il aime beaucoup mais ne peut l'admettre. Il se lève, ouvre sa braguette,

– Veux-tu?...

– Non, pas tout de suite.

On rit tous les deux. Les autres sourient. Le professeur semble n'avoir rien vu. L'incident est clos, mais la pression a baissé. Par quelques jeux, on a retrouvé un peu de notre réalité affective. Ah! Michel, si tu le voyais, mon Sylvain Lacroix!... Beau, blond, frisé, très musclé, bronzé doré, pas un poil sur la poitrine... Il se fait bronzer avec un tout petit cache-sexe. Ses yeux bleus sourient et parlent d'amour. Sylvain m'excite. Il le sait, en profite. Parfois, quand je lis étendu à plat ventre sur mon lit, il entre dans ma cellule et se jette sur moi. Il me caresse le côté des deux cuisses ou m'embrasse tendrement dans les cheveux. Je lui dis:

– Qu'est-ce que tu veux, Crotte?

Il se déplace, je me dégage. On se regarde face à face. Puis, ma joue sur sa joue, on se serre très fort dans les bras. Parfois, un beau baiser sur les lèvres. Sans un mot, sans effort, on vient de briser plusieurs barreaux.

Puis Francis m'a raconté quelques échanges avec Sylvain et j'ai compris la force, la nécessité de leur intimité. Un certain jour, entrant dans la cellule de Sylvain, Francis lui a dit:

– Cette semaine, tu fais l'homme et je fais la femme. Je marche.

La magie des mots crée le rêve et la fantaisie. Elle réinvente la réalité, de nouveaux rôles: elle donne corps à des fantasmes, incarne des intuitions. Elle détend la tension, exorcise le désir.

– Seulement me coller nu à ton corps nu, seulement m'asseoir près de toi, cuisse contre cuisse. Ma main sur ton genou, une caresse à ton dos, pourquoi pas à ton sexe?

Simples mots, fortement ionisés, tellement chargés de désirs qu'ils libèrent une forte charge émotive. Mots qui approchent le rite des caresses, cérémonie des amours. Courroie de transmission des grands courants du coeur, ils communiquent, ils sautent un pôle, abordent un relais plus loin, deviennent sublimation. Mais le message s'est quand même rendu. Sans autre rituel, on a quelque peu satisfait ce besoin d'intime communion. Les deux corps restent intacts mais les deux coeurs se sont déversés l'un dans l'autre, vases communicants de la magie des mots. Mots sincères, mots de l'authentique simplicité qui rejoint l'essence des personnes bien au-delà des sexes et rôles sociaux. L'homosensualité.

Ah! la liberté des sens, liberté des corps; la liberté du sens, liberté du coeur des personnes sorties de prison! Elles ont connu la répression des corps; elles ont découvert une liberté plus profonde, la liberté du sens. Des corps enchaînés peuvent vivre toute l'intensité de la liberté intérieure. À l'intériorité, nos prisonniers sont forcés, acculés. L'intériorité invente des nouveaux mots, se libère des anciens rôles, gonfle de richesses certaines banalités. ... Veux-tu être ma femme?... dit par un homme seul avec un autre homme seul, entre vingt-deux et vingt-trois heures, dans une cellule où ces mots sont défendus, avec une flamme de malice aux yeux, une émoustillante complicité de coeur, mots qui n'engagent rien d'autre que le large sourire d'une douce émotion, mais que ces mots libèrent donc en engageant si peu de gestes!

– Ben, assis-toi là, la femme, et prépare-moi un café.

– Ah ben là, si tu penses que j'vais commencer à te servir!...

– Si notre mariage commence ainsi, ça fera pas des enfants forts...

Puis le registre change.

– Regarde le dessin que je viens de terminer. Le veux-tu?

– Signe mon nom; moi, j'écris le tien.

Et un petit dessin naïf sur le mur froid du silence d'une petite cellule de prisonnier vient de se charger d'un sens que seuls savent en donner les enfants. Les vrais. Assis au bord d'un petit lit de fer, main dans la main, le coeur s'attendrit. Ce mur n'est plus de froid ciment mais devient écran. S'y projettent des images, en jaillissent des couleurs. Les grands espaces s'étirent à perte de vue, l'immensité du ciel s'avère suffisante à peine pour dire son besoin de liberté. Les oiseaux volent très haut, la lisière de la forêt se dessine très loin. Des voitures tirées par des chevaux sillonnent le paysage, tranquilles ou au galop. Des oiseaux s'abreuvent d'azur, le soleil resplendit, des enfants s'amusent. Les fleurs s'élèvent en couleurs et en parfums, les abeilles fécondent, les hommes et les femmes travaillent en souriant. D'un grand mouchoir, ils effacent le travail sur le front, dans le cou, se donnent un petit baiser. Assis sous un grand arbre, ils multiplient les rasades d'eau fraîche, devisent de leurs succès, d'abondance et de sécurité. Personne pour surveiller, sans barrière jusqu'au trécarré, car on a la clé des champs. Un ruisseau amusé, désinvolte, babille insouciant de demain et de nos pieds qui trempent dedans. Le chien s'informe de tout, autour de nous, sent, renifle, court, fait des liens, déduit, conclut, ... mais n'accuse jamais d'indifférence. Un simple coup de langue sur la joue en signe d'indulgence, et le voilà reparti pour une autre enquête. Puis arrive une bande d'enfants qui traversent l'écran. Ils courent, rient, se taquinent, poussent, se touchent. Insouciants, ils se savent acceptés, aimés. Ils rient très fort, crient, et le bonheur remplit la vallée d'effluves parfumées. Toutes ces lumières, ce grand air, cet espace enchanté, – le bonheur instantané – se rétrécit bientôt à la dimension d'une petite carte sur le mur étroit de l'absence de liberté. Une morsure brûle à la base du coeur.

– Que c'est long! Quand sortirai-je d'ici?...

Mais au milieu du mur du silence, un petit dessin malhabile: Francis, Sylvain. Sylvain, Francis. Une petite lueur, sensation au coeur, consolation.

– Veux-tu être ma femme?...

Il sourit. Ce doux chemin de ces rides tracées sur sa joue, ces lèvres élargies, cette chaleur montée du coeur, libèrent de nouveau le paysage qui chantera toute la nuit en rêvant.

Un simple petit dessin au tracé malhabile a su dire le coeur d'un homme supposé méchant et rejeté, au coeur d'un autre homme reconnu méchant: je t'aime bien. Deux coeurs durs ont fondu dans la nuit carcérale par quelques coups de crayons de plomb offerts en signe d'amitié. Quand le premier sortira du cachot honteux, il laissera tout ou presque à son ami: son chapeau de cowboy, ses gants et sa ceinture de culture physique, son chandail Harley Davidson, son coffre à bijoux qui lui a demandé plus de cent heures de travail, sa photo et tous ses dessins. Il laissera son adresse et son numéro de téléphone.

– On s'aimait bien. Je reste en Abitibi. Viens me rejoindre si tu es mal pris.

Deux amis se donneront la main, feront peine à voir. Ils auront appris à s'aimer, pourront-ils en aimer d'autres?... S'ils ne se revoient jamais, ne s'oublieront pas et reconnaîtront d'instinct d'autres hommes qui auront connu la prison en demandant discrètement:

– As-tu déjà fait du temps?...

Le coeur dur de deux hommes méchants, rejetés par la société a fondu devant un petit dessin, une poignée de main frémissante, le sourire de l'amour dans deux beaux yeux bleus. Sylvain, Francis. Francis, Sylvain.

Si tous les professionnels, les riches, les cravatés, les bien enrobées derrière leur bureau, pouvaient faire du temps, (comme d'ailleurs ils le méritent pour la plupart), ils auraient peut-être moins le coeur dans leur poche et plus à la bonne place. Ils seraient peut-être moins méprisants envers ceux que la vie a poussés au cachot.

J'étais encore une fois très ému aux chemins de Francis. Après un long silence affectueux,

– Michel, Noël s'en vient...

Phrase non terminée, sentiment à montrer. Un peu gêné. J'ai laissé le temps à quelques grandes respirations de lubrifier le passage de l'aveu.

– ... Noël en prison, y paraît que c'est pas facile... surtout le premier.

C'était ma dernière visite avant Noël. Est-ce que je devais en parler ou changer de sujet? J'ai risqué d'affronter. J'ai échoué: Francis pleura. Mireille de plus en plus lointaine, sinon perdue, et moi qui partais, Francis s'est senti soudain très seul. Son univers se dérobait. Il s'est senti refoulé, rejeté. Quinze heures quarante-cinq minutes, c'était la fin des visites. Sans voir personne, même pas Jean-Guy et Sylvain, comme d'habitude, il est allé s'enfermer dans sa cellule.

Dans son carré de silence, Francis s'est retourné à l'envers de la réalité. Séparé, embarré, refermé sur lui-même, enfermé comme animal sauvage, étendu au verso de la vie, a fixé le plafond de ciment. Dans la cage du silence, il a sondé la profondeur de son mystère. Peu à peu, a revu sa vie. L'a détricotée et retricotée. Mailles à l'endroit, tellement de mailles à l'envers avec de grands trous béants. Lui aussi. Ils accepteraient peut-être d'être reprisés, délicatement, apprivoisant le vide. De grands vides criants qui accepteraient peut-être d'être comblés, si très lentement, pour ne pas trop heurter, blesser, insécuriser. Et sur les murs du silence, il dessina les grimaces de l'absence.

Plus tard, Francis m'a raconté. Ce 25 décembre, j'étais enfermé dans ma tanière. La veille, bingo; l'avant-veille, souper aux chandelles. Aile par aile, dans le grand gymnase, pendant quarante-cinq minutes, étions servis comme des rois. Puis dans les cellules, portes barrées; pas de télé, pas d'exercices: c'étaient les autres qui mangeaient. À huit heures, on pouvait se promener dans l'aile, aller dehors, respirer. Dans certaines cellules, les gars écoutaient un radio, on entendait des airs de Noël. Dans d'autres, c'était plein de décorations, de cartes de souhaits. Ailleurs, c'était la télé qui jouait. Tous ceux-là avaient des parents, des amis. Je n'avais pas d'argent pour ces achats.

Je marchais seul vers le mur. Arrivé, j'arrêtai comme devant les portes et attendis qu'il s'ouvre. Voyons, c'est bien long! Qu'est-ce qu'ils attendent?... Puis le mur se leva comme un rideau de scène. S'ouvrit une immense salle de bal où je m'avançais majestueux avec Mireille. Je faisais les premiers pas, traçais la voie, ouvrais le bal. L'orchestre jouait pour moi, soulevait la dentelle, élevait les pas. Le rythme s'accéléra, l'étourdissement menaça, je tombai par terre. Un immense champ, une fleur. Je la regardai, n'osai la prendre, c'était la seule. Je me penchai, la humai, elle en profita:

– Je suis la seule que tu n'as pas détruite à neuf ans. Je t'offre mon parfum: hume encore.

Le reproche cuisant, me relevai, rejoignis une côte devant la pointe qui donnait sur la rivière. Je me plaçai vers le haut et aperçus ma mère. Je sentis mes deux joues brûler, la terre tourner et regardai le bord de l'eau. Assis au même endroit où j'avais jadis renié ma mère, je méditais le passé. Combien de temps suis-je resté écrasé par un trop grand malheur pour un petit coeur d'enfant? J'ai poussé de mon pied quelques mottes qui ont suivi une partie de la pente. Je me suis levé et, jusqu'à la maison, ai défait le chemin du malheur. Tout était ramassé maintenant derrière moi. Mais là, s'élargissait mon champ de bataille. À gauche, la porte du poulailler que j'avais fermée un certain soir de printemps en pensant que je venais de tuer ma mère. Le hangar où j'avais brisé le timon de la voiture en essayant, seul, de l'accrocher au tracteur. La volée que j'avais reçue! À droite, l'étable où j'ai attrapé toutes les bêtises du monde parce que j'arrivais mal, trop jeune, à traire les vaches, nettoyer, soigner. Le puits. Près de la margelle, un soir, une chenille était montée à ma jambe et s'avançait sous ma culotte. Paniqué, je n'osais avancer. J'ai appelé, crié. Ils n'ont pas bougé. Inconsciemment, c'était peut-être un test que je leur donnais. Ils l'ont raté. Je crois avoir perdu connaissance de peur. Quand je me suis retrouvé, je suis entré et comme j'ai cherché cette chenille sur moi! Je ne l'ai jamais trouvée, mais j'ai été inquiet si longtemps. Surtout de leur indifférence. Je mourrais et ils ne bougeraient pas. Puis le dessous de la galerie, la place du chien. La mienne aussi. Plus loin, où j'ai été piqué par un bourdon.

– C'est de ta faute, m'avait dit ma mère. Si tu lâchais les bibittes aussi.

L'endroit où je laissais grenouilles et crapauds, couleuvres et lucioles avant d'entrer à la maison. Et près du chemin où j'avais tant souffert et tant aimé le grand Réal qui m'avait serré dans ses bras. Il m'avait tellement fait de bien! Pourquoi faut-il qu'il y ait tant de mal pour si peu de bien?... Et j'ai suivi en esprit le chemin de ses bras dans la maison, au souper puis dans mon lit où sa main jouait dans mes cheveux quand je me suis endormi. Je l'ai revu un instant, il souriait avec chaleur. Son bras gauche était nu. Le bras de son coeur, énorme, plein, gonflé, divin. Comment la peau pouvait-elle tout retenir? Plus gros que les bras de Jean-Guy. J'ai voulu le serrer sur mon coeur, mais il n'était déjà plus là. Pourquoi dans toute mon enfance, lui seul fut-il bon? Enfin, les enfants jouaient chez les voisins et riaient de loin. Je les entendais encore mais le chemin m'était défendu. M'oblitérait. J'étais encore trop petit pour le prendre et suivre mon destin. Dans la maison, pouach! une odeur de prison! J'étais revenu devant mon mur blanc. Le rideau de scène rabaissé, je n'entendais plus ni rires, ni musique. Seulement un bruit de portes métalliques.

Je me suis tourné vers le mur. Mes yeux perçants l'ont traversé et remarqué qu'un soleil se levait quelque part. Mes yeux ont bu ces lueurs puis se sont fermés. Peut-être rêverais-je à la lumière? Et me suis retourné pour me coucher sur ma douleur. Sur mon coeur. Plus tard, suis allé voir Sylvain et l'ai serré dans mes bras. Ma main, un instant, a joué dans ses cheveux, caressé ses deux bras. J'ai embrassé ses deux joues en disant:

– Réal, je te remercie. Grâce à toi, Noël sera un peu moins triste: tu as brisé un mur dans ma vie. Réal, je te remercie.

Interloqué, Sylvain a compris que j'étais malheureux et n'a rien répondu. Mais j'ai senti battre son coeur un peu plus vite dans ses grands yeux tristes.

– Bon Noël, Francis!

En prison, on ne dit pas: Joyeux Noël. Les yeux pleins d'eau, serrant sa main,

– Bon Noël quand même, Sylvain!

chapitre XIX

Il arrive qu'au tiers de sa peine avec une bonne conduite, la participation aux différents programmes de réhabilitation, un emploi assuré en sortant et la confiance en une personne ressource, le service correctionnel accorde une libération totale au sujet. Dans ce cas, Francis n'aurait eu qu'à se rapporter toutes les semaines à Granby. Mais il avait demandé une désintoxication. C'est ainsi qu'un beau jour, Francis sortit de Cowansville pour se diriger vers le Centre de désintoxication à Richelieu. En saluant chacun, il ne dit pas bonjour mais, adieu. Et partit sans se retourner. Au bruit de la dernière porte se refermant derrière lui, il s'arrêta, prit une très longue respiration. Puis il repartit lentement. Je le sentais vivre chacun de ses gestes, goûter chaque instant de sa nouvelle liberté.

– Enfin!... Libre! Tout seul. Sans gardien, surveillant, délateur.

Il me confiait ses émotions, surprises; ses prises de conscience, ému.

Il regardait les arbres, le paysage, l'espace, la vie. S'extasiait.

– Ah! que c'est beau! Que ça fait du bien! Surtout sans barreaux!...

Francis m'a fait redécouvrir le paysage, les nouveautés, la vitesse, les plans inclinés.

– Bien oui, Francis, c'est vrai que le paysage de l'Estrie est merveilleux, que les autos ont changé et que le monde est rapide sur la rue, dans les magasins. Mais le plus surprenant, c'est que tu marches difficilement sur un terrain en pente.

– J'ai été si longtemps sur des planchers au niveau que je ne me sens plus en équilibre à pied dans une côte.

Son explication était logique mais me surprenait quand même. De plus, je l'ai un peu trop taquiné et j'ai appris aussi qu'un gars qui sort d'en dedans n'entend pas toujours à rire. Pour les premiers temps du moins. C'est normal quand on passe trois ans, cinq ans, isolé, sous la surface de la réalité, au niveau des punitions, vengeances, déprogrammation. Quand on en sort de cette cage du silence, on souffre de la maladie des caissons. Faut une convalescence. Certains en sortent guéris, d'autres apeurés et beaucoup aguerris. Ils ont appris à cette école du crime, voudront faire mieux. L'idéal se vise aux deux bouts de la ligne verticale. Ils ont choisi le bout qui leur était le plus familier: le bas. Celui que l'école leur a présenté dans beaucoup de cas, souvent la famille aussi. Le plus facile?... Pas nécessairement. Tout simplement pour eux, le plus accessible. Heureusement, Francis n'était pas de ceux-là.

Donc, accepté au centre Les Grandes Sources à Richelieu, Francis y termina sa sentence. Six mois. Après quelques semaines, j'ai pu aller le chercher tous les vendredis soir et l'amener chez moi. Notre relation devint de plus en plus sérieuse, profonde. On parlait psychologie, mécanismes de comportement, le pourquoi de ses réactions. Il cherchait mon opinion sur des théories psychanalytiques apprises et sur sa nouvelle connaissance de lui-même.

– Michel, je ne m'accepte pas moi-même. Je joue un jeu. Mais là, c'est fini. J'essaierai. Ils me disent que je ne contrôle pas mes émotions.

– Ça va venir Francis, ne t'inquiète pas. Mais, me dirais-tu comment fonctionne un centre de désintoxication?

– On n'est pas tout de suite accepté dans la famille. On est d'abord isolé dans un autre pavillon, mis en état d'alerte. Pour moi, ils avaient camouflé un cendrier plein de mégots sur le divan, de façon que je le renverse en m'assoyant. J'ai voulu tout ramasser, mais il n'y avait pas de brosse. Ils ont fait venir un initié de la famille, un gros et grand gars de vingt-cinq ans au moins qui a tout ramassé avec ses mains. Comme un enfant... qu'on humilie. J'ai été surpris, mais n'ai rien dit. Dans ma chambre, il fallait tout exécuter plus qu'à la perfection. Le bouchon du dentifrice devait être parfaitement lavé, asséché tous les matins. Sinon je devais laver, même déjà très propre, tout le lavabo. Une tache dans le miroir et je lavais toutes les vitres. Un pli dans le couvre-lit et le matelas était jeté par terre. À tout recommencer. Un tiroir de la commode mal fermé, tous les tiroirs étaient vidés sur le plancher.

– Ramasse tout et place tout à la perfection.

Quand on faisait une crise de larmes, l'éducateur nous prenait dans ses bras, serrait affectueusement.

– Pleure Francis, ça va te faire du bien. Tu as besoin d'un ami... C'est bon l'affection, hein?

Cette accolade, cette affection était la récompense dont on avait besoin. Puis les rencontres devant les animateurs pour raconter notre vie, nos souffrances, nos malheurs. Tout était noté afin d'être utilisé plus tard pour nous faire craquer. Quand j'étais sur le bord des larmes et que je me contrôlais encore, ils me rappelaient:

– ... comme devant la porte du poulailler où tu croyais avoir tué ta mère...

Alors j'éclatais. Je pleurais, secoué de gros sanglots. Des jeunes de la famille et des éducateurs venaient me prendre dans leurs bras, consoler. Que ça me faisait du bien! Je ressentais toute la chaleur, douceur d'être aimé. Puis, avec le temps, on savait qu'en pleurant notre passé, on serait cajolé, consolé.

Et on finissait par pleurer, pleurer chaque fois qu'on en sentait le besoin. Ainsi, la plupart du temps, ces séances se terminaient dans les larmes: revivre nos malheureuses expériences finissait par nous émouvoir profondément. Écouter celles des autres, voir les autres pleurer, nous sensibilisait à la fin. D'autant plus qu'on finissait par s'attacher beaucoup les uns aux autres. Après deux semaines, on était tous devenus grands amis, garçons et filles sans distinction. Même si je m'en doutais avant, c'est une des premières vérités que j'ai comprises là: le sexe n'a pas d'importance pour les sentiments, le coeur ne s'embarrasse pas de pénis ou de vagin. La tendresse passe le sexe. Et j'ai appris à exprimer mes sentiments. Mais moi, je n'aimais pas pleurer devant les autres. Souvent j'allais me cacher dans les salles de bain. On venait me chercher et je devais me contenir ou m'humilier. Puis, j'ai compris que pleurer n'avait rien d'humiliant, n'était point signe de faiblesse ou lâcheté. J'ai appris à dire, à tout dire. Quand on partage, dit tout, on n'a pas besoin de drogue. Seulement d'une oreille attentive, d'un coeur qui comprend sans juger. Même seul, on n'a pas besoin de drogue; on peut avoir le goût de soi-même.

J'écoutais Francis sans rien dire, habituellement sans poser de question. J'ai beaucoup appris à son contact.

Puis un vendredi soir, en allant le chercher, il s'est engouffré dans l'auto, excité, triste, révolté. Il a fini par m'expliquer. Un compagnon de désintoxication venait de se suicider. Marco fumait du hasch, humait de la coke, c'était sa troisième désintoxication sans succès. Fils adoptif, cherchait son père désespérément introuvable. Ses démarches toujours demeurées vaines, s'était imaginé un homme à sa mesure, à ses besoins. Le jeune Marco s'était attaché à Francis dont il commençait à connaître l'histoire.

– Francis, lui demanda-t-il, parle-moi de ton père.

– Lequel, Marco: le faux, le vrai ou l'actuel?

– Comment peux-tu accepter ça?

– Il faut accepter son histoire, vivre la réalité. D'ailleurs, mon père actuel est le meilleur que je puisse imaginer. C'est lui que j'aurais choisi.

– Mais!... choisit-on un père?

– On choisit de respecter; on essaie d'aimer. Pour moi, les deux sont faciles.

– Je ne comprends pas.

Marco avait tourné le dos et s'était enfoncé dans le silence. Le lendemain, une autre rechute dans la drogue.

Plus tard, lors d'une rencontre, Marco avait lancé devant toute la famille:

– J'en ai assez de ne pas être aimé.

Tous alors très surpris, à tour de rôle, sont venus le prendre dans leurs bras. Presqu'indifférent s'est laissé faire, absent. À la fin, il a demandé:

– Qui est mon père?

– On t'aime tous, Marco. Ton père ne peut plus t'apporter grand chose aujourd'hui. Pense à l'amour des gens avec qui tu vis maintenant.

– Ça ne fait rien, je veux le retrouver quand même.

Marco s'était buté. Bloqué dans le passé, n'arrivait pas à sa réalité.

Nerveusement, Francis sortit une lettre de sa poche et lut sur l'enveloppe: Francis, si tu es mon ami, veux-tu remettre ceci à mon père. Adieu.

– Que c'est triste, Francis!

– Je vais te la lire, c'est encore plus triste.

Papa,

Qu'est-ce que ça donne la vie? l'avenir?... L'avenir, c'est plate. Il n'y a pas d'avenir. Je suis fatigué de vivre. Je retirerai mon casque et mes gants – toutes mes protections – puis à toute vitesse, foncerai dans le mur de l'avenir. Même si l'avenir n'est pas mûr. L'avenir est seulement pellicule qui rend flous tous les contours de demain, incertains les espoirs d'aujourd'hui. Les décisions d'aujourd'hui n'assurent pas demain, la sûreté du passé ne garantit pas le futur. Trop de changement, manque de base, continuité. Insécurité.

Écrasé dans le mur de toutes mes difficultés accumulées, mon agressivité avec mon sang et ma vie, couleront sur le chemin. En petits bouillonnements sur trottoir anonyme s'enfuira la vie. Ma rage bouillonnera encore quelques instants puis s'apaisera bientôt à l'air libre du temps. Tout sera rapidement lavé par l'oubli. Incapacité de communiquer, incapacité d'être écouté. Un autre qui sera parti dans un grand cri. Un autre qui aura vécu comme un filon de silence, inatteignable, inattaquable. Au bout de la galerie, tout à coup, un grand coup de grisou.

J'étais beau, j'étais fort, j'essayais d'être aimé. J'essayais d'être. Je faisais beaucoup de culture physique. Je le cachais mais j'aurais aimé qu'on le remarque. Je m'étais moulé un corps parfait, pourquoi n'avez-vous rien vu?... Ton remords, papa, tes regrets voudront à rebours panser ma plaie, mais il sera trop tard. Libéré, je suis maintenant dans la réalité; toi, tu restes du mauvais côté du miroir truqué. Je te vois réfléchir, raisonner; je te vois chercher, t'excuser. Tu désires sur-

vivre, garder ton équilibre. Je ne t'en veux pas, mais je garderai encore le même silence qui fut notre partage. Vous ne m'avez pas vu, vous n'avez pas su. J'ai essayé d'aimer, vous n'avez pas voulu. Bien sûr, vous déformerez la vérité, la maquillerez. Qu'importe, plus rien ne peut m'atteindre. Mon souffle qui aspirait tellement n'a pu trouver ici-bas son rythme de respiration. À l'écart, s'est expiré. Marginalisé, me suis enfui.

Il était beau, il était fort, direz-vous. Nous l'aimions. Mais... Que de mais pourrez-vous ajouter! Le plus important, parce que le plus définitif: mais à quoi bon puisqu'il a choisi l'éternité?... Le sang s'écoulant, c'est trop tard. Fini, irrémédiable. Pour ceux qui restent, c'est le temps des regrets, des pourquoi. Le temps des bilans. Le mien est complété. Excusez-moi pour le geste posé.

PS: MAIS à quoi bon?... Quand tu liras cette lettre – si tu la reçois – je serai déjà incinéré. Au cas où tu l'aurais oublié, j'avais dix-huit ans, papa.
Marco.

Francis a lentement replié la lettre. On étouffait dans l'auto. On s'est arrêté et on a marché très près l'un de l'autre le long de la route. Tous les deux, on avait le coeur gros. Le coeur gros de silences, ceux de Marco. J'ai demandé:

– On continue?

On est reparti. Francis n'en revenait toujours pas.

– Il est mort, te rends-tu compte?...

– Oui, Francis. Marco avait raison avec ses MAIS. Que de mais dans une vie, surtout une fin de vie! Mais, mais...: mot invariable, froide opposition. Mais...: recherche d'excuse, parfois accusation. Mais s'il l'avait dit aussi!... Et le plus bizarre, peut-être le plus cynique: Mais s'il avait eu davantage la foi... Malheureux petit mais qui te met dans ton tort, malheureux petit mot qui détruit le remords.

Un long moment plus tard, Francis qui regardait toujours l'enveloppe s'est mis à réfléchir tout haut.

– Marco est descendu du train en marche. Sa vie était-elle tellement difficile? Il était beau, il était fort, il avait tout...: quelle est cette faille californienne intérieure, cette St.Andreas qui donne un tel vertige? Ce n'est pas qu'une fugue, simple appel d'aide. Il est mort, Michel! Ce n'est pas seulement pour son père... Et il est mort seul... Je ne comprends rien.

– Sa liberté peut-être... son choix... C'est toujours à respecter même si on ne comprend pas. Marco ne t'a pas rejeté: il va seulement t'aimer autrement. T'aider. Peut-être a-t-il déjà commencé?...

Mon petit point d'interrogation a aiguillé l'attention de Francis sur du plus positif.

De cet événement, Francis en est resté longtemps marqué, souvent en a parlé. Ce fut le point marquant de sa désintoxication où il a établi dans sa tête une vague relation entre drogue et suicide. Il m'avait déjà demandé:

– Est-ce qu'on commence à se droguer pour appeler à l'aide, fuir la réalité ou commencer à se suicider?

J'ai répondu que c'était peut-être les trois. Un peu plus tard, quand la Polyvalente de Saint-Jean-sur-Richelieu a demandé une personne du Centre pour témoigner sur la drogue et la désintoxication, Francis s'est tout de suite offert. C'est ainsi que ce vendredi-là, toute la région a entendu parler de Marco. Et de moi. Et des Labrecque surtout!... Par hasard, un étudiant de l'école s'appelait lui aussi Labrecque.

C'était un des meilleurs joueurs de l'équipe de football, aussi joliment bâti que Francis. Il s'est senti parfois un peu gêné devant la façon cavalière dont Francis parlait des Labrecque. Un enseignant m'a mis au courant et j'ai téléphoné au bel athlète après souper. Le jeune homme a été assez intelligent pour comprendre que Francis ne parlait pas de lui, même s'il portait le même nom. Pas plus, lui ai-je expliqué, que tous les Michel sont gais ou que tous les Jonathan de la région sont des goélands qui mangent le poisson mort de pollution le long de la rivière Yamaska. Il a ri, et ensuite parlé longtemps à Francis qui l'a invité chez nous.

– Entre Labrecque... a dit Francis.

– J'ai bien hâte de voir ton nouvel ami, Francis, ai-je ajouté en taquinerie.

Puis un beau jour, Francis finit de payer sa dette envers lui-même en complétant ses six mois de désintoxication. Comme il avait payé sa dette à la société par la détention. Ainsi, un beau vendredi, ce furent les adieux. Intenses, sincères, véhéments. Promesses de lettres, de téléphones, visites. Invitations, bons voeux.

– Ne lâche pas. Fais attention à toi. On t'aime bien.

– Si jamais, ça devient trop difficile, tu sais qu'on est là.

Francis trouvait difficile la séparation, mais jouissait davantage de la fin de ses obligations imposées. Une fois sorti, prit le dessus le goût de la liberté. Il venait de mettre une croix sur le passé et de s'engager résolument dans son avenir. Francis venait de se libérer. Du moins, le croyait-il.

On fit le trajet presque sans un mot. Rendu à la maison, Francis respirant si intensément semblait s'emplir de tout le paysage. En même temps, l'aspirer tout autour de lui avec ses inspirations si profondes. On dirait que toute la région s'était lovée autour de lui, l'accueillait, le caressait. Parfois, Francis donnait l'impression de s'élever très haut, d'être parti, à sa façon de regarder le ciel, de suivre un oiseau. Avec un minimum de mots. Je le sentais. On marchait si lentement! Je l'aimais. Sur la route, dans l'entrée, près des bâtiments, on a même pris le chemin des champs. Francis parlait parfois, regardait si haut. J'ai pris sa main. Il a serré bien fort la mienne, et en la levant en direction de son désir:

– Viens à la rivière.

Sur le haut de la côte, on s'est arrêté, rapproché. Il revivait intensément. J'ai placé ma main droite ouverte sous son aisselle. Son biceps gauche l'emplit aussitôt, chaud, plein, débordant. Ma main gauche est venue prendre la sienne et j'ai appuyé ma tête sur la belle rondeur de son épaule. L'eau coulait tranquille. On s'aimait. Presque tout bas:

– Je suis resté perdu longtemps à suivre le courant. Maintenant, Michel, je veux voguer avec toi. Me prendras-tu à bord?...

– Ah Francis!...

Je me suis placé face à lui et l'ai serré si fort.

Il m'a presqu'étouffé en me collant sur lui. Puis desserrant son étreinte, par son menton, il a appuyé sa tête sur ma tempe et laissé peser sur moi le poids de ses immenses bras.

– Francis, tu es mon fils revenu, ma raison de vivre depuis près de vingt ans. Francis, mon fils!

Nous avions tant de choses à nous dire, d'émotions à partager! Pour moi, tout tenait dans: Francis, mon fils! Lui, tenait à me partager l'essentiel de son message. L'ai senti par l'attitude, le ton.

– Michel, si je suis ici, c'est grâce à toi. Libéré. En vie. Je ne peux même pas tout te dire... Jamais, je n'oublierai!

Sa sincérité est venue me bouleverser jusqu'au fond de l'âme. De grandes vagues d'émotions, des flots de tendresse m'ont réchauffé tout au long de leur doux chemin jusqu'à ma gorge où ils se sont accumulés en rangs serrés. Ma respiration s'est allongée, puis accélérée sous l'embâcle. On s'est de nouveau jeté dans les bras l'un de l'autre et tellement serré. Que j'étais petit dans son étau! Abandonné, sécurisé. Enfin, il me disait son coeur, me partageait ses surplus. Depuis le temps qu'il l'espérait!... Depuis le temps que je l'espérais. Je suffoquais, mais me sentais si bien! Au bord de la rivière, au sommet de la côte, Francis m'a semblé reprendre son enfance dont sa mère l'avait dépouillé. Francis m'a semblé renaître. Je me sentais un peu sa matrice, ou mieux, une occasion, un moyen, sa direction, son vent. Je me sentais si petit et si heureux. Je me sentais corbeille de fruits. Mon coeur vers François est parti.

Lové dans les bras de son fils, j'avais l'impression d'une mission accomplie. Le pire était passé, son fils était sauvé. J'ai eu une sensation de fatigue, la tentation du repos. Il me semblait que j'avais tellement fait que je m'étais tellement usé d'espoirs et d'émotions que j'aspirais au relais. Je crois avoir un peu desserré les bras, me suis senti très lourd. J'ai goûté la douce sensation d'être porté, porté dans des bras si forts, tant aimés, si bons. La douce sensation d'être reçu, protégé, accepté. La douce sensation que tout était fini. Enfin que je pouvais me reposer. Quelle erreur de ma part!...

J'ai voulu savourer cet instant jusqu'au bout. J'ai laissé mes jambes se plier et ma tête se renverser vers l'arrière. Les bras de Francis se sont resserrés à ma taille et je suis devenu petit enfant dans ses bras. Surpris, Francis s'inquiéta:

– Michel?...

Sans ouvrir les yeux, la tête toujours renversée,

– Francis, je m'abandonne entre tes mains, ce que j'ai, ce que je suis. J'ai tellement porté, supporté: je n'en peux plus. Je sens que c'est fini. Je suis si fatigué! Tiens-moi, garde-moi. Entre tes mains, dans tes bras. J'ai besoin d'être supporté un instant. Par toi.

Il m'a retenu de son bras droit et passé son bras gauche au creux de mes genoux pliés. Il m'a délicatement soulevé. Mes bras ont entouré son cou, mes lèvres s'y sont posées. À la base. Doux, solide, délicieux. Comme un petit enfant au cou de sa maman. Lentement, Francis s'est retourné et dirigé vers la maison. À la base de son cou, je respirais, suçais son énergie d'homme devenu. M'abandonnais. Je sentais que c'était certaine paresse. Je savais que le jeu finirait. Mais je savourais encore. Je l'avais porté si longtemps, n'était-ce pas un peu à son tour?... Francis me serrait très fort. Me sentais environné, emmitouflé de muscles très souples et très doux. Caressé de force et de tendresse. On ne disait rien. Je sentais battre son coeur de plus en plus fort sous l'effort. Je le sentais m'aimer.

– Francis, je n'ai jamais été aussi bien, abandonné de toute ma vie qu'entre les bras de ton père. Francis, moi non plus, jamais je n'oublierai.

J'ai davantage serré mes bras et collé mes lèvres en un long baiser fiévreux. Francis s'est arrêté, m'a serré si fort sur sa magnifique poitrine d'athlète, puis a penché la tête et l'a fortement collée sur la mienne en une merveilleuse caresse. Francis m'aimait.

Ne savait pas comment le dire, mais savait comment le prouver. Qu'il fut bon en cet instant! Qu'il fut délicieux!

– Michel, je veux t'emporter dans mes bras jusqu'à la maison.

– C'est trop loin Francis, laisse-moi marcher près de toi. Le jeu est terminé.

– C'est à mon tour de te porter, d'aimer. À partir d'aujourd'hui, dans ta vie, d'une certaine manière, je veux remplacer mon père. Je ne veux plus que tu aies de la peine, que tu souffres, que tu sois malheureux, ni par moi, ni par personne d'autre. À partir d'aujourd'hui, tu resteras dans mes bras. Dans mon coeur. Dans ma vie. Encore une fois, Michel, merci!

Il a encore une fois penché sa tête en forte caresse sur ma tête et m'a serré très fort sur son grand coeur.

– Merci Francis.

Ma main en caresse est descendue de son épaule et s'est présentée à son biceps qui portait tout mon corps. Gonflé, énorme, si dur. Irrésistible. J'ai bu de toute ma main assoiffée cette merveille qui s'offrait.

– Quelle force, quelle beauté, Francis!

– C'est pour t'aimer, Michel, te rendre un peu de ce que tu m'as donné. Caresse Michel, caresse. Aime tout ce qui t'a manqué si longtemps et que tu mérites tellement. Même si tu penses à mon père, le faisant, je ne suis pas jaloux.

Je me suis lentement retourné dans ses bras et je me suis retrouvé le ventre collé sur lui, ma bouche sur son biceps. Lavé, mordu, embrassé. Savouré. Pendant que mon érection labourait son côté, il marchait toujours lentement en me serrant, frottant contre son beau corps excitant. À mesure que les vagues du plaisir s'accumulaient aux portes de la jouissance, il modéra et finit par s'arrêter afin de mieux me frotter avec violence sur lui jusqu'au déclenchement d'un feu d'artifices dont je n'oublierai jamais les explosions multicolores au ciel de mon émerveillement. Au milieu de mes grands soupirs, il reprit lentement sa marche. Toujours collé sur cet être merveilleux, je suffoquais d'action de grâce.

– Michel, tu ne regretteras jamais de m'avoir aimé, aidé comme tu l'as fait. Tu connaîtras le coeur du fils de François.

Il m'emporta jusqu'à la maison et me déposa sur le lit. Avait tenu parole: mission accomplie.

Puis ce fut Mireille. Ah! celle-là! Il fallut la retrouver, et rapidement. Elle était rendue à Montréal et demeurait avec un chanteur. Ils vivaient en amis, non en amants, disaient-ils... mais elle était enceinte. À leur première rencontre, Francis parlait peu, se retenait. Mireille expliquait, parlait tellement qu'elle semblait bien coupable. L'ami nous offrit de la coke pour nous amadouer. Je refusai et partis sous prétexte d'un ami à rencontrer. L'ami de Mireille en fit autant. Je me suis promené sur le Mont-Royal, emprunté plusieurs fois le Boulevard Camilien-Houde et admiré les superbes résidences des Anglophones d'où on pouvait voir au loin – de très loin! – Pointe Saint-Charles et Saint-Henri. Trois heures de temps. Égaré de l'autre côté de la montagne, j'ai dû demander mon chemin pour la rue Saint-Denis. Mes oiseaux étaient au lit. Ils ont semblé surpris de mon retour si rapide, voire, un peu impatientés. Après quelqu'insistance, Francis est revenu avec moi pour le train du soir. Il semblait renfrogné, gêné. Les besoins du sexe avaient dépassé les besoins de sa logique. Mireille possédait les appâts, Francis si longtemps privé, oublia ses rancoeurs. Il fut possédé, mais consciemment, volontairement. C'était seulement du sexe, m'expliqua-t-il. Dans l'auto, un peu humilié par son changement d'attitude envers Mireille à cause des reproches et de la crise souvent promise qui ne furent pas livrés, mon Francis cherchait un peu d'excuses. Mireille fut noircie à nouveau et il promit de ne plus la revoir. Je n'ai pas répondu et j'ai souri intérieurement.

Bientôt, Francis reprit avec Mireille. Les débuts furent houleux, l'avenir incertain. Francis me confiait ses rancoeurs, sa difficulté à rapprocher les cheminements différents de leur coeur. Francis avait beaucoup changé, Mireille, très peu. Francis essayait de beaucoup pardonner, Mireille ne s'en rendait pas compte. Francis avait rêvé de rebâtir sa vie avec elle; Mireille qui n'avait pas suivi le cheminement de son homme, les espoirs investis, ne vibrait pas au même diapason. Francis, après s'être engagé à tout reprendre dans sa vie, s'attendait à toutes les collaborations dès qu'il en aurait besoin. Il allait de déception en déception. Le cheminement en prison puis en dehors est si différent. En dedans, on chemine beaucoup et très rapidement. En bien ou en mal. En dehors, on reste assez indifférent, on continue à s'étourdir, à ne pas trop réfléchir. En sortant, pas surprenant que les heurts se multiplient, les incompréhensions, malentendus aboutissent aux séparations. S'ajoutant à cela, les rancoeurs, les soupçons de part et d'autre.

– Pourquoi tu ne venais pas plus souvent?... Avec qui couchais-tu?... Qu'as-tu fait de ma chaîne stéréo?...

Les questions se multipliaient, précises; les réponses s'égaraient, évasives.

Francis m'arrivait souvent déçu, en colère, impatient. Je respectais son silence, souhaitais sa confidence. Un soir, après un long silence,

– J'ai tout fait ça pour rien: elle ne veut rien savoir de moi.

Je lui ai laissé le temps d'enchaîner, compléter le tableau de sa peine. Puis, j'ai ajouté très doucement:

– Tout ce que tu as changé en toi, ce n'est pas pour elle, ni pour moi. C'est pour toi, et toi seul. Ne compte pas trop sur les autres, surtout ceux et celles qui n'ont pas suivi ton cheminement.

– On espère toujours un peu: aide, compréhension, quelques efforts au moins pour accompagner ceux qu'on a faits en prison. En tout cas, moi j'ai été sincère avec moi-même comme c'est pas possible. J'ai défait toute ma vie, l'ai reprise, rebâtie. Je ne pouvais pas faire plus.

Après un long silence, Francis conclut:

– J'ai trop espéré. Tu étais mon seul contact avec l'extérieur et ta bonté a faussé mon jugement sur le monde. Si tu étais comme tout le monde aussi!...

Je sais que ce n'était pas dit par méchanceté. Simple taquinerie. Appel pour continuer la discussion, faire parler. Manière de dire: Michel, tu es un être extraordinaire. Ne me laisse pas tomber...

– Francis, c'est plus facile pour nous deux de se comprendre parce qu'on a cheminé ensemble. On s'est suivi, connu. Un petit peu aimé?...

– Je t'ai toujours trouvé un peu spécial. Aujourd'hui, je constate que tu es unique.

– ... que NOUS sommes uniques. Deux êtres uniques, isolés. Deux personnes qui ont encore bien besoin l'une de l'autre. Nous sommes si faibles, séparés. Si forts, unis.

Je me suis avancé vers lui déjà debout dans la fenêtre. Il s'est retourné. Je me suis planté bien droit en face de lui, lui ai montré mon biceps droit en souriant.

– Toi et moi, on ne fait pas aussi grand, aussi gros que Jean-Guy et toi, mais on peut se défendre quand même.

Je l'ai serré dans mes bras avec plus de tendresse que de force. Il a laissé tomber derrière chacune de mes épaules, ses deux grands bras ballants. Ah le poids de ses deux beaux gros bras offerts! Forts pour tout bâtir ou tout détruire, beaux pour attirer toute caresse, admiration. Il restait encore déçu, n'acceptant toujours pas l'impression de trahison, le poids de sa solitude.

– Michel, tu es toujours aussi bon et tu continues, même sorti d'en dedans, à me soutenir, m'encourager.

– Francis, laisse le temps passer. Le temps de t'adapter, acclimater. Il n'y a pas que les autres qui doivent s'adapter. Toi aussi, tu dois t'adapter aux autres et à leur cheminement différent du tien.

Il a replié ses deux bras derrière mon dos, m'a serré sur lui et collé fortement sa joue sur ma tempe. Sans un mot, Francis me disait merci.

Tous les jours, Francis travaillait à la terre comme un forçat. S'esquintait, cherchait à cacher son désarroi. Francis avait une rage à passer. Il restait parfois de longs moments, silencieux, devenait taciturne.

– Francis...

que parfois, doucement, j'appelais. Une sonde. Il ne répondait pas toujours.

Un jour, à brûle-pourpoint, sur un ton un peu trop sec, Francis me dit:

– Il me faut de l'argent! Mon cours de conduite, une auto. J'veux sortir plus souvent. Reprendre le temps perdu. J'veux aller à Montréal de temps en temps. Je ne suis pas pour rester accroché à toi, dépendant de tes services. Je te remettrai ton argent avec les intérêts, ne t'inquiète pas.

Francis m'avait tout dit, d'un bloc. Francis s'était dévoilé, compromis: tout entier avait exigé. J'ai hésité. Ma réticence l'a agacé: il a monté le ton. Gêné, humilié de quémander, insécurisé par l'hésitation de son seul sauveur, Francis s'était surpris à me commander, exiger. Son comportement d'en dedans refaisait surface. On ne change pas tout, s'adapte à tout en si peu de temps. Je restai bien mal à l'aise devant ses ordres, blessé devant son indélicatesse. Pour lui, c'était mon argent ou l'obligation de voler, c'était ça ou de nouveau la prison. Je me suis tu et refusai de répondre.

— Puis, vas-tu me le prêter?

J'ai essayé d'esquiver, broder autour de la question. Quant à ma réponse, elle était toute ficelée, c'était non. Demandée sur ce ton, mon amour propre — qui n'est souvent qu'un amour malpropre — refusait d'acquiescer. Le ton encore a monté d'un cran et j'ai réussi à repousser l'échéance.

— Je vais y penser. Toi aussi, peut-être?...

Il fut saisi mais laissa paraître à peine le déséquilibre qui venait de l'affecter. De connivence, on changea de sujet. Toute la nuit et la journée du lendemain, nos deux vérités ont chevauché parallèles. Sans se séparer davantage, mais sans se rejoindre.

Au soir, à la brunante, entre la maison et le puits, on s'est retrouvé. Je l'ai regardé et me suis dit tout bas: Je suis venu monté contre toi. Nourri de reproches. J'avais tant raison, tu avais tellement tort. ... Et Francis m'a parlé. En silence d'abord. Tête basse, embarrassé, un peu humilié. Son attitude parlait plus fort que toute parole qu'il aurait pu prononcer. Tout son corps criait, son coeur souffrait. Démuni, se livrait à moi. Il m'aurait laissé le déchirer de reproches. Il aurait subi, souffert. Sans un mot, malheureux, il aurait accepté comme une victime, un coupable qui veut expier. Sans un mot, malheureux, il m'aurait laissé empirer son sort... et le mien. Coupant mes réflexions intérieures, Francis sur un ton très doux, pénétré de respect, demanda:

– Michel, tu as sûrement pensé à ce que je t'ai dit.

Devant mon long silence, il ajouta, condescendant:

– Je comprends bien ce que tu ressens. Et je suis sûr que tu comprends aussi ce que je ressens.

Mon coeur est devenu tout chaud et mon acrimonie fondit comme neige au soleil.

– Francis, si on faisait quelques calculs, ensemble?...

Et l'on calcula, et l'on étudia différentes possibilités. L'on s'entendit sur une forte augmentation de salaire et sur l'utilisation de la petite camionnette de la ferme. Il en paierait l'essence et l'entretien ordinaire. Francis s'achèterait lui-même l'équipement de base de culture physique qu'il désirait depuis son arrivée, mais je lui prêterais l'argent pour son cours de conduite automobile. Sans intérêt. Il a fini par quitter sa chaise longue et est venu s'asseoir sur le banc près de moi. J'ai penché ma tête sur son épaule et posé ma main à plat sur sa cuisse. Il a penché sa tête vers la mienne et son oreille s'est appuyée sur le dessus de ma tête. Sa large main est venue recouvrir complètement ma petite main pressée sur sa cuisse. De longs silences nous permettaient de mieux goûter nos sensations et mesurer les émotions de nos deux coeurs revenus au même diapason. Longtemps après, très doucement demanda:

– Est-ce que Mireille peut venir passer une fin de semaine?

– Certain. Quand tu voudras.

– Vendredi prochain?

– Bien sûr. Si on l'amenait aux A.A. avec nous-autres, dimanche après-midi?...

Francis réfléchit et opina qu'il devait l'amener seule afin que Mireille soit plus à l'aise pour parler de cette nouvelle expérience pour elle. L'on entra, se tenant par la taille. À la porte de nos chambres, Francis me serra bien fort sur sa hanche en disant:

– J'aurai toujours quelque chose à apprendre de toi.

– Moi aussi, Francis.

Il m'a embrassé sur le front, j'ai baisé sa main. Dans l'ombre, est entré dans sa chambre. Dans la lumière, suis entré dans la mienne. Francis rêva sans doute à Mireille, moi, à l'ancien détenu qui prenait peu à peu sa place dans sa nouvelle société.

Le vendredi suivant, très tard, Mireille m'arrivait. Ils étaient allés au club à la demande de la jeune fille gênée d'arriver chez moi. Il fallut beaucoup de temps avant qu'ils se couchent et, surtout, qu'ils s'endorment. J'avais de la difficulté à accepter Mireille dans ma maison, dans la chambre de Francis... Je la sentais un peu comme une intruse. Je crois que j'étais un peu jaloux. Mais je me suis bien défendu de le laisser paraître. Mon sentiment ne relevait que de pur égoïsme et je le reconnaissais volontiers. D'ailleurs, je n'avais pas beaucoup de sympathie pour cette fille qui avait abandonné Francis dans sa grande épreuve carcérale. Sa fin de semaine chez moi n'a rien amélioré de mes sentiments. Samedi, c'est Francis qui lui a préparé son déjeuner pendant qu'elle fumait et buvait du café. Elle s'est offerte pour essuyer la vaisselle: il était temps qu'elle se réveille! Je suis parti travailler et il a fallu beaucoup de temps avant que Francis vienne me rejoindre. Je pense qu'il avait dû avoir bien d'autre chose à faire que la vaisselle. Mais il avait l'air heureux quoique distrait. Au dîner, Mireille nous avait préparé à manger. Du spaghetti. Au souper, des hamburgers. Après, ils partirent pour Granby. Dimanche, Francis ne m'aida en rien, amena Mireille aux A.A. et la reconduisit à Montréal, fin d'après-midi. Il revint tôt et sembla gêné. Embarrassé,

– Je ne t'ai pas aidé beaucoup.

– Ça ne fait rien, tu mérites bien ça.

– Comment as-tu trouvé Mireille?

– Elle ne fera jamais une fermière, c'est une fille de ville. Mais elle est gentille, polie, propre. Je n'ai pas à me plaindre. Toi, qu'en penses-tu?

– Elle n'aime pas trop la campagne, les odeurs quand on revient de l'étable, le train, soir et matin. Un esclavage, qu'elle dit. Elle avait toujours peur de se salir. Elle m'a parlé en riant de recouvrir d'asphalte toute l'entrée et la cour. Tu parles!...

Mais Francis était soulagé, heureux. Il avait reçu quelqu'un chez lui et se sentait fier d'avoir été bon hôte. Et un peu de sexe avec une femme de temps en temps lui faisait tellement de bien! Cher Francis!...

Après un bon nombre de sorties avec Mireille et quelques autres visites chez moi, Francis conclut:

– Ça va de plus en plus mal avec Mireille. On n'arrive pas à s'entendre. Je n'ai qu'une journée par semaine avec elle, le dimanche, et elle ne veut absolument plus m'accompagner aux A.A. Je dois y aller seul; c'est comme si elle me volait ces deux heures de sa présence. Maintenant qu'elle est revenue à Granby, elle se tient toujours avec le gang que j'ai connu. Puis moi, je veux plus et ne peux plus rester avec eux. Je dois absolument effacer tout le tableau de ce passé.

Francis prit un long silence pour respirer et vérifier si j'avais quelque chose à ajouter, puis ferma la porte:

– On ne se comprend plus d'aucune façon, Mireille et moi: il faut se séparer. Je dois tout recommencer, tout seul et à zéro.

J'ai dit très bas, comme un baiser qu'on envoie sur la main, dans un souffle à l'être aimé:

– Si je puis t'aider?...

chapitre XX

Francis laissa Mireille... et s'ennuya. En fin de semaine, on sortait ensemble. Parfois, on faisait une tournée de quelques clubs de danseuses et danseurs nus; d'autres fois, c'était le tour des clubs gais. J'ai fait remarquer à Francis que je passais sûrement pour être son *sugar daddy*. Il sourit, indifférent aux petits jugements étroits des autres. Dans les clubs gais, il préférait que je l'accompagne parce qu'il s'y faisait moins draguer. Il allait parfois rencontrer Jean-Guy, Sylvain chez eux. Mais c'était aux Narcomanes Anonymes qu'on se sentait le mieux, le plus en harmonie. Nos gestes, nos paroles, tout était plus chaud quand on revenait. Nos silences plus nombreux nous rejoignaient plus profondément. À l'occasion d'un de ces retours,

– Je veux relire mon père.

Il se coucha très tard, se leva taciturne. Au déjeuner, après le train, j'ai abordé le sujet. Francis répondit:

– Je n'arrive toujours pas à comprendre comment mon père fut si bon. Et si malheureux.

– Il s'est soumis quand toi, tu t'es révolté. Il a fui quand toi, tu as affronté, démoli. Il fuguait plutôt que frapper de ses poings. Toi, tu fuyais dans la drogue. Tu es aussi doux que lui, aussi bon. Tu as pris d'autres moyens que lui pour crier ton désarroi, appeler au secours. Tu as frôlé la mort. Lui, a trébuché.

– Pourtant, il te connaissait. Tu l'aimais tellement. Pourquoi n'a-t-il pas survécu... comme moi?

– Il suffit parfois d'un si petit détail... une petite roche sous la roue d'en avant, un petit souvenir, un fil d'argent... pour nous empêcher de basculer. Quand on est déjà à bout de souffle, il suffit d'un petit rien: des gens trop pressés, d'un ami stressé, d'une parole déplacée... pour que tout s'écroule et qu'on tente de défoncer le mur. Trop de bonté, patience, trop de douceur abusée finissent par exploser. En violence, bien sûr: contre les autres ou contre soi-même. Le père et le fils ont choisi chacun leur chemin. Différent, mais aussi douloureux. Qui pourra juger et surtout condamner?...

Un long silence s'ensuivit. Francis se savait accepté, compris. Savait son père respecté, aimé. Détendu, en confidence,

– Moi aussi je sens la présence de François. Je me sens plus léger... c'est difficile à exprimer.

– Il n'est pas nécessaire de dire, il suffit de sentir. Se laisser emporter sans peur. En confiance. Se laisser aimer sans chercher à comprendre. En espérance.

On restait là, tous les deux, en silence. On semblait en méditation, pose de yoga; on semblait attentif à l'invisible, à message de l'au-delà. Après un long moment, je me suis levé sans bruit et retiré dehors. Mes gestes étaient lents, mon coeur aussi. Détente, contrôle; voeux pour que Francis y prenne goût. Sans bruit, ai placé dans la camionnette le nécessaire pour réparer un bon bout de clôture au ruisseau. Francis finit par sortir et, contrairement à son habitude, ne prit pas le volant. On parla très peu, même au dîner.

Toute la journée, il a semblé revivre ici et là, dans la maison, sur la ferme, les événements passés. Après souper, sans sortir de son recueillement, il me demanda:

– C'est bien vrai que tu as déjà été professeur?... que tu as été congédié parce que tu étais gai?... aimais mon père?...

– Oui.

Je ne voulais que soutenir de loin le cheminement de sa pensée qui s'infiltrait dans son coeur remontant le passé. Je le voyais concentré, s'émouvoir.

– Près du puits?...

– Oui.

Francis revivait la scène. N'arrivait à y croire. Il se leva le livre à la main, s'approcha de moi, me prit par le bras,

– Michel, viens avec moi.

Près du puits, il enchaîna:

– Michel, refais les gestes vécus. Revis François pour moi. Je veux voir mon père, sentir sa vie. Ton amour, son bonheur.

Je me suis pieusement assis sur la margelle. J'ai dû me ranger un tout petit peu sur la gauche pour me rapprocher de François, toucher sa cuisse. ...Et mon coeur a fondu... Ma tête s'est penchée sur son épaule, ma main sur son genou et j'ai senti battre un grand coeur. Un grand galop jaillissait du passé, s'engouffrait dans tout mon corps. J'ai ressenti la même douceur, tendresse, la même émotion quand je mettais parfois ma main sur son épaule gauche et qu'on se regardait. Un beau sourire simple, posé, sincère, illuminait son visage basané. Son regard profond, tranquille coulait comme rivière dans le mien. François penchait souvent sa tête, collait sa tempe à la mienne, et on restait là sans rien dire, tellement heureux. Sa main se posait sur ma cuisse, la serrait si peu, m'emballait tellement. Les oiseaux chantaient, la brise nous caressait, le soleil retardait sa descente. Josué remportait une autre victoire.

– Une belle journée.

L'un de nous avait parlé. Si c'était moi, une douce pression sur la cuisse me répondait. Si c'était lui, je descendais un peu ma main, caressais le haut de son bras si musclé et...

– Pas aussi belle que toi. Pas aussi forte, généreuse, pas aussi... Je t'aime François!

Quelques larmes ont coulé sur mes joues au long de ce court pélerinage au passé de ma vie, ramenant tant d'émotions au présent de ma nuit. Francis me regardait intensément, attendant que je dise ou fasse quelque chose. Pour lui, rien ne s'était passé.

– L'eau sur la main?

me demanda-t-il. Je me suis levé, ai pompé beaucoup d'eau dans le gobelet, surtout tout autour, puis j'ai raconté.

– Souvent, François s'assoyait en plaçant ses mains à plat sur la margelle, chaque côté de lui. Une main en couvrait toute la largeur. Je m'assoyais près de lui, posais ma main sur la sienne. Ah! si tu savais l'émotion qui me gagnait! Parfois, au lieu de boire mon eau, je la vidais lentement sur nos mains superposées. J'ajoutais quelques mots à l'occasion: Je bénis ta main unie à la mienne. Je te consacre amant de mon coeur. Je te lave de toutes tes fatigues de la journée et te propose la grande geste de l'amour. Parfois, je parlais longtemps, doucement. Je soulageais mon coeur et touchais le sien. Quand je le sentais s'accélérer sur sa tempe, je serrais plus fort son biceps énorme ou je l'embrassais tendrement. François avait toujours un petit geste de la main, des doigts, de la langue ou de tout son corps qui m'atteignait profondément. Grand silence, intense émotion.

J'étais tellement sûr que François était là, dans mes bras. Qu'il était là devant son fils qui se cherchait. Qu'il m'aimait.

– Mais que faisiez-vous d'autre? demanda Francis.

– Si peu. L'essentiel se passait à l'intérieur, dans le coeur. Puis, nous faisions le train du soir, nous soupions lentement, parlions du lendemain. Après la vaisselle, souvent nous prenions le chemin ou traversions notre ferme. Pendant la journée, François avait remarqué un hibou à l'orée du bois ou deviné un nid de pluviers dans le champ. On allait l'entendre ululer et voir au nid si rien n'était brisé. On parlait peu, s'aimait beaucoup. On revenait, n'allumait presque jamais les lampes: dans l'ombre, on se devinait, prévenait. On se suivait aux bruits, au souffle, à l'émotion. Un petit mot, un craquement du plancher, une petite caresse en passant et on savait toujours où nous étions. L'ombre de son coeur couvrait le mien. Toujours le même rituel aussi.

Je connaissais ses habitudes, allées et venues. Il respectait les miennes. Une tendresse remuait dans l'obscurité. J'étais ses yeux, il était les miens. L'un pour l'autre, à distance, étions muette caresse. Son coeur éclairait mon chemin, mon coeur lui ouvrait le sien. C'était un jeu, un jeu de coeur, un jeu divin. Je l'ai tant aimé! L'obscurité palpitante d'émotions, éclaire les voies du coeur, donne une dimension, profondeur qu'on ne voit pas toujours au grand soleil. Parce que nos yeux voient trop. Comme des aveugles qui développent plus la profondeur que la distance, nous devenions de plus en plus profonds l'un à l'autre, l'un pour l'autre. Il n'était pas que surface caressée, muscles, beauté, bonté, il était délicieuse présence au silence habité. Seules, des oreillettes peuvent entendre ces messages. Nous les avions si grandes ouvertes. Nous les avions développées aux heures feutrées du soir où mes pensées le caressaient déjà. Parfois, sous la force de mes messages muets d'affection, il disait simplement:

– Oui Michel, je le sais que tu m'aimes. Et je t'aime, moi aussi.

Même à distance, en silence, l'amour nous caressait. Dans la berceuse qu'il affectionnait, – justement où tu es assis en ce moment – il cessait de se bercer dès qu'un grain de sable craquait sous le berceau. Le silence nous aimait. Comme l'obscurité. Nous nous aimions.

Un soir, François m'a demandé:

– Pourquoi aimes-tu tant mes muscles, Michel?

– Parce que ce sont les tiens, lui ai-je répondu. C'est toi que j'aime, moulé dans une telle perfection. Un homme peut-il sembler plus homme que gonflé de ces rondeurs, aux épaules si pleines, aux biceps et triceps éclatants, aux avant-bras durs et grouillants des racines de la force? Et les dorsaux! Et le dos si large, si finement travaillé en piste d'atterrissage pour caresses enflammées. Et les cuisses qui se gonflent et les mollets qui se contractent! Ah la beauté d'un corps d'homme quand y bat un grand coeur sous de tels pectoraux et qu'il porte ton nom!

François m'a alors caressé très fort.

Quand à la noirceur, François m'offrait quelques poses plastiques pour me gratifier de la beauté de sa force merveilleuse, c'était avec mes mains que je le regardais, le caressais. J'entendais une longue respiration où il remplissait tout son corps pour me l'offrir. Je m'approchais comme d'un aimant. Mes mains aveugles touchaient sa poitrine, palpaient ses pectoraux. L'une les caressait, l'autre descendait sur ses abdominaux. À main étendue, j'en mesurais la beauté, évaluais les efforts qui les avaient ainsi moulés.

À main étendue, j'en prenais possession. Gardant en la mémoire de ma main ses abdominaux, dans la mémoire de l'autre, ses pectoraux, je les glissais toutes deux en caresses à ses épaules qui débordaient. Rondes, si grosses, solides, je les embrassais de mes mains brûlantes. Serraient, palpaient, mesuraient. Mes mains étudiaient les proportions, bénissaient son architecture et, comme balance à plateaux, mes mains vérifiaient l'équilibre des masses. Puis, elle s'écartaient et rejoignaient, émues, ses deux biceps déployés au-dessus de ses épaules. Mes mains retenaient leur souffle, s'humectaient. Un coeur palpitait au bout de chaque doigt, une âme s'extasiait au creux de chaque paume. Mes mains se serraient en caresses admiratives sur ces merveilles qui s'offraient seulement pour me faire plaisir. Lentement, François descendait un bras et le tordait le long de son corps. Pendant qu'une main s'abreuvait toujours à un biceps, l'autre suivait le bras descendu et dégustait le relief superbe de son triceps en i grec majuscule. Une nouvelle explosion au coeur de ma main et un feu d'artifices éclairait cette mâle beauté faite de force et tendresse. Me laissant suivre ses mouvements de mes mains hypnotisées sur son masque musculaire, François se retournait et m'offrait son dos que mon admiration voyait à pleines mains. Un immense terrain de jeux se déployait si large aux épaules, si bellement découpé par ses dorsaux et se terminait doucement à sa taille. En se retournant de nouveau, François baissait un bras et me le passait autour du cou. Puis l'autre. Il me serrait doucement sur tout son corps d'athlète. J'étais lové sur ce monument de force sous lequel reposait en paix le temps décédé. L'éternité brillait de tous ses feux à ce contact de nos corps soudés par le temps courtcircuité.

Sa joue faisait des étincelles en se frottant sur mes joues et mes tempes. Sa respiration saccadée et ses mouvements lascifs allumaient mes désirs toujours bien préparés. Ses mains dans mon dos montaient et descendaient de la nuque aux fesses en m'écrasant la tête sur sa poitrine à chaque passage. Vis-à-vis des poumons, elles les emplissaient et vidaient en grands Ah!... répétés. François rythmait ma respiration, accélérait mon coeur, me durcissait à l'image de ses biceps bandés. Il illuminait ma vie. S'il desserrait son étreinte, je m'affaissais un peu, mes jambes s'étant dérobées. Mes bras s'accrochaient. Il me prenait dans ses bras, me collait sur son coeur. Je ne savais plus où j'étais à part d'être dans son paradis. On se caressait ainsi parfois dans la cuisine, la salle à manger, dehors sur la galerie ou sur le gazon près du puits. Il me portait dans le lit. Pas un coucher de soleil ne pouvait rivaliser avec les couleurs mordorées, les rayons doux et feutrés, la majesté simple et flamboyante de notre descente au lit de l'amour. Toutes lampes éteintes, des mains se faisaient l'amour et deux âmes se purifiaient sous le feu qui courait jusqu'à la déchirure du plaisir, libérant les pressions accumulées aux portes du désir. Deux corps se consumaient, s'aimaient. Dans l'obscurité, deux vies s'illuminaient.

Parfois, c'était à la berceuse que j'allais le rejoindre, lentement, sans bruit. Je sais qu'il sentait approcher grande admiration, chaude affection. Je m'agenouillais devant lui, entre ses jambes. Mes mains sur ses cuisses, les caressaient si peu. C'était mon coeur qui s'activait. Puis je m'approchais du sien. Mon ventre collé au siège de sa chaise, je glissais mes deux mains derrière ses hanches et appuyais ma joue sur son ventre. Il plaçait ses mains sur mes épaules. Je bougeais un peu ma tête en caresse. Je levais mes mains vers ses dorsaux. Puis ses pectoraux. Lentement, mais tellement lentement, je jouais avec le premier bouton de sa légère chemise. Comme par enchantement, elle s'ouvrait sur un peu plus de la sculpture offerte dans la gratuité de l'obscurité. Puis un deuxième bouton, un troisième un peu plus rapidement et un autre... Bientôt, une symphonie fantastique se jouait sous mes mains recueillies. Un torse. Le Torse! Je descendais un peu de ses épaules la chemise que François laissait passer en avançant légèrement le dos. Je caressais ses bras! et j'embrassais tout ce que je pouvais. Ses mains caressaient ma tête, mes épaules, mes bras. Surtout mes joues, mon cou. Les serraient.

Purifié, appelé, en état de grâce parce qu'en état d'amour, je m'approchais du saint des saints en caressant ses hanches, le haut de ses cuisses, et par touches subtiles et répétées, je passais un pouce sur le galbe magnifique de son sexe. Le temps de le dire, il devenait encore plus magnifique. Encore plus explosif. Une petite plainte, un soupir de plaisir montait déjà de l'autel comme premières volutes d'encens. J'y appuyais mes lèvres fermées. Puis, les ouvrais et mon haleine réchauffait son plaisir. L'enfant bougeait, voulait sortir. Je débouclais la ceinture lentement, baissais la fermeture, passais le bout de mes doigts et pouces à la base de sa racine de vie. Les volutes d'encens se multipliaient, l'atmosphère se parfumait. Mes lèvres allaient vérifier, appeler à la cérémonie. Mes mains baissaient le jean serré, mes dents, le sous-vêtement sexé. Et l'oiseau naissait dans toute sa splendeur en battant l'air de ses ailes excitées. Mes mains massaient toujours la base et donnaient ainsi toutes sortes d'élans à l'oiseau enchanté, ce cerf-volant de mon coeur. Le bout de ma langue, n'en pouvant plus, venait donner un bec, puis un autre... puis saturer l'atmosphère d'accents multicolores pour la grande fête du plaisir. Quand mes lèvres se refermaient sur l'objet de nos violents désirs, François emplissait la maison de toutes les actions de grâces. Je préparais mon pain, pétrissant la pâte, activant le levain, caressant toute cette belle croûte déjà dorée à point au grand plaisir de la mie toute fraîche. Le four chauffé à blanc provoquait quelques sueurs. Mais les encouragements du beau marmiton, les frissons sur tout son corps adoré, ses soupirs, ses prières, ses voeux, appelaient encore plus aux succions, caresses buccales qui emplissaient maintenant toute ma bouche de durcissements frénétiques. C'est comme si ma bouche se faisait de plus en plus petite, de plus en plus sensible, affamée, assoiffée de la boisson des dieux. Je sentais frémir tout l'Olympe, geindre toute la cour céleste au coeur de François qui battait la chamade.

Le feu courait, grésillait partout sur son ventre et son sexe surtout. Ses secousses répétées et de plus en plus violentes, les cris de joie et les appels à la délivrance menaçaient d'explosion. Je relâchais l'étreinte afin de ne pas être chassé si tôt du paradis céleste. L'arbre défendu était si bon! jusqu'à la racine! Le bien et le mal n'existaient pas encore. Seul le bien absolu, sans crainte, contrainte, le bien sans arrière pensée cimentait l'union, approfondissait la communication.

En attendant une baisse de tension, toute ma tête lovée dans son bas-ventre bougeant de soupirs et d'élans, mes mains pleines de ses pectoraux remplis de palpitations, mes doigts finissaient par caresser et serrer délicatement ses mammelons durcis par le plaisir. Sur toute l'étendue de son torse, j'étendais lentement de ma main grande offerte la chaleur de mon coeur en caresses. Puis mes mains allaient chercher le plus haut et le plus loin possible les muscles de son dos et de ses côtés, les contournaient, mesuraient, palpaient affectueusement puis les descendaient pour les mélanger à ses abdominaux, puis dans l'aîne, puis... au puits de ses soupirs où mijotait déjà le bouillon de son plaisir.

Toujours à genoux devant lui assis, ma tête caressante sur ses pectoraux, mes bras collés derrière chaque épaule, François refermait ses genoux sur moi. Ses cuisses me serraient fortement et ses mains me caressaient le cou, les joues, descendaient dans mon dos, libéraient mon plaisir. Ces gestes de ses bras activaient les muscles de son dos qui se transformait en champ de bataille. Douce bataille de tout son corps articulé pour me caresser.

– Ah Michel!...

– Ah François!...

Que dire d'autre dans les ténèbres? François montait ses mains sous mes bras, me soulevait de terre en se levant. Bien serré dans ses bras, il me transportait ravi dans le lit. En chemin, parfois, il me soulevait si haut qu'il me saisissait dans sa bouche, contrôlant tellement mon poids et ses mouvements qu'il réussissait à se rendre et à me déposer sur le lit sans rien perdre de son plaisir ni du mien.

Puis, il s'étendait sur le dos et moi, à genoux près de cet autel de marbre, cette beauté sculpturale, de mes deux mains je descendais toute la longueur de son bras. Je moulais affectueusement cet instrument de sa force, ce prolongement de son coeur, cet autre nom de ma protection. Étendu près de lui, je tenais sa main de ma main, sa paume collé sur mon menton, le bout de ses doigts caressant ma gorge frémissante.

Ainsi, je posais sur son poignet mes lèvres brûlantes et le bout de ma langue recueillie. De mon autre main, j'allais chercher la beauté de son épaule et le coeur de sa force à son biceps que j'amenais à son coude caressé au passage par mon pouce. Le feu giclait au bout de mes doigts quand je les déposais au nid de son coude où s'accrochaient son biceps et naissait l'impressionnant gonflement de son avant-bras. Continuant leur chemin, beauté et force, sous l'appel de ma caresse, pénétraient l'enchevêtrement de cet avant-bras, puis se présentaient haletantes à mes lèvres assoiffées. C'était un long baiser de mon coeur à la perfection. Quand je retirais un peu ma langue, c'était pour la remplacer par un souffle délicat, rafraîchissant, afin d'attiser son plaisir. Puis, sans décoller mes lèvres devenues joie et admiration, je collais ma joue sur son avant-bras. Je sentais le bout rugueux de ses doigts qui, en caressant ma joue, déclenchaient une petite révolution à son poignet. J'y buvais, délicieux, son pouls accéléré sous mes caresses à son bras si tendrement offert et ses doux soupirs mouillés de tendresse. C'était son coeur que j'embrassais, ses palpitations qui nourrissaient le mien.

Je remontais le long de cette tige merveilleusement accidentée en m'attardant encore longuement au coeur de son coude pour m'abreuver, toujours ému. Ma tête rendue à son biceps, il refermait le bras. Ma bouche obsédée se remplissait de ces muscles s'enroulant les uns autour des autres, s'arrondissant en généreuse douceur pour remplir ma bouche débordante de sa force apaisante. Une joue se trouvait caressée par tous les muscles mouvants de son avant-bras, l'autre joue, pressée à la base de son épaule gonflée, et ma bouche pleine de son biceps, je le lavais de ma langue affolée. Pendant cette délectation, ma main gauche caressait déjà fortement toute la longueur de son bras droit. Puis j'allais savourer son biceps droit pendant que ses beaux gros doigts rugueux caressaient doucement mon sexe. De mon corps, je croisais son corps; de son corps, il croisait le mien. Nous étions devenus un grand X comme ces baisers multipliés au bas d'une lettre d'amour. Ma gauche, sa droite, ce n'était plus que vocabulaire. Nous n'étions déjà plus qu'un seul corps à la recherche de deux âmes enflammées.

Quand, n'en pouvant plus, il refermait sur mon dos ses deux beaux bras, qu'il me serrait si fort sur son coeur, mon sexe sur son sexe, mon front fortement collé sur sa joue et qu'il me répétait quelques mots confirmés par tant de soupirs:

– Ah Michel!... Ah mon cher Michel!... Que je t'aime, moi aussi!...

là, je perdais de vue mon nom et celui de ma mère aussi. Je ne sais pas s'il existe quelque chose de plus doux que ces mots doux de la part de son ami... de son ami quand il s'appelle François.

Sans compter, on arrivait instinctivement au soixante-neuf et l'ombre s'emplissait de soupirs. Des flammes jaillissaient dans la nuit. Ma bouche-sanctuaire recevait sa visite en même temps que François recevait la mienne: un dieu en deux personnes, en pleine gloire, exultait. Haendel multipliait ses Alleluia à nos oreilles. Les Hosanna triomphaient, glorieux, emplissant notre chambre. Pendant que, recueillis, en extase et en silence, deux amants dégustaient le pain des anges.

Je me suis tu. Francis me regardait, immobile. Des anges naissaient de ses yeux, voletaient tout autour.

– Quelle merveilleuse histoire d'amour! Que mon père fut heureux ici!

– Et si malheureux aussi!

– Mais ce n'est pas de ta faute.

– Il a souffert, c'est tout ce qui compte. Il a été torturé par la pire des tyrannies. Il a été exécuté. Un vingt-quatre décembre. Uniquement par méchanceté.

Francis, sans parler, fixa le livre de ses grands yeux songeurs.

J'ai enchaîné doucement:

– Francis, tu as lu ton père, vécu son chagrin. Tu sais maintenant le tragique de son destin.

– Je n'aurais jamais pensé que mon père avait autant souffert, que tu l'avais tant aimé.

– La méchanceté n'a pas de bornes, Francis; le coeur humain non plus.

– Je n'arrive pas à y croire. Michel, je suis tellement ému devant tant d'amour! Et tant de haine aussi.

– Mais l'important aujourd'hui, c'est que tu sois là. Que tu saches tes origines, l'amour qui fut nôtre. L'injustice, tu l'as connue; d'autres aussi en ont souffert. Tu peux à l'avenir, rester bon: tu connais maintenant ton père.

chapitre XXI

Francis restait toujours figé dans son attention à boire mes paroles. Il semblait ne plus savoir de quel père je parlais, à quelle bonté je l'invitais.

Le lendemain, après souper, Francis hésitant m'a demandé:

– Michel, me montrerais-tu par où François ... est parti?

Avec un geste vague derrière moi, en me retournant vers la maison,

– Dans le champ, là-bas.

Je ne voyais déjà plus rien, mes yeux s'étant remplis d'eau. Francis m'a suivi dans la cuisine.

– Excuse-moi, Michel, je ne veux pas te faire de peine, te rappeler ce martyre que vous avez tous deux vécu, mais me dirais-tu seulement si c'est bien chez les Duguay?

La gorge nouée,

– Oui. Mais ne t'en fais pas pour moi. J'ai pleuré si souvent que j'y suis maintenant habitué.

Après un bon moment, il s'est approché avec un grand désir suppliant dans les yeux.

– Dans ce cas, Michel, viendrais-tu me montrer le dernier chemin de François?... Si tu crois que ça ne te fera pas trop de mal. Seulement une fois...

– Si on y allait tout de suite?

Francis hésitait toujours craignant ma peine.

– Mais tu es sûr que ça ne te blessera pas!...

– Francis, il y a si longtemps que je n'y suis pas retourné, c'est le temps. Je suis avec toi: quel meilleur moment?

– Toujours le même coeur, Michel. Toujours pour les autres. Toi: un service, un coeur. Un appel à du toujours plus.

– Viens.

Dès la demande de Francis, j'ai senti un recueillement m'envahir, un feu s'allumer. Curieusement, je me voyais davantage à une certaine nuit de janvier, voilà une vingtaine d'années. La nuit où Guy avait fait brûler l'épinette. Quel spectacle! Tous ces pétillements, grésillements, flammèches, lueurs jaillissant dans le ciel. La nuit de la campagne s'était illuminée. Une grande lumière était descendue sur moi et un ange venu de la maison voisine m'avait consolé dans ma peine. Je me rappelais qu'à la fin mars de la même année, pendant mon hospitalisation, Guy avait coupé l'épinette meurtrière et avait porté les bûches à leur propriétaire.

– Monsieur Duguay, Michel et moi, on a osé nous faire justice en bûchant votre épinette, mais on ne veut pas ainsi commettre une autre injustice. On vous apporte, coupé, prêt à brûler cette potence de François qui nous brûlait le regard. On vous remercie de votre compréhension.

Guy, quel homme merveilleux, lui aussi!

Je suivais le chemin, presqu'absent, tellement absorbé dans mes pensées, souvenirs. Francis respectait mon cheminement, silencieux, attendait mes révélations. Je me suis arrêté. Il m'a respectueusement imité. Tourné vers le champ,

– C'est ici qu'il a quitté le chemin. Son errance achevait. Il a regardé si quelqu'un venait, veillait... il avait la pudeur de son destin. A pris une corde qu'il m'avait empruntée sans me le dire précisément et s'est avancé dans le champ. Guy, au matin, a suivi ses traces ici, où je passe. Le coeur de François se débattait sûrement très fort, il saignait sûrement beaucoup en pensant à moi qui souffrirait tant! Mais rester, devait-il se dire, me ferait souffrir davantage. Autant en finir. Il essayait de ne pas réfléchir, discuter avec lui-même pour ne pas ébranler sa résolution. Il pensait seulement à la paix enfin trouvée, à la fin des fuites, fugues, quolibets. La vie ne vaut rien; la mort, c'est la paix. L'au-delà ne peut être pire que cette vie. Ses seules pensées ne visaient qu'à partir non à demeurer.

La souche était devenue difficile à trouver. La vie transformée n'est pas toujours évidente. D'une touffe d'herbe à l'autre, d'un tertre à l'autre, nous avons fini par deviner.

– C'est sûrement par ici.

Je me suis enligné avec la clôture, le chemin, le bouquet d'épinettes, le rocher plus loin. En silence, j'ai posé mon regard et ouvert mon coeur. Des fleurs poussaient, des marguerites surtout pour donner couleur et vie. Les herbes folles se balançaient au soleil. Des pensées sauvages, des violettes coloraient discrètement l'emplacement.

– C'est sûrement à l'endroit où nous sommes que François pendait à quelques pouces du sol. À quelques pouces de la vie. Nous occupons son espace. Francis, ton père a sûrement pensé à toi, pensé à moi. Rendu au gibet qu'il avait certainement pré identifié, il a calculé la hauteur, passé la corde à son cou; toujours sans réfléchir, a fixé l'autre bout solidement à la branche. Je suis sûr qu'il a pensé à toi, à moi, à nous pour quelques larmes peut-être, son dernier souffle maintenant si précieux, les derniers battements de son coeur si généreux. Ils furent pour nous. Francis, ton père t'aimait déjà et mourait pour moi. Il est mort pour moi en t'aimant. J'ai vécu pour toi en t'attendant.

Je me suis tu, tellement engoncé dans les sentiments de mon souvenir et le souvenir de mes sentiments. Je me rappelais. Je me souvenais. Et je pleurais. Je me suis approché lentement, comme une permission respectueusement demandée, et je suis entré en contact avec le corps de son fils. Francis était François retrouvé, son corps, son coeur, sa vie. J'ai tenu Francis si serré: j'étais tellement sûr que François était entre nous! C'était François que je retrouvais et je pleurais de joie. Ils avaient tous deux le même physique, la même bonté; tous les deux avaient tellement souffert! Et je pleurais un peu de peine aussi. Le père était libéré, heureux aujourd'hui; le fils le semblait aussi.

– Francis, c'est ici qu'il est parti, c'est ici que je le retrouve. Que je te retrouve. Je te promets, mon coeur sur ton coeur, devant François entre nous deux, que toute ma vie ne sera que pour toi. Comme elle l'a été depuis le départ de François.

Francis m'a serré bien fort et

– Jamais je n'oublierai ce que tu as fait pour moi.

Puis, desserrant notre étreinte sans déplacer nos pieds, nous nous sommes retenus par nos deux mains au bout de nos bras. Nous regardant dans les yeux, Francis a ajouté:

– Je suis fier d'être le fils de l'amant de mon père. J'essaierai d'être digne de lui, de toi.

Une vieille souche avait disparu dans un champ reverdi. Desséchée, pourrie, avait sûrement servi à la vie. Une multitude d'insectes y avaient fait leur nid, un écureuil aussi. Des grandes herbes l'avaient entourée, certaines plus fines, beaucoup de fleurs. Belles, délicates comme François, légères, diaphanes comme son âme envolée. Mais en ce moment, il était avec nous, je le sentais jouer dans mon coeur, briller aux yeux de son fils.

– Francis, rien au monde ne dira ce que je ressens ici, aujourd'hui, entre toi et lui. Ma fidélité à François fut ma fidélité à Francis. Je te jure devant toi et ces fleurs jaillies de sa souche, que le reste de ma vie n'aura d'autre but que ton bonheur, Francis, mon fils bien-aimé.

Francis, les yeux tout écarquillés, n'en revenait pas. Où, quand avait-il vu une telle fidélité, une telle bonté? D'amour, de grandeur d'âme, il en connaissait si peu. Il était là, bouche bée, muet d'émotion, d'admiration. Il ne comprenait pas trop. Il admirait seulement. C'est ce qu'il m'a confié ce soir-là, en entrant à la maison. Nous n'avons allumé aucune lampe; Francis s'est assis dans la chaise de son père. En parlant très bas:

– Michel, j'ai l'impression de vivre dans un sanctuaire. Tout est si calme, serein, au rythme lent du quotidien. Tout est si naturel, tourné vers l'essentiel. Tout est si simple avec toi. Seule compte ta fidélité, ta fidélité. Et j'en suis l'objet. Tout a été vécu et sera vécu pour moi. La culture de la terre, l'amour des animaux, tes lectures, prières, silences ne sont que l'incarnation de la fidélité. Sa nourriture. Et si peu de gens pour t'admirer. Je me sens aujourd'hui indigne d'être le seul devant ce paysage. Personne à qui dire: vois, regarde! Comme c'est beau!... Personne avec qui partager la trop forte émotion devant l'immensité. Ta perfection.

Sur un ton badin, j'ai cru bon d'ajouter:

– Francis, tu exagères peut-être un tout petit peu?...

Il n'a rien répondu, je crois qu'il était ému. En silence, je me suis approché de lui, me suis agenouillé entre ses genoux. J'ai appuyé ma tête sur sa poitrine, placé mes mains dans son dos. Je l'ai serré bien fort sans un mot. Il a placé ses deux mains derrière ma tête et mon cou pour ajouter à mon étreinte. À ses pulsations et à sa respiration, j'ai senti qu'il s'émouvait. J'ai dit la seule chose que je trouvais importante:

– Francis, mon fils.

Sa voix tremblante d'émotions:

– Michel, je n'oublierai jamais.

Esquissant le geste de se lever, me suis retiré et debout, nous nous sommes jetés dans les bras, l'un de l'autre dans la plus merveilleuse accolade. Mes mains caressaient son dos, les siennes m'écrasaient sur lui, ses joues se mouillaient.

On essayait d'effacer vingt ans de souffrances: lui, de rejet, humiliations, tortures d'un enfant sans défense; moi, d'une longue nuit solitaire où deux amants se cherchaient au bout du mystère.

– Michel, je te demande pardon pour ma conduite, le mal que je t'ai fait, ...mes menaces...

Incapable de continuer, il s'est mis à sangloter comme un enfant. Il était secoué, se démolissait peu à peu, s'effondrait. L'ai dirigé vers le lit.

– Viens, on va s'étendre à la place de François. Viens. On va parler d'amour, non de regrets. Sois fidèle à François, toi aussi.

– J'ai été si méchant dans ma vie, j'ai tout détruit, même mon coeur, la bonté de mon père.

En se jetant à plat ventre sur le lit dans un grand cri déchirant:

– J'ai menacé de te tuer...

Ce n'était plus seulement des larmes, c'était maintenant une rage qui le dévorait. Étendu près de lui, je caressais son dos. Il sanglotait, criait en répétant:

– Michel, je te demande pardon! Pardon! Jamais, je ne me pardonnerai! Jamais!

– Francis, c'est tout pardonné depuis longtemps, tu dois le savoir.

— Mais moi, je ne me pardonne pas.

Et Francis repartait de plus belle à se déchirer le coeur.

— J'ai été méchant, méchant. J'ai blessé des gens qui m'aimaient. Pour me venger. Des innocents ont souffert à cause de moi. J'ai été si méchant!

Il frappait à coups de poings répétés dans l'oreiller déjà écrasé. Il criait encore sa honte d'avoir si mal agi. Sa révolte coulait par torrents. C'était toute son enfance, sa jeunesse qui se libérait à coup de poings, à défaut de grand fouet fauchant les fleurs du champ. Francis suffoquait davantage devant le mal qu'il avait commis que devant le mal qu'il avait subi. Il mêlait tout: ses injustices à lui avec celles de sa mère. L'avalanche était déclenchée, les écluses ouvertes. Tout son passé jaillissait, hideux; toutes ses souffrances le brûlaient, malheureux. ...Parce qu'il venait de voir le spectacle de deux hommes qui s'aimaient. Jusqu'à donner leur vie. Jusqu'à la fidélité sans conditions, au-delà du temps, tracasseries, ...menaces de mort. Parce qu'un homme avait reçu un fils de son amant et l'avait aimé comme son enfant. Parce que vingt ans plus tard, un homme répète les mêmes gestes de la tendresse avec la même émotion, pleure les mêmes larmes, naturelles comme la rosée du matin, s'offre à mourir sous la main de son enfant et chante encore le soir en regardant les étoiles. Il prie son amant comme on prie les saints, devient transparent, transfiguré quand son fils lui parle de son père. Déjà déserté, son esprit est ailleurs. En extase, il vit sur sa terre comme dans un sanctuaire parce que François l'a habité. Fidélité, amour. Un père, un fils. Deux amants. Engagement, respect. Un homme, un autre homme. La vie a parfois de ces surprises, mais tout concourt au bien de ceux qui l'aiment. ...Pendant qu'un grand enfant se tordait de douleur sur le lit de ses pères. Il s'enfantait lui-même, faute de mère.

Je voyais François couché de l'autre côté de Francis, lui caressant le dos lui aussi, et s'attardant à ma main en passant. Il suivait affectueusement ce grand volcan qui se vidait de sa pression refoulée, cet abcès qui se nettoyait de toutes ses souffrances accumulées. François était sûrement fier de son fils qui renaissait et de son petit amant qui lui souriait intérieurement. Oui, François, c'est une grande étape que je franchis aujourd'hui. Ton fils me reconnaît, te reconnaît. Ton fils était perdu et je l'ai retrouvé. À partir d'aujourd'hui, plus rien ne sera comme avant pour lui. Merci François. Je crois que je t'aime bien encore!... Toi aussi?... Francis se déchirait toujours la conscience, ne tarissait pas.

– Assez Francis. Arrête.

– Je hais ma mère. Je hais les Labrecque. Si tu savais tout ce qu'ils m'ont fait... Ils ont détruit, démoli, haï. Aucun animal ne traite aussi mal ses petits. Je me suis senti tellement rejeté! Méprisé! J'étais une absence dans leur vie. Un fantôme, tellement ils s'étaient habitués à ne pas me voir, à m'ignorer. Comme les petits animaux dehors à qui on jette des miettes, des restants quand on y pense. Sinon, ils s'en passent. Indifférence. Un écureuil sur la galerie qui n'a plus sa nourriture prévue, grimpe dans la moustiquaire, crie, urine. Comme je devais faire. Si mes parents n'étaient pas là, je devais m'en passer, attendre, pleurer, faire des dégâts. Je devais sentir jusqu'au fond de moi le vertige de la panique. Mourir. Une sécheresse épouvantable. Une peur horrible. Je criais tellement, si fort!... Je souffrais comme seul souffre un enfant absolument démuni devant des parents absolument absents. Et l'isolement...

Puis je t'ai connu. Une chance que je t'ai connu. Je fus méchant d'abord, intrigué, puis gagné. Me voici maintenant à tes pieds. Jamais je n'aurai un autre ami comme toi. Aussi bon, ouvert, compréhensif, respectueux. Tu m'as accepté comme j'étais. Discrètement, me montrais une autre direction, patiemment, tu supportais. Je volais, me prostituais, vendais de la drogue, tu m'accueillais: Viens te reposer. La nature te fera du bien. L'artificiel ne vaut rien, mais coûte si cher! C'était rien qu'un petit message discret, répété, parfois muet. Une flamme dans tes yeux, un geste, une tristesse sur ton front me disaient tes voeux. Tu me serrais dans tes bras, arrêtais parfois tes travaux pour te promener avec moi dans le champ, te baigner dans la rivière. Souvent, te couchais très tard à l'invitation de la nuit pour mieux partager avec moi, me rescaper. Et le lendemain, tu te levais matin. Ne me réveillais pas, non: tu as besoin de repos, me disais-tu. Tu as besoin d'un ami. Encore un message lancé. Puis le silence. Silence chaud, affectueux comme tiède pluie sur terre desséchée. Fallait aider la semence. Je sais que tu te morfondais à mon sujet, t'inquiétais sans me faire de reproches. Je le sentais bien dans ton regard, le lisais dans ta caresse. J'étais funambule, très haut, sur la corde raide du crime, du suicide à long terme. En bas, tu tremblais pour moi. Inconscient, je risquais ma vie. Généreux, tu supportais ce tourment. Pour engraisser son champ, te disais-tu. La petite semence. Et tu m'attendais au bout de mes frasques pour m'offrir ton puits, ta rivière, ...la paix qui habitait ta vie... l'amour dont débordait ton coeur.

– Francis!...

Je restai bouche bée, tout ému.

– Francis!

Il continua:

— Déjà à quinze ans, aller chez toi était toute une fête. Mais j'ai un aveu à te faire: ces remontées vers toi me rappelaient parfois ma mère. Surtout une fois. Laisse-moi te raconter.

Francis s'est relevé, adossé à la tête du lit près de moi, m'a regardé.

— On venait de se connaître, j'allais parfois chez toi. Un soir de grande lassitude, je me suis dit: demain matin, Francis, tu te lèves et pars chez Michel. À pied en plein soleil. Un peu d'eau quêtée en chemin, une étoile au coeur de mon projet. Parti en pensant à toi, j'ai emprunté l'humble rythme des pas d'humain. J'ai vu jouer des enfants: j'ai désiré leur place, leurs jeux, leurs rires, une maman. J'ai vu des oiseaux, des nids, des animaux, la vie. À la rivière, des gens se baignaient, des enfants pêchaient. Devant une demeure, du monde criait. J'ai accéléré le pas, ne voulant pas voir sous la galerie si un enfant pleurait. Une couleuvre a louvoyé le long de mon chemin, me suis penché. La voici, c'est pour toi. Un chien s'est approché, a jappé; me suis arrêté, l'ai regardé. Avant de repartir, l'ai flatté, m'a suivi longtemps. Une femme a crié, le chien obéit. J'ai regardé la vie, son rythme ralenti. Derrière chaque piquet, un monde grouillait. Dans chaque champ, des gens travaillaient. S'aidaient. Le jour s'épivardait au zénith du firmament. Toute la nature grésillait d'insectes et des cliquetis du travail humain. La vie chantait et j'étais seul à me demander si j'étais heureux.

Puis, j'ai accéléré le pas désirant bientôt te rencontrer. Dans tes bras, dans l'aura de ton affection, je ne me demandais jamais si j'étais heureux. Je t'imaginais déjà t'enflammer, allumer tes yeux dès que tu me verrais tourner le coin — la quatrième maison du rang Saint-Charles, ce n'était tout de même pas si loin

—. Et là, tu me porterais du regard, j'entendrais battre ton coeur, tes mains me serreraient déjà le dos, tes lèvres, mon cou. Un petit durcissement à tes cuisses, tes yeux pleins d'eau, tu ne dirais pas un mot. Comment peux-tu vivre tant d'affection sans innonder toute la région? Tes parents t'ont-ils tant aimé?... Et je me sentirai porté. Tu prendras le chemin, te lanceras à ma rencontre. Ton feu me rejoindra, notre pas s'accélérera. Ton sourire bloquera toute la largeur du chemin, personne ne pourra passer car notre rencontre le nolisera. À trente pas, tu étendras les bras, déjà tu me toucheras. Je m'arrêterai, je le sais, mon coeur sera saisi. J'ai toujours raté les grands rendez-vous. ...Remontant une côte vers ma mère que j'appelais, que j'aimais... Tu t'approcheras toujours, rayonnant de bonheur, ...soudain dans le silence claquèrent deux gifles brûlantes... Je resterai interdit et tu te jetteras dans mes bras. Tu me serreras si fort!... et j'attendrai encore deux brûlures sur mes joues.

Ton coeur, ta sensibilité, un tel amour! finiront par faire se refermer mes bras sur ton corps si chaud. À ta joie se mêlera mon amertume. À ton insu, j'aurai raté cette belle fête. Parce qu'une mère aura jailli de mon passé, me rappelant les stigmates du fer rouge dont elle m'a jadis marqué. Je desserrerai l'étreinte pour mieux respirer. Chercher de l'air. Ah! l'étouffement du passé!... Nous finirons la route ensemble. Presque sans un mot. Ta main impatiente touchera mon dos, caressera furtivement mon bras, se déposera sur mon épaule. L'impatience du feu. Toi, tu brûleras sur la voie du présent; moi, je sècherai aux ornières du passé. Je ne pourrai profiter, jouir de cette grande fête de la rencontre de deux amitiés. Ma source a été empoisonnée. Une mère, une côte à demi remontée, deux gifles brûlantes et le grand malheur d'un enfant mal aimé. À huit ans, ma mère m'avait déjà détruit.

Mes gros bras peuvent maintenant briller au soleil, mes tatouages impressionner, ma poitrine se gonfler, mon jean serré provoquer, mais mon coeur reste étouffé dans l'étau du malheur refoulé. Je dois remonter les marches du passé, retrouver un plateau, m'y installer. Lentement pour éviter la maladie des caissons, apprivoiser le présent, même si, sur les plateaux de la balance à deux poids, deux mesures, j'ai toujours été l'autre poids, l'autre mesure. Apprivoiser le plateau du présent, en prendre possession, y peser de tout mon poids. Crier: je suis là, j'existe. Je ne suis plus un enfant. Crier d'abord pour moi.

Itinéraires douloureux pour s'extirper des racines du passé, remonter le long de la tige du temps et s'épanouir dans les fleurs du présent. Radicelle par radicelle, fibre par fibre, lentement comme le temps, patiemment comme la nature, que meure le mal, s'oublie la méchanceté de ceux qui m'ont volé ma jeunesse, empêché d'être heureux! Que je m'ouvre enfin à la vie, à la foi dans l'amitié! Que je m'ouvre enfin à ton coeur qui peut tant m'aimer! Comment pourrais-je entrer dans ton ventre pour naître à nouveau?... Je suis dans ton coeur, ça doit être suffisant. Que ses battements pétrissent ma pâte et en fassent du bon pain, de la croûte à l'ami pour te régaler dans ton désert: manne, viatique. Je sais, je sens que je suis tout pour toi. Je reste au bord de ton chemin, je fais toujours du pouce, je quête toujours ton amitié. Je sais que tu passes uniquement pour moi, me rendre service, me faire monter. Très haut. Je te fais confiance, écoute ce que tu dis, accepte les directions que tu m'enseignes. Tu ne parles pas beaucoup, mais ta semence est riche au jardin de mon coeur. Je ne parle pas beaucoup non plus, mais je reçois comme un baiser l'humble conseil, ton geste vers l'horizon, le respect dont tu m'entoures. Que j'apprécie ton pas, posé, lent, sûr, vers le champ de froment. Délicat, vers les animaux, heureux, léger vers le soir qui descend. Que j'aime ton recueillement quand tu me sers à boire à la margelle du puits. J'ai toujours l'impression que tu communies. Et ta manière d'y verser un peu d'eau. Pour rien... mais tu sembles si recueilli. Le soir, quand on se promène sous les étoiles, que tu me parles tout bas, souvent tu t'interromps, reprends plus loin des mots que je ne comprends pas toujours, mais que je sens te faire du bien. Laisse-moi, ce soir, te dire que tu m'émeus toujours. Surtout quand tu prends ma main, la serre si fort, je me sens enveloppé dans le voile de ton doux mystère. Si riche, si impressionnant que je communie à ton émotion et me sens indigne de tant d'affection. Mais je laisse mon coeur ouvert sur l'immensité des cieux... et de ton coeur.

Ah! que j'aimais ces mots doux de Francis, ces émotions qui palpitaient dans son coeur!

Le lendemain soir, dans la bonne odeur du foin coupé, nous sommes partis vers la lune qui montait là-bas au dessus du champ.

– Michel, j'ai bien honte de te parler encore de quelque chose, mais il le faudra bien un jour ou l'autre.

– Francis, quand tu voudras, tout de suite si tu veux: nous avons toute la terre devant nous et toute la nuit. Nous ne ferons toujours pas l'amour ensemble, alors aussi bien parler coeur à coeur.

Francis sourit de ma mise en confiance, mais il hésitait, bafouillait. Après quelques encouragements,

– C'est quand j'ai menacé de te tuer...

– Il y a si longtemps déjà. Tu as bien changé depuis.

– Mais je pense t'avoir fait plus mal que si je t'avais tué.

– Oui, ça m'a fait très mal. Pendant quelques secondes, j'ai cru mourir. Mourir de la main de mon enfant. De cet enfant qui ne saurait jamais... Mais ne t'inquiète pas, Francis, c'est tout oublié... et depuis, tu as tellement compensé.

– Ta bonté, ta fidélité à François te font tout pardonner, mais qu'as-tu ressenti, pensé de moi?

– J'ai pensé qu'une cause ne vaut pas grand chose si elle ne mérite pas qu'on meure pour elle. Et tu étais pour moi la plus belle cause, la plus noble, la seule depuis la mort de ton père. Je ne vivais que pour toi, je t'attendais depuis des années. J'avais une mission: te connaître, t'informer, te rescaper. J'ai failli échouer dès les premiers pas, mais ta bonté, ton humanité m'ont sauvé. À ce moment, tu m'as confirmé ton identité: tu étais vraiment le fils de François. C'était l'essentiel.

– Mais j'ai eu tellement honte, j'étais tellement gêné, Michel! C'est là que j'ai allumé. Ce n'était pas clair dans ma tête, mais j'ai eu l'impression de rencontrer quelqu'un au-dessus des autres. On ne prend pas de tels risques pour un anonyme petit voyou. Tu étais d'une autre race que celle des victimes. Ton coeur n'était pas d'ici.

– Ton coeur à toi, Francis, n'était pas un coeur de voyou. Je l'avais pressenti, tu me l'as prouvé. Il battait si fort!

– Je t'admirais de m'avoir résisté. J'ai bien vu que ce n'était pas ton intérêt que tu cherchais. J'ai compris que j'étais quelqu'un pour toi, moi qui ne savais plus qui j'étais moi-même, sinon un ballon gonflé à la merci de la première aiguille rencontrée. Et toi, tu étais convaincu que j'étais autre chose que ce vide apparent.

– Tu sais, je n'ai pas tellement de mérite, Francis, j'aimais tellement ton père!

– Et tu m'aimais déjà.

– Et je t'aime encore plus.

– Et si aujourd'hui, tu pouvais donner ta vie pour moi, tu t'exécuterais sans hésiter. Et si... Et si...

Sa voix s'était mise à trembler. Il enchaîna après un chaleureux silence:

– Et tu fais tout cela naturellement, comme des gestes réguliers, quotidiens. Tu vis l'héroïsme et tu trouves ça tout ordinaire. Michel, en te réfléchissant, je me demande sur quel mystère je suis tombé.

– Francis, ta grandeur d'âme...

– Ne me parle pas de ma grandeur d'âme quand la tienne s'élève jusqu'au ciel!

Après un long silence, j'ai conclu:

– C'est peut-être de là que vient mon inspiration. Tu sais son nom.

– Oui. François, François, toujours François. Mais il n'est pas mort! il vit en toi, tu n'es que miroir, transparence.

– Et toi, Francis, tu lui ressembles tant! Je te serre sur mon coeur et c'est lui qui sourit en mon intérieur. Je rêve à lui la nuit et c'est toi qui prolonges au matin mes merveilleuses émotions. Je bois au puits, fixe très haut mon regard en soirée, je prie et tu es toujours présent. Francis, c'est dans la joie et l'allégresse que je vis ta présence. Rien de morbide, linceuls du passé, n'empoisonne nos rapports. C'est dans l'amour, c'est de l'amour. C'est François tout court.

– Jamais je ne pourrai aimer mon père comme tu l'aimes.

– Est-ce bien nécessaire?... Aime-toi, aime-moi. François nous aime tous les deux comme un vrai petit fou.

Francis m'a retenu un peu de la main, on s'est arrêté, regardé en souriant largement. On est tombé dans les bras l'un de l'autre. Ah! ce qu'on a pu se serrer!... Ah! ce que j'étais bien dans ses bras si forts, collé sur sa poitrine généreuse!... Sans dénouer l'étreinte, au contraire, Francis m'a dit:

– Michel, j'ai tellement souffert dans ma vie, j'ai été si malheureux, mais ce que je vis avec toi, le bonheur de ta présence dépasse tout le mal que j'ai connu. Une seule marche avec toi sous les étoiles me fait oublier ma mère manquée. Boire au puits avec toi, fait fleurir le désert de mon passé. Ton regard, une simple parole, ton silence habité de présences efface les cris de mon enfance. Ta caresse respectueuse sur ma main, mon bras, mon épaule, tout ton corps contre mon corps comme en ce moment chassent tous les fantômes haineux du passé et sèment d'étoiles tous mes chemins. Je m'abreuve à ta source, tu m'as rendu à la vie et tu ne demandes jamais rien. Tout est gratuit en toi. Mais de quelle chair d'étoile es-tu donc pétri?...

– Je suis fidèle à ton père, j'ai gardé sa foi.

– Tu as toujours quelque chose à dire, tu reviens toujours à François.

Je me suis tu. Plus rien à dire quand les coeurs battent si fort. Le reste du chemin s'est effacé lentement, nous tenant très serrés par la taille et dans un silence riche, affectueux, baigné de reconnaissance mutuelle, comme si chacun devait tout à l'autre.

– Francis, tu m'as tout donné, je t'ai tout donné: nous en sommes quittes pour nous aimer. Continuer.

Nous sommes passés par le puits, tout naturellement, sans réfléchir. Réflexe de vie. La pompe a grincé dans la nuit, l'eau a jailli. Francis a bu. J'ai communié. Il a soufflé:

– Michel, jamais je n'aurais cru que le silence pouvait être si riche, parler si fort.

– Merci Francis. Tes paroles comme ton silence me caressent et m'élèvent au-delà de ce que tu crois.

– Michel, parle-moi de François.

chapitre XXII

J'ai revu Sylvain dernièrement, on a parlé de Francis. Il a conclu:

– Tu es une petite mine d'or pour lui.

Ai répondu:

– Je ne sais pas si tu parles ainsi parce que tu as deviné ou parce que tu connais la bonté. En tout cas, tu as droit de savoir et je te dis ceci. J'ai cherché et trouvé Francis parce que je savais qu'existait quelque part un enfant perdu. Je lui ai offert mon bras: un appui. Ai levé la main: une direction. Nous avons peu à peu levé la tête et avons vu des étoiles. Elles brillaient au fond de la nuit. Nous nous sommes tus. Chaque fois que nous avons regardé les étoiles, nous les avons écoutées. Aujourd'hui, ensemble nous ne parlons presque plus. Nous marchons vers les étoiles. Un mot, deux gestes dans une direction, une phrase, beaucoup de regards. Tellement de sourires! Toujours dans la même direction. On sent battre notre coeur.

– Jamais père biologique n'aura aimé son fils comme tu aimes Francis. Amour du coeur, de l'esprit. Amour de la vie.

– C'est peut-être vrai. Chose certaine, Francis et moi, immenses pylones plantés dans la nuit, nous touchons les nuages, défions les distances. Un courant court entre nous, une chaleur nous rejoint. Surtout depuis les derniers événements: sa libération de la prison de la drogue. Même sans regarder, je sais qu'il est ici, parfois plus loin; mon bras tendu le tient au courant que mon coeur lui tend la main. Pas de fil de terre entre nous. Notre force vient d'en haut, elle y retourne. Pas de courts-circuits. Seulement des longs. Quand on s'arrête ensemble, c'est pour fixer une étoile. Toujours la même. La plus belle. Mes yeux se mouillent, son coeur m'attend. Je me penche au bord de la nuit et respire l'au-delà du temps. Je lui dis toujours:

– Regarde comme elle est belle. Si brillante, parlante: ce ne peut être que lui.

– Oui, me répond Francis, elle est encore plus belle qu'hier. Peut-être a-t-il fait sa culture physique?...

Je pose ma main en caresse sur son épaule pendant que roulent sur mes joues quelques larmes allumées par François. Étoiles filantes. Comme présence de François dans ma vie. Fuyantes.

Parfois, il fait plus sombre. Nuages, orage. Un de ces soirs, j'ai dit à Francis:

– Ce soir, François n'est pas venu au rendez-vous.

Après une petite hésitation, il m'a répondu:

– C'est peut-être encore une de ses fugues...

Je me suis encore allumé et j'ai encore posé ma main sur son épaule. Me disait-il ces mots si doux pour que je le caresse?... La paume de ma main, en passant, baisait toujours affectueusement la large base de son cou si accueillant. Francis a ajouté:

– Que le vent est bon, que l'air est doux!

– Qu'un ami est précieux! Comme une étoile au fond des cieux.

– Est-ce vrai, Michel, ce qui s'est passé au salon funéraire?

– C'est vrai.

– Tu as vraiment tenté de te suicider?

– Oui.

– Tu l'aimais vraiment mon père!

– ...

– Vous avez fait l'amour aussi tendrement que tu l'as raconté?

– Beaucoup plus et beaucoup mieux.

– Mon père t'a tout donné. Tu lui as tout donné. Ta paix, ta tranquillité, ta réputation. Ta vie.

– Je voudrais maintenant lui donner son fils.

Nous nous sommes arrêtés. Face à face, nous nous sommes regardés. Il a posé ses mains sur mes épaules. Ne pouvant rejoindre ses épaules tant ses bras étaient longs, mes mains ont rejoint les siennes et les ont écrasées d'affection. Nous étions deux flammes se regardant dans la nuit, une nuit où grondait l'orage. Puis avons repris notre marche vers le large.

Les lucioles crevaient les ténèbres. Allaient, venaient; appelaient-elles? Mystérieuses, bien humbles, filaient la lumière. L'habitaient. Le calme, la paix s'imprégnaient partout. Nous pénétraient. Un vent très doux, caressant, annonçant la pluie, dans un grand souffle, gonflait toute la ramure des arbres qui s'agitait de plaisir. Un bruissement mouvant, toujours échappé, modulé, s'approchait puis s'éloignait; on l'entendait là-bas, prolongeant sa caresse. La tête des arbres, au long corridor du vent, s'ébrouait sous la grande geste, secouait ses poussières, frémissait, désirant la pluie. Quelques gouttes espacées ont humecté les cimes, attiré notre attention. Les douces poussées du vent se sont accélérées et le souffle a tout séché. Mais bientôt la pluie s'est imposée à nouveau sur la portée du vent. Alliés, se complétaient, lavaient les feuillages, reluisaient aux fougères dansantes. Les gouttes d'eau ont boutonné le sol comme s'il avait été adolescent, puis se sont tellement multipliées que tout le champ s'est rembruni. Le chemin, la prairie recevaient la pluie qui devenait averse. Les arbres dégoulinaient déjà. La terre buvait, les toits chantaient. L'averse, ayant atteint son rythme, pénétrait l'intimité de la ramure, les interstices de l'écorce, le derme de la terre. À grandes gorgées goulues, le sol s'est repu. Une odeur de terre humide s'est bientôt répandue partout. Des surplus d'eau cherchaient une soif à étancher, s'écoulaient à leur dérive. Le vent était tombé, l'ondée en profitait.

Je sentais la tendresse de Francis, un surplus d'affection, de reconnaissance, de... une tempête d'émotions qui nous brûlaient doucement sans nous consumer. On s'était encore arrêté, face à face, regardé. Serrant très fort ses mains recouvrant mes épaules, plongeant mes yeux dans le ciel profond de sa reconnaissance où brillait une merveilleuse étoile, un grand éclair, soudain déchira les ténèbres et nous pénétra d'une telle lumière céleste, providentielle, étrangement bleutée que nous n'oublierons certainement jamais la beauté, sincérité, profondeur des sentiments qui nous étreignaient en ce moment. Toute la nature, dans une décharge électrique orgiaque, nous fit nous lancer dans les bras et nous souda jusqu'à l'âme.

– Francis, ce sera grandiose l'orage qui se prépare.

– Michel, j'ai toujours tellement détesté les orages. J'en ai eu tellement dans ma vie. Je vois toute mon enfance comme un orage.

– Ce soir, si on affrontait celui-ci, l'exorcisait? Bien en face, le regardait venir, défiait. Arrive, orage!... Tu sais, l'éclair ne frappe que les endroits plus élevés. Le tonnerre n'est que du bruit démuni: quand on l'entend, l'éclair a déjà fait son oeuvre. Le tonnerre est un paresseux, ce n'est que du clinquant. Du tape-à-l'oreille. Il est vide et, comme beaucoup, c'est par le bruit qu'il cache sa faiblesse. L'averse?... ce n'est que de l'eau comme dans la rivière, sous la douche. Seulement, elle vient d'en-haut, en gouttes. Est le salut de la terre. Notre mère ne veut pas qu'on se mouille, joue dans l'eau. Si on est sous la pluie, on doit se sauver pour se mettre à l'abri. Pourquoi tous ces rites?... Ce soir, si on s'offrait à la pluie?... Elle est tiède, chaude même. Sens-tu sa caresse sur ton front? Laisse-la baiser tout ton corps. Offre ta figure, goûte ce doux massage.

La fougère s'inclinait, souple et docile à la poussée du vent, s'agitait, nerveuse, à l'action de la pluie. Ça cognait à l'étage d'au-dessus. On déplaçait les meubles, bousculait le silence. Le tonnerre roulait, grondait, tonitruait. Il préparait marteau et enclume dans sa grande forge du ciel. Martelait de plus en plus fort, éclatait. L'orage débutait. Avec un autre éclair jaune, la fougère s'est étrangement éclairée, avec un coup de tonnerre impressionnant, la fleur a frissonné, avec l'averse libérée, la rivière s'est recouverte d'acné. Le lièvre a regagné son terrier; le renard, sa tanière; le chevreuil a rejoint son ravage. La nature s'est mise à l'abri ou s'est offerte ouverte à l'action de la pluie. Le ciel partageait ses richesses, la terre les accueillait, deux hommes, se tenant par la main au milieu d'un champ, s'offraient aux éléments libérés. Tête baissée, recueillis, se concentrant sur l'averse, goûtaient la pluie. Leurs cheveux s'étiraient en traînées de plus en plus mouillées, leurs yeux débordants s'aveuglaient, le nez, le menton comme gouttières canalisaient l'attention. Les larges pectoraux de Francis, comme des petits balcons penchés, laissaient couler l'eau. Le long de ses hanches et de ses cuisses, des petits torrents se jetaient à ses genoux puis à ses pieds. Francis, face à l'averse, les yeux fermés, buvait cette sensation de la nature, s'abreuvait à même le ciel. On dirait un fils de dieu recevant message ou bénédiction de l'éternel. La bénédiction s'imprégnait peu à peu, abreuvait sa décision et, le remplissant de conviction, Francis ouvrit les yeux et rencontra mon regard admiratif. Il s'exclama:

– Oui, arrive, orage!...

On s'est jeté dans les bras en riant très fort.

– Que c'est beau, que c'est bon la nature! Qu'est douce la pluie!

De grands roulements de tonnerre emplissaient maintenant le ciel. Ce tonnerre galopait à l'horizon, essayait d'impressionner avant d'attaquer. Il traversait la scène en hurlant, tapant du pied; à grands coups de bâton, annonçait le début du spectacle dans des jeux de lumière impressionnants. Puis une seconde averse dégringola. Une goutte n'attendait pas l'autre. Délicieuse douche-massage. C'était tous les interdits de toutes les mamans qu'on défiait, c'était toutes les défenses de jouer dans l'eau. C'était toute l'enfance de Francis qu'on devait lessiver. Sous l'averse, sous l'orage, on goûtait en paix, sereinement, la joie de la liberté.

La pluie continuait à tomber, drue, tiède, pénétrante. Je serrais Francis de plus en plus fort pour lui faire penser d'en faire autant. Mes épaules, mon dos étaient tout imbibés, mes mains dans son dos se couvraient de petits torrents canalisés entre ses omoplates. De grandes coulées de pluie s'offraient de sa tête à la mienne. Francis recueillait pour moi l'eau du ciel, la bénissait de son contact et me l'offrait comme eau lustrale. Maintenant, je serai à lui par le coeur et la vie. J'étais devenu son père. Des éclairs déchiraient le ciel, le tonnerre s'approchant éclatait, roulait, semblait remplir l'univers. Toute la nature dans ce qu'elle avait de plus fantastique, grandiose, titanesque accompagnait, consacrait ce que deux coeurs, deux âmes peuvent contenir de plus délicat, doux et tendre. L'orage grandissait à l'instar de notre émotion. Des torrents de pluie inondaient, nous pénétraient le dos jusqu'aux os. ...Mais à chacun, notre joue et notre poitrine demeuraient imperméables. Les milliards de volts libérés par les éclairs, les bruits tonitruants du tonnerre et la pluie diluvienne n'étaient pas venus à bout de l'affection de deux hommes reconnaissants. Un qui retrouvait son père; l'autre, son fils... au regard de François qui souriait quelque part au-delà des nuages.

Puis nos joues épargnées, à leur tour se sont offertes à la bénédiction céleste. Elles furent immédiatement recouvertes de pluie, nous laissant une curieuse sensation, toutes engourdies qu'elles étaient. Puis nos poitrines se sont ouvertes. Je regrettais que l'eau vienne délaver de si délicieuses impressions. Puis nous nous sommes regardés... Sans un mot. Comme deux enfants qui jouent dans l'eau. Nous avions brisé les coutumes, battu la nature sur son propre terrain.

Soudain, un autre coup de tonnerre foudroyant presqu'en même temps qu'un immense éclair tragique nous figea de surprise. Mon coeur fut saisi et je crois que mes pieds se sont enfoncés dans le sol. Je me sentais planté par le choc. Francis s'est rapproché. Sans le dire, un début de panique s'infiltrait. Je ne demandais pas mieux pour la suite de mon projet. Lui ai proposé:

– Si je jouais au paratonnerre... On se serre dans les bras et je te protège.

Je me suis lancé dans ses bras faisant exprès pour le jeter par terre. J'ai expliqué, le serrant sur mon coeur, collant ma tête dans son cou:

– On est mieux par terre, à cause du tonnerre.

– Puisque tu m'éclaires...

Tous les éléments se bousculaient au balcon du ciel, souriaient devant le vide, sautaient. Ils flottaient, valsaient, se dirigeaient au gré du vent complice, descendaient toujours, s'approchaient, nous accueillaient même nous roulant dans le champ. Nous étions peu banals, si détrempés, si sales, recouverts de boue, mes lèvres dans son cou, mes bras noués à sa taille, à nous rouler dans le pré. Francis riait, jouait à mon jeu; je le serrais d'amour, me reconnaissait. Des milliards de volts éclairaient le ciel... nos yeux et notre coeur. On se voyait parfois dans la lumière jaune des orgies célestes, juste assez pour se reconnaître et se convaincre de continuer à rouler sur ses vingt ans sans enfance, sur mes vingt ans d'absence. Je goûtais souvent la terre, il goûtait ma joue. Il était mon appui dans mon effort giratoire, il goûtait la pluie. Étions deux enfants redevenus dans une averse diluvienne, sous le tonnerre et les éclairs d'une nuit d'été. Le déluge remontait le cours de sa mémoire, les éclairs rêvaient leurs exploits de feux de forêt, et le coup de foudre dans nos coeurs éclatait.

Je revivais dans ses énormes bras, collé sur sa si large poitrine, les émotions que je ne croyais plus jamais revivre. Les bras de François, la cuisine la première fois, notre route sous les étoiles. Ma vie frémissait, s'exaltait dans l'étau de son affection. C'en était trop pour que j'arrive à réaliser tout ce qui se passait: une vie en quelques secondes. Et j'avais tellement peur qu'il desserre son étreinte! Je revivais ma vie avec François: notre amour, sa bonté, nos engagements, sa beauté. Notre tendresse dans le champ, notre passion dans le lit, nos voyages dans les étoiles, nos serments près du puits. Ses craintes et ses peines, ses humiliations et sa fragilité, ses tourments et son désespoir. François et ses mains, François et sa fidélité, François, mon souvenir, François ma vie. J'ai balbutié, ne pouvant plus contenir tant d'émotions:

– François, tu m'as rendu ton enfant. Par lui, tu te donnes à moi. Tu as de nouveau éclairé ma vie, comme tu l'as fait jadis. Une étoile m'a guidé.

Bethléem s'est fait chair. Ton fils est né. Tu viens de me donner ce que tu avais de plus précieux, tu viens de me rendre ce dont j'avais le plus besoin. Nous avons été fidèles l'un à l'autre. Je n'ai plus rien à attendre de la vie. Je n'ai plus rien à faire ici. Maintenant, tu peux laisser partir ton amant en paix. Pour te rejoindre.

Le tonnerre s'éloignant, nous nous sommes relevés en nous aidant mutuellement, avons délié nos liens et lâché nos amarres pour nous livrer à la pluie. Un beau sourire a éclairé la nuit, puis un grand rire jaillit du fond de notre terre. Nous venions de reprendre possession de notre passé. Vingt années venaient d'être récupérées, exorcisées, décontaminées. Tous les deux, nous pouvions maintenant revenir à ce terrain de jeu: lui, de son enfance; moi, de ma fidélité. On venait de retrouver un sens à vingt ans de vie de souffrances. Parce que nous nous sommes compris, acceptés, aimés. Il m'a pris par les épaules, m'a fortement secoué, toute mon eau a bondi sur lui. Il a secoué sa tête vers moi, la trombe d'eau dans ses cheveux m'a innondé. J'ai foncé sur lui tête baissée, dans sa poitrine me suis enfoncé. Il n'a pas bougé. Il a placé un pied derrière mes jambes, une légère poussée de la main, suis tombé par terre. S'est jeté près de moi en criant comme toute une tribu sur le sentier de la guerre. Son bras tombant sur ma poitrine, je l'ai saisi et serré si fort! Francis s'est roulé sur moi. J'ai dû enfoncer de plusieurs centimètres dans la terre détrempée. A continué son mouvement, m'a entraîné sur lui et nous avons encore roulé sous la pluie, sur la terre ramollie. La terre ne sera plus jamais dure à partir d'aujourd'hui. Et nous avons roulé, roulé. À chaque tour, en riant comme des fous, de grandes couches du passé se décollaient et tombaient pour engraisser le champ de notre nouvelle complicité. Une belle petite peau rose, sous les gales du malheur, se découvrait une envie de respirer. Nous avons ri, ri, ri. Nous nous sommes vidés de toute énergie. Épuisés, sales, libérés, nous sommes restés étendus dans la boue, heureux comme des enfants, collés comme des amants. Son côté droit recouvrait la moitié de mon corps, même sa cuisse touchait quelque peu à mon sexe. La pointe de son menton s'appuyait sur ma poitrine – on était tellement sales! au sens propre du terme – et il m'a regardé dans les yeux. Après un beau moment délicieux:

– Michel, c'est-y pas merveilleux!?... Je suis si heureux!...

– Ne me parle pas d'être heureux parce que je recommence à crier.

Il s'est mis à crier à tue-tête, m'a aidé à me relever, puis on a dansé. Des vrais fous. Dans la pluie et la boue, au milieu d'un champ en friche, deux dingues libérés se tenant par la main, sautaient. Gauchement. On se jetait dans les bras l'un de l'autre. Ma tête arrivait à peine au-dessus de son épaule. À tout coup, dans la bouche, je recevais un goût d'eau et de boue. Puis on se séparait et recommençait. Si une vache nous avait vus, elle aurait sûrement tari. Quand j'ai diminué le rythme, épuisé, nous nous sommes tus et je me suis posément approché de lui, l'ai pris par la taille et me suis collé sur lui de tout mon coeur. Je me suis presqu'arraché les bras à le serrer. Ma tête sur sa poitrine, j'ai reçu un goût de terre et de pluie, limon dont était tiré le corps de ce nouvel homme. Il a appuyé son menton sur ma tête et m'a serré aussi. Je lui ai dit l'essentiel qui débordait.

– Francis, merci d'être là, merci d'être toi, Francis, je t'aime! Mot qui ne veut peut-être rien dire pour toi, mais un jour l'ai dit à un homme. Un homme comme toi. Tu es digne de lui. Je te dis ma joie, ma reconnaissance, t'offre mon humble présence. Tu connais mon respect: il te reste assuré.

– Michel, cette nuit, j'ai l'impression de renaître: c'est toi, mon père. Si tu veux m'adopter.

– C'est déjà fait. Permets-moi de continuer à t'aimer comme un père aime son enfant.

– Ton désintéressement, ton respect, ta bonté, ta fidélité, me laissent deviner la grandeur d'âme de mon père: s'il a été digne de toi, il fut très bon. J'ai deux modèles à suivre. J'ai reçu l'amour de deux grands coeurs.

Nous étions dans un grand champ, sous la pluie, au milieu d'un orage, père et fils devenus. Francis venait de m'adopter. Une nouvelle forme de relation venait de naître, une nouvelle profondeur, nous atteindre. Notre vie ne sera jamais plus la même. Et notre raison de vivre... et de mourir.

Dans le calme de la nuit, sous une petite brise chassant les nuages accompagnés de quelques bruits de tonnerre éloignés, main dans la main, à notre maison sommes revenus. Francis venait de se libérer en s'en moquant, de l'angoisse vécue jadis au trou de boue de son enfance. Par le tonnerre, le ciel se râclait encore la gorge à l'occasion. Sa quinte de toux s'estompait à l'horizon. Sous quelques étoiles déjà réapparues, dans une petite brise tiède, quand j'ai vu Francis détrempé jusqu'aux os, les cheveux sales et mêlés, tout le corps recouvert de boue, avec son large sourire et des éclairs pleins les yeux, alors là, j'ai compris que Francis et l'orage s'étaient réconciliés.

chapitre XXIII

Notre rythme de vie, Francis et moi, se ralentissait de plus en plus, une douceur nous habitait. On parlait moins souvent de son père, on y pensait davantage. Francis fréquentait plus souvent le groupe de Narcomanes Anonymes que des Alcooliques Anonymes. C'est là qu'il rencontra Claudine, me la présenta. Vingt-deux ans, grande, noire, d'une simplicité désarmante, elle s'était adonnée à la drogue assez tôt dans sa jeunesse. D'une excellente famille qui l'accueillit toujours lors de ses retours, elle finit par comprendre au bout de ses cheminements et choisit les Narcomanes Anonymes. Quelques rechutes la convainquirent de sa dépendance, lui ouvrirent les yeux. Dès son premier dimanche après-midi chez moi, elle me dit:

– C'est plus facile de commencer que d'arrêter. Mes parents ont toujours été bien gentils, compréhensifs. Je savais que je leur faisais mal, mais ne se sont pas vengés.

– Tu féliciteras tes parents pour moi, les remercieras. C'est peut-être grâce à cet accueil toujours offert que tu as pu t'en sortir sans trop de dommages. Mais le plus beau de l'affaire, c'est peut-être que tout ça t'a permis de rencontrer Francis.

Les deux se sont regardés, ont souri. Ils ont continué à faire le tour de la place, semblaient s'amuser. J'essayais de lire au salon. J'ai entendu la pompe du puits. Plus tard, en entrant, Francis invita Claudine à souper; elle s'invita à faire le train.

– J'y suis habituée: on apprend ça jeune, à la campagne.

Elle venait de Saint-Paul. Ses parents, les Vaillancourt, y exploitaient une des plus belles fermes laitières de la région. Quand elle revenait de ses fugues de drogues, son frère le plus vieux la recevait un peu mal à la maison. Vingt-cinq ans, sans amie, ne sortant presque jamais, Robert faisait un peu trop sérieux, lui qui travaillait si fort et si longtemps sur la ferme pour un salaire assez minime à la fin. Les parents parlaient peu, ne condamnaient jamais, mais se montraient présents. Ils pensaient à leur plus jeune, Luc, quinze ans. Lui aussi, s'adonnait aux stupéfiants. Il se raisonnait, contrôlait, en avait parlé à ses parents. Bien structuré intellectuellement et psychologiquement, de communication facile, il pouvait argumenter, se dire, s'expliquer; donc, sans doute pas toxicomane, au fond. Le père m'a tout raconté.

– Papa, je voudrais m'habiller comme mes amis, fumer un peu de hasch, *sniffer* un peu de neige.

– Mais... as-tu pensé à quelle sorte d'amis tu as, ton avenir?...

– Toi, tu prends bien du whisky!

– Mais c'est pas pareil. De l'alcool, de la nicotine, des valiums, des somnifères, des excitants, tout ça c'est bon, reconnu, correct. Des drogues, j'en ai pas pris à ton âge, c'est mauvais. Tu peux arriver chaud à la maison, prendre toutes les brosses que tu voudras, mais n'arrive jamais gelé, drogué. Prends toutes les boissons que tu voudras à la maison, mais ne touche jamais à la coke, au hasch.

– Papa, à mon âge, tes parents te permettaient-ils de boire?

– Non, mais je buvais en cachette.

– Parce que tu buvais en cachette, c'était bien. Mais si tu avais consommé coke ou hasch, tu me permettrais de le faire?... Répéter uniquement les comportements de ses parents ne fait pas avancer une société. Si mes enfants, à quinze ans, essaient les machines à orgasmes instantanés, je devrai donc le leur défendre tout simplement parce que je ne l'aurai pas fait à leur âge?...

– Mais tu n'as que quinze ans!

– Avoir quinze ans n'est pas un crime. Pourquoi tu veux m'en punir?

– Moi, à ton âge...

– Ce n'est pas toi qui as quinze ans, c'est moi. Avoir quinze ans, tu sais, ce n'est pas avoir l'âge de son père moins trente ans. C'est un vrai quinze ans que j'ai, pas un restant de soustraction.

Le lendemain, le père trouvait cette petite lettre sur la commode de sa chambre.

Papa, je ne sais pas si toi, tu as pensé, mais moi, j'ai pensé.

Laisse donc les jeunes vivre leur vie, faire leurs expériences comme toi tu l'as fait. Ne les oblige donc pas à se couler dans le même moule que toi: reste ouvert, compréhensif, accueillant. Sois présent quand j'aurai besoin de toi, écoute-moi même si tu ne comprends pas. Fais confiance à la vie, à ma génération même si ce n'est pas la tienne. Par contre, laisse-moi en contact avec tes racines. Garde-moi le meilleur lien que je n'aurai jamais avec qui que ce soit, le plus sûr, le plus désintéressé: toi. Si tu me coupes de toi par tes jugements apeurés, tes condamnations catégoriques, signes de ton insécurité et de ton manque de foi en moi, tu me perdras. Je serai perdu pour toi, et peut-être pour moi-même aussi. S'il te plaît, garde-moi un lien avec toi sans m'attacher. Garde-moi ta foi sans me fanatiser. Garde-moi tes valeurs afin d'y puiser le temps venu. Garde-moi tes racines si jamais je m'éloigne, afin de revenir à ton terreau le temps voulu. Garde-moi ta vie afin de m'y attacher sans m'étouffer.

Alors, dans mes mauvaises expériences, mes petits drames d'adolescent, dans mes petits malheurs trop grands pour ma mesure, je pourrai revenir jusqu'à toi. Parce que tu ne m'auras pas rejeté pour de petites erreurs, tu ne me rejetteras pas pour des grandes. En confiance, je reviendrai; en confiance, tu me recevras. Quand j'arriverai blême, défait, parlant peu, l'air si malheureux, tu ne me noieras pas dans un déluge de questions. Tout simplement, m'accueilleras, tendras la main. Je n'aurai pas parlé que tu m'auras déjà compris. Je n'aurai rien demandé que tu m'auras tout donné.

– Viens voir les champs. Ou la rivière: elle coule toujours comme avant.

Ta main sur mon épaule, ferons quelques pas. Près des nouveaux petits lapins, nous nous arrêterons. Mes yeux embués distingueront à peine ces petites boules blanches, irrésistibles, insouciantes. Tout est si simple pour eux; j'envierai leur place: être de neige, dans l'herbe. Tu m'emmèneras aux nids d'hirondelles des granges: tu les connais tous. Rendus au sommet de la côte,

– J'ai fait creuser un lac à même le ruisseau. Avec un petit barrage au sommet grillagé, j'ai pu garder des truites.

Là, je crois que j'allumerai. Je placerai ma main sur ton épaule. Si je me jette dans tes bras, je sais que j'éclaterai en sanglots. Ce sera difficile, suffocant. Un peu gênant. Je sais que tu feras le geste: te tourneras un peu, passeras ta main autour de mon autre épaule et m'attireras vers toi. Je céderai et pleurerai. À chaudes larmes. À quinze ans. On ne parlera pas. Si c'était moi qui parlais, je ne pourrais que m'excuser, m'accuser. Si c'était toi, comprendrais-je le vrai sens de tes mots?... Aussi bien se taire et se sentir bien. Même malheureux, on peut se sentir bien dans les bras de son père.

– Viens-tu te baigner?

Nus comme des vers, un père et son enfant s'amuseront dans la nature. Tu me lanceras de l'eau, je t'imiterai. Tu crieras, je rirai. La fraîcheur, un bain de nature, des truites, un père...: je sortirai de l'eau, lavé. On s'assiéra pour se laisser sécher, on parlera de pêche puis reviendra à la maison.

— Comment va grand-mère?

— Quand on s'intéresse aux autres, c'est qu'on est sauvé.

Papa, si aujourd'hui je puis écrire cette lettre et que tu peux espérer, c'est qu'étant petit, tu m'as parlé sans me mentir; c'est qu'étant petit, tu m'as toujours été présent, attentif, accueillant. Papa, garde-moi ton lien sans m'attacher; ta foi, sans me fanatiser. Papa, laisse-moi toujours t'appeler: papa.

Luc, ton fils.

Cette lettre fut conservée, le père me l'a montrée en se plaignant doucement:

— Il me semble que j'avais bien assez de problèmes avec Claudine! Michel, toi qui as tant d'expérience, qu'est-ce que t'en penses de mon gars? Luc me cause bien des soucis: il patauge dans la drogue lui aussi, l'alcool, peut-être le sexe. Comment lui faire comprendre?

— D'abord, il faut savoir quoi lui faire comprendre: c'est que tu l'aimes. Et comment lui faire comprendre: en l'aimant. Il faut qu'il parle, il faut qu'il ait confiance. Écoute-le. Ne le coupe pas de **mais...** Mais as-tu pensé à...? Mais qu'est-ce que...?... Laisse-le parler. Laisse-le tout te dire, tout se dire. Accompagne-le sur ses chemins, encourage-le à partager. Tu n'es pas obligé d'être d'accord avec tout; tu es seulement obligé d'être présent. Laisse-lui faire ses expériences, laisse-le vivre sa vie. Comme tes parents ont fait avec toi.

— Mais il va croire que j'encourage ses erreurs!

– Si tu écoutes assez bien, tu sentiras quel petit mot, il faut dire, quelles petites questions il faut poser, et surtout, tu sentiras à quel moment. D'habitude, vers la fin. C'est quand il aura tout dit ce qu'il avait besoin de communiquer qu'il sera prêt à t'entendre. C'est à ce moment que son terrain sera prêt à recevoir ta petite semence.

– Mais...

– Si tu lui fais trop de reproches, la première fois, si tu le blesses, tu tariras la source de ses confidences, tu le sépareras de toi, peut-être pour toujours. Parce que tu seras un être d'accueil non un être de condamnation, tu sèmeras pour plus tard, travailleras à long terme. Lui, ne s'en rendra même pas compte. Toi, tu sauras. Ainsi, chaque fois qu'il sera mal pris, malheureux, il saura que tu le comprendras même si tu n'es pas toujours d'accord. Il saura que tu l'aimeras et c'est l'essentiel, la dernière pensée avant le grand fossé, le définitif, l'irrémédiable. C'est souvent ce qui emporte le morceau, fait se soumettre et ce qu'on ne met pas en parallèle avec le hasard. Quand on sait que quelqu'un nous aime vraiment quelque part, on ne va pas jouer à se pendre toute une soirée, confier sa vie au hasard de vitesses folles, de surdoses éclatées seulement pour voir ce qui va arriver. Non, on va voir d'abord son ami, son père, et on lui dit tout. Ou on lui dit rien. L'ami habitué à écouter comprendra. Dans les deux cas. Tout et rien sont souvent le même appel, crient souvent le même besoin. On se comprendra en silence. C'est là que le moindre geste est important: une petite caresse sur la tête, la main sur l'épaule, un pouce sur le front. C'est là que le moindre mot fait toute la différence.

– Viens voir les petits veaux.

Ou bien:

– Ton frère s'est acheté une batterie: viens-tu jouer un peu de guitare avec lui?

Ou pourquoi pas:

– N'attends pas de trop souffrir avant de revenir chez toi. De parler avec ton ami. Ici, on t'attend et on a besoin de toi: tu es indispensable sur la ferme. Mais quoiqu'il arrive, je serai toujours là.

– Michel, c'est tout un programme!... Je me demande si je pourrai...

– Tu peux douter de toi-même, mais pas ton fils. Si ton fils entretient des doutes à ton sujet, il n'est pas loin d'être perdu pour toi. Et peut-être pour lui. On peut perdre ses amis, pas son père. Il faut être plus vieux, aguerri pour une telle épreuve. Ne l'inflige pas à ton enfant de quinze ans par ton rejet à cause du mal qu'il t'a fait. Par ta condamnation basée sur des morales étroites, des traditions changeantes. Recherche-le sans en avoir l'air. Provoque des rencontres qui lui sembleront fortuites. Informe-toi de sa santé, donne-lui des nouvelles de chez toi. Suis-le de loin en intervenant peu ou pas, mais ne sois pas loin quand il sera dans le besoin. Ce sera rappel de ses racines, offrande d'air familier. Qu'il ne sente pas ta porte fermée. Ainsi, saura le chemin quand il aura besoin.

Quelques semaines plus tard, quand on s'est rencontré, le père m'a rassuré.

– Luc consomme toujours mais ne semble pas exagérer. D'ailleurs, il ne prend peut-être pas plus de drogue que moi je prends d'alcool. D'ailleurs, on s'en parle régulièrement et on arrive à en rire. Je lui laisse maintenant un peu plus la bride sur le cou. Je crois que toi et mon fils, vous m'avez aidé à comprendre. Tu as été un père pour moi, toi qui n'as pas d'enfant.

– Espérons que ton Luc ne fera pas trop de gaffes.

– Michel, dans la vie, est-ce qu'on a toujours besoin d'un père et d'un fils, d'un grand frère ou d'un ami?...

– De toute façon, on a toujours besoin d'un autre: plus jeune ou plus vieux, ce n'est que chronologie. Le coeur ne s'embarrasse pas de ces chinoiseries.

Malheureusement, pour la jeune fille, ce fut plus difficile: elle n'arrivait pas à communiquer. La mère pourtant lui en fournissait souvent l'occasion. Claudine parlait banalités mais n'arrivait pas à percer l'écorce des choses importantes. Il est difficile de descendre au fond de soi-même. Même s'il y avait progrès depuis peu, il faut dire que dans le passé, l'aîné de ses frères l'avait souvent rebutée.

– Au moins, elle revient, disait parfois la mère à son plus vieux. Elle a un bout de chemin à faire sans nous. Quand elle revient, c'est parce qu'elle a besoin de nous. Elle sait qu'on n'approuve pas, mais au moins, on ne la chasse pas. L'époque des filles-mères reniées, des sorcières brûlées, c'est terminé, non?... Il y a assez des gais qui sont encore persécutés.

La mère pensa: au moins, ça en fait un autre qui se sentira d'avance accepté. Et devant le problème de leur fille repliée sur elle-même, les parents décidèrent d'ouvrir le jeu, lui donner l'exemple. En présence de Claudine, un soir, après un souper *jeu de confidences* où chacun y était allé de son petit refrain, le père dit:

– Vous allez être surpris, les enfants, mais moi, mon plus beau fantasme... C'est un peu gênant à dire devant votre mère...

— Vas-y, papa. Vas-y. On a bien dit toutes sortes de choses, nous: c'est à ton tour, ont insisté les enfants.

Tout gêné, gauche, le père a avoué:

— J'ai toujours rêvé voir un beau Noir bien membré faire l'amour avec votre mère.

Tout le monde a pouffé de rire, la mère s'est indignée.

— Grand fou, va!

Le jeu de communication prévu venait peut-être d'aller trop loin pour elle. Elle s'est levée et lancée dans la vaisselle, le ménage, n'a pas arrêté de la soirée. De même pour les rires, commentaires amusés et grande complicité. Elle s'occupait tellement que toute la famille a cru qu'elle avait le même fantasme que son mari. Quant à Claudine, toute éberluée, ne savait plus trop si elle devait rire ou pleurer. Se devait-elle à l'amusement des hommes ou la complicité avec sa mère? À un moment donné, les deux femmes se sont dit quelques mots tout bas et Claudine, soulagée, s'est décontractée. Elle a vu, senti qu'on peut parler, communiquer, même rire. Se taquiner. Suffit de s'aimer entre nous. Et s'aimer soi-même.

Ce soir-là, Claudine ne fit pas encore de grandes confidences mais semblait respirer plus librement. À l'occasion, Luc parlait un peu de drogues à la demande secrète de sa mère et Robert, son aîné, amena un jour à la maison un certain Réjean qu'il présenta comme son ami. Un beau petit svelte, élégant, parlant bien; il sut tout de suite se faire aimer. Là, vraiment, tout était en place: il ne manquait plus rien à Claudine. Elle finit par s'en apercevoir et se dire un peu plus, partager. Gauchement souvent, mais on finit par savoir parfois ce qui la préoccupait. Puis, à l'occasion, elle réussit un peu à exprimer sa joie, susurrer ses sentiments. On l'a sentie davantage libérée, soulagée d'un grand poids. Elle savait que même ses fantasmes étaient les bienvenus, ses frasques non jugées, ses faiblesses tolérées. Mais souvent retombait dans son mutisme... souffrait, disparaissait, puis se reprenait en mains.

– Quand les esprits sont ouverts, qu'on se déconstipe entre les oreilles, la vie est beaucoup plus simple, facile et heureuse. Alors, souvent les petits malheurs de la vie font couler plus de larmes que de mal, ai-je conclu devant la mère heureuse.

Si Robert, l'aîné des fils, prenait toujours un peu mal la toxicomanie de sa soeur, au moins le deuxième qui consommait en cachette ne fut pas assez hypocrite pour accuser sa cadette et camoufler sa conduite. Au contraire. De connivence avec sa mère, un soir, il apporta un peu de pot et en offrit à tous ceux qui voulaient l'essayer. Robert refusa gauchement, même alla se coucher. Le père resta mais sans participer aux mystères. La mère, toute curieuse, intéressée, fit un peu de fumée à son tour. Ses commentaires amusés, décontractés déridèrent tout le monde jusqu'au moment où elle s'étouffa complètement. Elle s'est arrachée la gorge à tousser et à rire, en plus de parler sans arrêt: on ne l'avait jamais vue dans cet état. Tout le monde riait à gorge déployée de la voir ainsi et ça l'amusait. À un certain moment, elle parla d'un grand Noir, un jour...

Ce fut l'explosion. Toute la famille rit aux larmes, se tordit les côtes. On n'a jamais su la fin de l'histoire. Toute la soirée fut une fête de la spontanéité, ferveur familiale, complicité. On en a parlé et ri pendant des semaines et Claudine commença à taquiner sa mère, ce qu'elle n'avait jamais fait auparavant.

Fumer un petit joint en famille n'a jamais détruit une société. Pas plus que rire ne détruit l'autorité. Pas plus que caresser, aimer, sans égard au sexe ne peut être ridiculisé que par machos constipés, déguisés en pape, juge, policier, petit suffisant hypocrite ou voyou non éduqué. Un joint ne donne pas plus l'habitude que la cigarette, se trouve être moins dommageable que la nicotine et le goudron. Un joint en famille surtout, sort de la clandestinité, vide les complots, enrichit la relation avec ses enfants. Ce n'est toujours pas pire que l'apéritif, le vin au souper. Il faut parler, en parler, se parler. Il y a dialogue sur l'alcool, il y a aussi dialogue sur la drogue. Pas plus dramatique l'un que l'autre, aussi utile pour les parents, amis, aussi nécessaire pour le jeune consommateur. Comme la caresse pour la peau du bébé, comme l'approbation de la mère quand le bébé touche son sexe, mange ses pieds. Quand on brise les interdits, on a besoin d'être rassuré. Surtout pour des jeunes dont la personnalité n'est pas encore tellement formée. Démystifier. Ce sont les mystères qui rendent suspectes les vérités, détruisent les relations; ce sont les complots dans le dos qui tuent la spontanéité et empoisonnent la vie.

Quoiqu'il en soit, l'événement du joint en famille rapprocha encore davantage surtout Luc et Claudine. Très longtemps parfois, ils se parlaient tout bas. Ils semblaient un beau petit couple d'amis. C'était de voir le sourire du frère quand la soeur arrivait! Ses questions, la flamme dans ses yeux. Les parents espéraient. Claudine revenait maintenant plus souvent à la maison, mais arrivait de plus en plus mal en point. Se décharnait. N'était plus que l'ombre d'elle-même. Une grave période creuse. Le drame menaçait. Les parents ont prié, essayé de la retrouver: elle n'était jamais chez elle. À sa prochaine visite, se sont-ils dit, il faudra intervenir, insister. Plus question de laisser aller. Et elle revint particulièrement malheureuse. Le retour de l'enfer. Luc s'est inquiété, attristé.

– Claudine...

La mère offrit son aide.

– Tu sais qu'on est toujours là. Si jamais tu as besoin...

Claudine éclata en sanglots. La mère l'amena dans sa chambre, mais Claudine ne dit pas un mot. Luc lui parla encore longtemps tout bas. Claudine conclut affectueusement:

– Luc, on devrait jamais commencer ça. Ce n'est pas possible!...

C'est à partir de ce moment que la jeune fille, semblant avoir pris une bonne décision, resta plus longtemps, essaya de manger un peu mieux, travailler avec ses frères. Le plus jeune s'est fait tellement accueillant, enjoué, tentant de soutenir sa soeur qui, visiblement, combattait. Elle semblait avoir épuisé son mal. Même qu'elle quitta bientôt son logement à Granby et laissa son petit travail minable. La mère l'invita:

– Ici, tu as toujours un emploi, un salaire si tu veux. Comme avant. Rien n'est changé.

Les parents s'informèrent, consultèrent et, un peu plus tard...

– Pourquoi, tu n'irais pas aux réunions des Narcomanes Anonymes? C'est comme les A.A.

L'idée fit son chemin. Les réticences s'amenuisèrent. La mère, fine psychologue, suggéra à son grand Luc d'aller à quelques réunions tout seul, afin de mieux connaître le groupe et mieux renseigner sa soeur, le moment venu. Sont inépuisables les ressources de mère.

– Ensuite, les premières fois, tu pourrais peut-être y aller avec elle. ... Pour la sécuriser. Tu t'entends si bien avec Claudine.

D'autres fines mouches dirigeaient le groupe. À sa troisième réunion, Luc fut accompagné de sa soeur et, pour la circonstance, fut invité à lire en avant quelques règlements des N.A. C'est ainsi qu'en se présentant avant sa lecture, il dut prononcer la petite phrase traditionnelle:

– Je m'appelle Luc V. et je suis narcomane.

En revenant à sa place, Claudine s'est levée et, les yeux pleins d'eau, a embrassé son frère. Claudine venait d'entrer dans le groupe, son cheminement, grâce à une toute petite phrase dite à propos. Grâce à un petit détail. Grâce à la communication avec son frère, des parents ouverts. Ah la magie des petits détails à certains moments! Les bons comme les mauvais. Magie blanche et magie noire. Pour Claudine, magie de parents qui ne se sont pas fermés, butés, mais qui ont accueilli, compréhensifs, même n'approuvant pas. Magie d'un petit frère capable de dire devant son groupe: je suis narcomane, manière de dire à sa soeur: t'en fais pas, j'te comprends. Si on pouvait s'aider!... Je continue à t'aimer. Magie de la tendresse.

Quand elle venait chez nous, Claudine nous aidait au train, – à la vaisselle, au ménage, même si c'était une femme – et ne parlait pas d'asphalte dans la cour. Claudine ne s'habillait pas comme une carte de mode, parlait peu et jamais fort. Disco, diraient certains. Peut-être. Quoiqu'il en soit, elle passa presque tous ses dimanches après-midi chez nous. Francis partait avec elle dans toutes les directions: bientôt, pas un champ ne leur fut étranger, surtout la tasserie de foin où ils restaient de plus en plus longtemps. Je leur ai bientôt offert d'aller jaser dans la chambre de Francis tant qu'ils le désiraient. Ils ont compris et ils ont jasé. Beaucoup jasé...

Puis la famille de Claudine est venue plus régulièrement chez nous, et moi, chez eux. Nous nous sommes davantage connus, appréciés. Spontanément, les parents de Claudine et moi, avons laissé les jeunes à leurs fréquentations afin qu'ils se connaissent sans interférences. Ils se sont aimés.

Quelques mois plus tard, Francis très délicatement m'a demandé pour que Claudine reste chez nous. Il avait enligné toute une série d'avantages pour nous et surtout pour moi. Je le voyais venir et aimais son discours. Que de délicatesses à mon endroit, que de finesses!

– Bien oui, Francis. Comment veux-tu que je te refuse quelque chose?

Je crois qu'il n'a pas apprécié pleinement ma réponse. Il avait utilisé la ligne de la raison et j'avais répondu dans la ligne du coeur. Ou bien, ma réponse relevait de ma bonté et non pas comme acceptation de sa logique. Francis a repris quelques arguments pour me remettre sur la voie, j'ai posé quelques questions et opinai pour le oui. On venait de s'engager dans une belle histoire d'amour.

J'ai laissé ma chambre au jeune couple, me suis contenté de la petite. Francis et Claudine n'en revenaient pas de mon geste, me parlaient avec des sourires dans la voix. Francis voulut tout faire sur la ferme, me reléguant aux petits travaux secondaires. Je pense qu'on était heureux tous ensemble. Je les voyais plonger dans le futur, insouciants, s'exalter. Ils m'ont fait réfléchir, moi qui me sentais un passé, sinon dépassé. Moi, Michel, ex-enseignant, ex-amant, ex-... Ne serais-je toujours qu'un passé, une impression d'échec?... Ou si un jour, un futur est encore possible pour moi aussi?... Je me suis dit: à d'autres de répondre. Et un jour, revenant de la ville, Claudine et Francis répondirent de magnifique façon:

– Michel, on t'a fait un enfant. On souhaite que ce soit un garçon.

On s'est congratulé, embrassé, tous les trois avons dansé.

... Et je n'ai jamais vu une femme manger autant de soupe poulet et nouilles de ma vie. Avec de la crème glacée! On taquinait Claudine:

–...Pour une femme Narcomane Anonyme, tu ne crains pas que ton enfant naisse gelé... malgré ses plumes?... Que fais-tu de sa liberté?...

Puis vint au monde un magnifique garçon. Quelle fête! Au retour d'hôpital, Francis, fier comme un petit roi, me présenta son bébé:

– Prends-le dans tes bras, serre-le sur ton coeur: je veux qu'il soit bon. Il s'appellera Jonathan. Jonathan Vaillancourt Labrecque. On va refaire une réputation aux Labrecque.

Je me suis senti fondre. ÉmFu, ai pris l'enfant comme un trésor précieux et fragile. C'est comme si je tenais Francis dans mes bras, si je tenais François. Toute une lignée qui ne se terminera jamais. En fermant les yeux, ai serré l'enfant sur mon coeur en lui offrant tout mon amour et mes voeux de bonheur dans cette vie parfois si compliquée. Deux larmes de joie se sont échappées, l'ai embrassé sur le front et remis à sa mère.

François et moi étions devenus grands-pères.

chapitre XXIV

Puis ce fut la révolution dans la maison et dans nos habitudes. Je couchais maintenant au grenier où Francis et moi avions aménagé une grande chambre préalablement. On avait repoussé dans la pénombre les vieilleries auxquelles je tenais toujours, érigé quelques faux murs, un paravent... et le tour fut joué. Une seule condition posée à Francis:

– Dès que j'aurai accès à une des fenêtres... Une fenêtre sur le ciel. Sur les étoiles.

Francis s'est arrêté tout sec de travailler, s'est approché, m'a regardé, puis serré bien fort dans ses bras. Son coeur battait si vite. Ah! que j'étais bien! Je lui parlerais d'étoiles tous les jours pour qu'il recommence. Il m'a dit, très ému:

– Michel, tu donnes ta chambre, puis tout l'étage... et tu ne demandes qu'un carré d'étoiles dans ton grenier!

Nous sommes longtemps restés enlacés.

J'ai repris les tâches de Claudine sur la ferme, les tâches dont elle m'avait délesté depuis un an. Et le matin, souvent, je commençais seul le travail comme je l'avais offert à Francis. Presque toutes les nuits, Francis perdait beaucoup de sommeil à cause du petit. Parfois, s'impatientait. Je sentais bien qu'il adorait son enfant, respectait sa femme au plus haut point, mais quand le petit pleurait trop souvent ou trop longtemps, Francis ne tenait plus en place. Souvent, sortait à l'extérieur même sans manger, pour travailler ou simplement se promener. Calmé, il revenait, mais restait longtemps bourru. Francis s'adaptait mal à sa vie de père. J'étais plus doux avec lui, plus silencieux. J'essayais seulement des mots qui portaient: encouragements, affection. Quand on rentrait à la maison, il redevenait très doux, paternel. Mais quelques jours plus tard, tout était à recommencer. À mon tour, j'ai dû écoper. Surtout une fois où il m'a fait une colère! Tout était de ma faute. Je me levais trop tôt le matin: je réveillais le petit; de même en allant à la salle de bain, la nuit.

Tu fais exprès pour nous rendre la vie impossible, tu veux qu'on s'en aille rester ailleurs. Eh bien, on va y aller!

Claudine qui assistait à la scène est devenue si malheureuse devant l'injustice de son homme.

– Francis! a-t-elle crié. Assez!

S'est approchée, a secoué un peu ses épaules et répété doucement:

– Francis, penses-tu à ce que tu dis?!

Ses yeux arrondis de colère, Francis l'a brutalement repoussée et Claudine s'est heurté la hanche contre une chaise. Je me suis précipité pour l'aider. Elle ne pensait qu'à moi.

– Ne crois pas ce qu'il t'a dit. C'est tellement injuste!

– Claudine, je ne voudrais pas être à sa place en ce moment: il est si malheureux! Il doit tellement souffrir!...

Francis quitta la maison sans un mot. En le voyant prendre la camionnette, lui ai crié:

– Francis, ne t'en va pas!

En trombe, il avait quitté sa maison, sa famille, sa raison de vivre.

– Où peut-il aller, demanda Claudine.

Après une bonne réflexion,

– Son martyre est insupportable, il est allé dans la drogue ou la boisson.

– Essaie de le trouver, Michel, puis viens me le dire. J'irai le chercher avec le bébé.

Je n'ai pas réussi. Au milieu de la nuit, Francis revint. Saoûl.

Le lendemain, je ne l'ai même pas vu au dîner. Vers la fin de l'après-midi, en revenant du travail, sa honte le dévorait près du puits.

– Ça va bien, Francis?

– Michel, je voudrais te parler.

Mais il gardait le silence, la tête si basse, le coeur si gros. Il finit par enchaîner:

– Je pense que je ne m'excuserai jamais assez pour ce que je t'ai dit hier, pour ce que j'ai fait. Je suis tellement humilié!

– Francis, je te comprends. Je ne t'en veux pas. Il n'y a rien de changé entre nous.

– Je pense, Michel, qu'il vaudrait mieux qu'on déménage, Claudine et moi. Ici, c'est trop petit pour quatre personnes. Surtout avec un bébé qui pleure la nuit. J'ai l'impression d'étouffer parfois.

– Je ne te retiens pas, mais je regrette de te voir partir. Et n'oublie pas que même ailleurs, le petit va pleurer parfois.

– Ça va être plus grand, je serai seul avec ma famille. Ici, je m'impatiente trop souvent depuis quelque temps.

Francis et sa famille partirent pour le village de l'Ange-Gardien. Il devait s'habituer à son rôle de père: pas facile à vingt et un ans après avoir été battu enfant. Le matin, il m'arrivait parfois un peu plus tard pour travailler. Ses yeux étaient creux, son coeur malheureux. Un soir, je l'ai invité à souper avec moi.

– Francis, un mal te mine. Puis-je encore aujourd'hui te tendre la main, la main d'un ami? Tu sais que je ne te jugerai pas, te ferai pas de mal, la morale. Tu sais. Francis, fais-moi l'honneur de ta souffrance. Si je la connais, elle sera plus légère à supporter. À toi et à moi. S'il te plaît...

Francis trépignait sur sa chaise. Voulait parler mais n'y arrivait pas.

– Michel, si tu savais...

– J'en sais déjà beaucoup. Si tu continuais?...

– Ça n'a jamais été aussi pire.

– Le dire te ferait du bien.

– ... Michel, c'est comme avant que je me saoule... il y a quelques semaines.

– Le bébé t'empêche de dormir la nuit et te fatigue beaucoup le jour?

– Et je m'impatiente. ...Parfois, j'ai envie de le frapper. Et je bouscule ma femme, lui dis des bêtises. J'ai passé si près de lui donner une très forte gifle... Le mieux que j'ai pu faire, ce fut de baisser ma main à la dernière fraction de seconde et l'ai frappée très fortement sur le haut du bras. Elle est encore marquée. Claudine pleure, je m'excuse, elle pardonne: mais ce n'est pas une vie. Je ne continuerai pas ça.

– Je te comprends, Francis, et je continue à t'admirer, à t'aimer. Ta situation s'explique.

– Michel, suis-je incapable d'aimer?...

Francis s'écroulait devant moi, son coeur éclatait, sa vue se bouchait. Il ne voyait plus d'avenir, en voulait au monde entier, surtout à lui-même.

– Francis, ne te démolis pas pour un malheur qui ne dépend pas de toi. Tu le sais que les enfants battus, maltraités, surtout mal aimés dans leur enfance, deviennent souvent violents avec leur conjoint, conjointe, même avec leurs enfants. On répète des actes dont on a souffert. C'est bête mais c'est comme ça. Tiens, c'est comme ta directrice d'école secondaire, tu te souviens comme tu n'aimais pas sa façon de diriger? C'est la même cause pour elle en tant que femme écrasée et pour toi, en tant qu'enfant non désiré. Les psychologues disent qu'une personne formée dans le mépris vieillit et gouverne dans la méfiance, la haine et la violence. C'est tout écrit dans les gros livres: ce n'est pas toi qui vient d'inventer ça dans ta vie. Il s'agit de te contrôler, te faire aider.

– Que ce soit écrit, prévu ou non: JAMAIS! Je me suis toujours trop promis que mes enfants ne subiraient pas le sort que j'ai subi. Et j'ai envie de le frapper parfois.

– Francis, ton enfance fut pourrie, pas surprenant que celle de ta femme, ton enfant soit un peu meurtrie, qu'ils en subissent un peu les conséquences. On ne donne pas facilement ce qu'on n'a pas reçu.

– Mais je ne veux pas! C'est mon enfant, il doit être heureux. Je dois le rendre heureux! Il ne doit pas vivre ce que j'ai vécu. JAMAIS! Jamais! que je te dis.

– Dans ton enfance, tu n'as jamais été heureux, tu n'as jamais été aimé. Il y aura des moments où tu ne pourras toujours le rendre heureux, l'aimer comme tu voudrais.

– Je refuse, je hais, je tue ces moments-là!

– Simplement, fais-toi aider, Francis. Fais-toi aider pour les prévenir ces moments et pour passer au-travers.

– Comment?

– Ton fils, tu l'adores, tu es prêt à tout faire pour lui, pour l'empêcher de vivre ce que tu as vécu. Ça, tout le monde le sait, toi, le premier. Mais il est une faiblesse dans ta vie: ton enfance, l'amour, la tendresse. Tu vivras toute ta vie avec ce manque, cette dépendance. Alors, quand tu prévois un coup dur, que tu rencontres des grosses difficultés, ta chaîne casse à son maillon le plus faible: la violence qu'on t'a faite. Et ton fils est en danger. Si tu te chicanes avec ta femme, tu manques régulièrement de sommeil, tu tombes malade, ou autre problème, ta faiblesse psychologique te fera mal réagir et c'est ton fils que tu adores qui subira. Te souviens-tu quand tu as détruit un nid d'oiseaux?... Les aimais-tu quand même? Et les fourmis, et la couleuvre?... Mais, torturé par tes parents, ta vie d'enfant malheureux, tu as fait souffrir des êtres que tu aimais. Étais-tu méchant pour autant?... Non. Mais tellement malheureux!...

Francis, les traits tirés, triste, revivait sa honte devant la couleuvre et les fourmis, sa souffrance devant le nid détruit. Bourrelé de remords, secoué de sanglots, en grands cris déchirants:

– C'est vrai que je les ai détruis. C'est vrai que je les ai aimés. Et que j'en ai eu si mal! Mais est-ce que je serai toujours esclave de mes émotions? Mon âme sera-t-elle toujours tellement prisonnière?... J'ai été un enfant trompé!...

– Ton âme n'est pas prisonnière, ce sont tes émotions qui s'expriment mal. Je te rappelle que tu n'es pas méchant pour autant. Rappelle-toi la première page du livre FRANÇOIS, la petite pensée de Navarre: Jamais de coupables. Il n'y a que l'amour mal exprimé.

Francis pleurait toujours.

– Mais c'est mon enfant!...

J'ai d'abord essayé de consoler avant d'expliquer, d'aimer avant de convaincre. Quand j'ai senti le moment venu, me suis essayé doucement.

– Quand tu es seul avec ton enfant et que, sous ses cris, ses dégâts, tu sens le vertige t'envahir, c'est à toi de crier au secours, d'appeler un ami, Parents Anonymes. Ce n'est pas à l'enfant. Laisse ton enfant vivre sa vie, ses expériences, comme tes parents auraient dû faire pour toi. Toi, laisse-toi aider. Humblement. Ce n'est pas de honte dont on a besoin, c'est d'humilité. D'humilité pour dépendre, pour demander. D'humilité pour accepter aide, réconfort. Accepter de répéter certaines erreurs de ses parents. Humilité pour accepter ses propres faiblesses. Sagesse.

– La honte est mon pain quotidien.

– La honte est le pain quotidien de ton orgueil. Tu nourris ton orgueil. Accepte le vide de ton enfance, l'absence de tes parents. Sois prudent.

– On veut toujours être mieux, être plus.

– Mais on accepte ce qu'on est. Humblement. Reconnaître qu'on a besoin et ouvrir ses bras. Humblement. Il faut de l'humilité pour recevoir. Recevoir, c'est comme des rhumatismes les jours de pluie; c'est là où nos limites nous font le plus mal.

Francis m'écoutait, mais je ne pouvais deviner sa réaction au fond, car il restait toujours branché sur son refus de lui-même. J'ai continué:

– Tu peux prévoir les coups durs. Tu le sais, tu le sens que tes nerfs vont peut-être lâcher, alors ne prends pas de chance, prends plutôt le téléphone. C'est pas si terrible que ça. Éloigne-toi de ton enfant s'il le faut. Ne te laisse pas envahir par les poussées de l'impatience, de la détresse, l'angoisse. Laisse le temps passer, la pression baisser. Demande ta femme, appelle une gardienne. Demande-moi. Confie-moi ton enfant pour un temps. Puis restent toujours les Parents Anonymes: au CLSC, ils vont te donner le numéro de téléphone.

– Ah ben là, Michel, c'est pas mal gênant.

– Pas plus que quand tu téléphones à un Alcoolique Anonyme ou à un Narcomane Anonyme. Vous jasez ensemble au téléphone et ça vous fait du bien. Aux deux. Tu le fais souvent avec des N.A.

– C'est pas pareil.

– Bien oui, c'est pareil. Tu vis une dépendance à l'alcool, la drogue, la violence. C'est une maladie, la maladie de l'émotion. Accepte aussi ta faiblesse émotive. Et les moyens qui te sont offerts. Ton fils le mérite bien. Ta femme et moi aussi.

– Mais je vais être dépendant toute ma vie?! Ma vie sera donc toujours tellement hypothéquée par mon passé?!...

– On est tous dépendant d'une foule de circonstances dans la vie. De bonnes et de mauvaises. La même personne peut être dépendante d'ulcères d'estomac, de fièvre des foins et d'une grande nervosité. Et tout le monde est dépendant de l'amour, de la présence au moins occasionnelle des autres, du succès...

– C'est facile à dire, pas à vivre.

– La fièvre des foins aussi et autres allergies, et on ne les choisit pas. Francis, tu es pris pour accepter.

– Parents Anonymes... après Narcomanes Anonymes, Alcooliques Anonymes...: je passerai donc toute ma vie avec des anonymes?!

– Mais pour toi-même, pour ceux que tu aimes et tous ceux qui t'aiment, tu ne seras jamais anonyme.

Après un long silence où Francis semblait conclure dans sa tête, il finit par le faire tout haut:

– Maudite Labrecque!...

Il s'est levé et partit en répétant son mantra: Maudite Labrecque!

Les jours suivants, il me tint au courant de ses démarches. Pour me convaincre, il m'a donné le numéro de téléphone de Montréal qu'il avait appris par coeur: 1-800-361-5085 et le nom de Madame Céline Muloin.

– C'est une femme extraordinaire. Elle m'a même donné un numéro à Granby et le nom d'un Monsieur Jocelyn P. et Claude L. qui m'ont encouragé. Même qu'il existe des groupes de discussions sur le sujet et des groupes de thérapie. À Granby, ça s'appelle le Poing Final.

On a bien ri du jeu de mots et j'ai suggéré à Francis d'aller voir plus souvent ses beaux-parents.

– Ce sera un bel exemple pour toi. Vois comme ils s'aiment, comme ils aiment leurs enfants. Il te faut un réseau de parents, d'amis qui peuvent t'inspirer, bonnes gens ouverts, accueillants.

– Michel, tu me rends un bien grand service.

– Et n'oublie pas, un certain grand-père, si tu es mal pris, même seulement tendu, surtout malheureux. Moi, je ne crains pas ta violence. Je me sens comme un petit lapin entre tes mains.

Il a placé la base de ses deux mains chaque côté de mon cou et tenu ma tête gentiment. C'était si doux. On a doucement souri et repris notre travail.

Intérieurement, je pensais: On ne s'improvise pas parent. On apprend à être parent quand on est enfant. Quand on est enfant et qu'on boit tout naturellement, comme une bonne eau fraîche, le service de l'autorité parentale. Douce et forte, tendre et résolue, compréhensive et aimante. Dosée. Être parent ne s'apprend que sur les genoux de ses parents. Les parents doivent donner tout sens à la vie. Parler.

Les enfants ont besoin de se faire dire par des mots ce qu'ils sentent d'instinct. Les mots rassurent, protègent, enveloppent. Les mots sécurisent. Le silence des parents est tragique pour l'enfant. Le non-dit assassine les enfants. Une seule erreur est aussi pire, c'est le mensonge des grands. J'aimerais dire à

Francis: tu n'as pas à te plaindre de ton passé, revenir sur ce qui t'a rongé. Sinon pour t'assurer du départ, t'assurer de ce que tu fus afin de lutter pour ce que tu seras. De lutter pour ce que tu désires. Francis, tu as été battu, mal aimé: accepte-le. Maintenant devenu parent, tu es porté à battre ton enfant: accepte encore, reconnais-le, mais prends les moyens pour te protéger et protéger ton fils... et peut-être ta femme aussi. Francis, ce qu'il te faut, c'est un but, quelque chose à désirer, un projet à réaliser. Surtout, ne jamais perdre l'estime de toi-même!

Dans ma tête, je pensais que Francis pouvait vivre une autre tension. J'ai bien réfléchi et pris une décision: j'ai invité chez moi pour quelques jours son ami Jean-Guy Courchesne. Un matin, en le voyant, Francis sauta de joie. Sa bonne humeur, son entrain revinrent. Ils travaillèrent toute la journée et marchèrent longtemps dans la nuit. Qu'ils semblaient heureux! De grands éclats de rire jaillissaient de mon champ là-bas. Francis retrouvait une liberté, sa vie. En fin de soirée, il téléphona à Claudine pour dire qu'il coucherait chez moi. Je remontai à mon grenier; eux, au septième ciel. Après le train, je les ai réveillés pour le petit déjeuner. Leurs yeux pétillaient, le bonheur vibrait. Une bulle magnétique entourait Francis surtout qui reconnaissait la douceur de ma prévenance. On sentait son feu. Son regard perça l'écran et deux flots de feu se déversèrent dans mes yeux qui les burent goulûment. Spontanément, ils m'ont joué quelques scènes de prison. Jean-Guy bombait le torse, gonflait ses muscles.

— Qu'est-ce que tu penses de mes muscles, chéri?

— Il y en a un qui fait pitié.

– C'est bien normal, après ce que tu viens de lui faire tantôt. Mais regarde, touche à mes biceps: ils sont bien bandés, eux.

– C'est beau, Crotte. Viens te coller sur mon petit coeur.

Et ils riaient. Et ils riaient, parlaient fort, s'amusaient. Francis redevenu lui-même, revivait. Que c'est beau, la vie! Francis a téléphoné à Claudine, s'est informé, a prouvé sa grande joie retrouvée. Et toute la journée, les deux copains se sont amusés en travaillant. Tout devenait beau, léger entre leurs mains. L'effort se transmutait en facilité au coeur de leur amitié.

– Jean-Guy, tu viens souper chez nous: j'ai averti Claudine. Une bonne petite femme, un beau petit gars.

– En plus d'un bon patron et d'un bon associé comme moi: tu as tout pour être heureux, renchérit Jean-Guy, amusé. Francis un peu gêné a changé de sujet.

Après la soirée, Jean-Guy est revenu seul coucher chez moi. Je lui ai proposé de coucher dans le grand lit de la grande chambre, avec moi. Il a acquiescé. Je l'ai caressé un peu, admiré ses épaules, pectoraux, j'ai embrassé son biceps. En caressant ses cuisses, j'ai remarqué qu'il n'était pas en érection. J'ai compris. J'ai redit mon admiration devant son torse et ses bras, puis me suis lentement retiré à ma place.

– Bonne nuit, Jean-Guy.

– Bonne nuit, Michel. Et merci pour avoir rendu amour et vie à Francis.

– À toi aussi, merci d'avoir été son premier ami. Je te dois beaucoup et je t'envie. Francis a encore besoin de toi: pourrais-tu revenir souvent?...

Jean-Guy s'est collé sur moi, m'a caressé la poitrine, embrassé dans le cou. Puis, main dans la main, on s'est endormi. Je suis sûr que Francis là-bas pensait à nous.

De son côté en plus, Francis avait une autre question à discuter. Claudine savait bien pourquoi il avait couché chez moi. Ils en ont un peu parlé ce soir-là.

– Mais tu le savais que j'ai toujours eu des relations gaies et que cette orientation ne se change pas.

– Oui mais...

Entre savoir intellectuellement et vivre une situation pour la première fois, Claudine, la nuit précédente, avait appris toute la différence. Elle enchaîna:

– En tout cas, Francis, il va falloir en reparler. Je suis heureuse de te retrouver et de faire l'amour avec toi, mais laisse-moi te dire que la nuit passée...

– Je te comprends, Claudine, on en reparlera demain. Mais ce soir, je pense que je t'aime un peu plus. Laisse-moi te le prouver un peu mieux.

chapitre XXV

Francis venait passer ses dimanches après-midi chez moi avec sa petite famille. Souvent, Guy Martel faisait de même avec la sienne. Je crois que ces deux-là venaient autant pour se rencontrer que pour me voir. J'en étais heureux. Parfois, Jean-Guy Courchesne s'ajoutait. Quel beau mélange alors, quelle fête pour Francis! Pour toutes les familles, les enfants, pour toute la vie, quel bel exemple de tolérance, d'ouverture d'esprit!

Guy semblait un peu bourru avec ses enfants, mais tout en nous parlant, il les caressait semblant distrait. Pour lui, pas trop facile de montrer ses émotions, mais toujours à un moment de grâce, avait le dessus son affection. Devant les femmes, semblait un peu froid, se retenait, jouait un rôle. Pourquoi?... Mais un regard finissait par faire son chemin et me pénétrer jusqu'au fond de l'âme. Ce regard était pour moi un but de son voyage. Tout son coeur y palpitait; il me nourrirait jusqu'à la prochaine fois. Il se souvenait, lui aussi. Un feu aussitôt s'agitait en moi, je prenais le premier enfant qui me tombait sous la main et je le caressais à m'user les mains. Je passais sans doute pour être un peu gaga mais qu'à cela ne tienne. La source que réveillait le regard de Guy, ou parfois son clin d'oeil, devait s'écouler quelque part. Je revivais des montagnes de tendresse et souhaitais à l'enfant un peu du bonheur que Guy soulevait en moi.

En se promenant dans la maison, souvent il s'arrêtait dans une pièce, restait figé. Le passé venait prendre en surface. Se manifester. Il expliquait qu'il avait été distrait. Parfois, il me demandait de venir dans la chambre afin de dire quelque chose de personnel. Une fois la porte fermée, il me serrait à tout rompre dans ses bras. Je ne me sentais plus: j'avais l'impression d'être complètement rentré dans sa poitrine. Guy devenu brasier. Ce contact à l'occasion lui faisait du bien. Et à moi donc!... On sortait bientôt de la chambre en parlant de banalités. Mais nous avions refait l'amour à notre façon.

Guy était plus soumis; il avait tant souffert d'avoir été si bon pour moi! Je lui devais la vie et c'est lui que me gratifiait du ciel de son regard. Si Francis appréciait tellement ma présence et ce que j'avais fait pour lui, c'était à Guy qu'il le devait. Ils le savaient tous deux et vivaient une grande complicité.

Deux hommes peuvent tellement s'aimer, respecter leur femme et leurs enfants. Pourquoi la méchanceté les oblige-t-ils à se cacher?... Si un homme est bon, pourquoi un oeil témoin serait-il mauvais? Jalousie de n'être pas aussi bon que lui, jugement porté, condamnation?... Certaines personnes sont tellement poussées à détruire tout ce qui les dépasse, à se bâtir une réputation sur les cendres de celle des autres. C'était parfois mes réflexions après le départ de Guy et sa famille quand je me retrouvais seul dans mon petit nid, emmitouflé de si beaux souvenirs.

Ces dimanches après-midi, d'habitude, les femmes jasaient entr'elles, je m'occupais des enfants, et les autres hommes parlaient de ferme. Inévitablement, Francis et Guy sortaient, vérifiaient un instrument aratoire, voyaient les animaux, prévoyaient le rendement des champs. À l'extérieur, autour des bâtiments, je les accompagnais souvent. Là, Guy se manifestait davantage. Dans la tasserie, derrière l'étable, sur la galerie, près du puits, et à tant d'autres endroits mémorables pour nous, il s'arrêtait, touchait mon bras...

– Michel, te souviens-tu?...

Son âme survolait les avenues du passé, soulevait de grandes vagues de doux souvenirs, frissonnait d'émotions, puis nous revenait. En silence. Sa poitrine se gonflait un peu plus rapidement, ses yeux brillaient... derrière une légère pellicule de regrets, tristesse, je ne savais. Un léger voile les couvrait. Guy continuait à marcher, converser. Une seule petite phrase de conclusion:

– C'était le bon temps.

À quelques reprises, Guy avait essayé de raconter à Francis, mais il s'était empêtré dans ses sentiments. C'était tellement normal qu'il essaie: même si c'est parfois trop grand pour ses mots, le forgeron parlera de son enclume, le boucher de son étal, l'homme de son coeur. C'est là que se forge son bonheur. Mais ses humbles mots refusaient d'exprimer les grands feux qui le consumaient. Sa voix commençait à tremblotter, se taisait. On parlait toujours plus doux après. Se sentait plus uni. Mais quand venait le tour de Francis de raconter un moment vécu, les émotions se libéraient drues, précises, s'envolaient par grands voiliers. Toujours le même témoignage à mon endroit:

– ... ton dévouement, ton amour, ton respect. Je comprends mon père d'être mort pour toi.

Puis le silence rituel. Quelques nouveaux pas et quelques douces paroles. Que de stations avons-nous méditées au chemin du passé! Aussi souvent douloureuses qu'exaltées. À l'occasion, on me demandait:

– Mais Michel, tu ne dis rien?

– Je ne parlerais que de François, je suis à l'âge de radoter. Peut-être parce que je sens me rapprocher de lui. L'un m'a dit:

– Michel, je te dois tant!

Et l'autre:

– Je te dois tout!

J'ai conclu:

– Moi aussi, je vous dois tout. Guy, tu m'as sauvé la vie; Francis, tu me l'as gardée, embellie.

Ce qui ne nous empêchait pas de nous retrouver quelques semaines plus tard et de recommencer notre pèlerinage.

Quand Guy et Francis montaient au trécarré, je les suivais toujours de l'oeil, admirais leur démarche d'homme devenus, sûrs d'eux, leurs gestes vers le large d'où viennent les grands sentiments. Je rentrais alors m'occuper des enfants, les empêcher de rejoindre leur papa, afin de leur permettre la caresse de ces grandes flammes qui les dévoraient. Me suffisait au retour la chaleur dans leurs yeux, leur sourire pénétré de tendresse, pour me brancher sur un grand frisson et embraser mon vieux coeur heureux.

Je sortais toujours au-devant d'eux quand ils revenaient, comme un enfant qui s'est ennuyé, mais surtout pour partager leur complicité. Voir au coin de leurs yeux les étoiles qui naissaient, me lançaient leurs amarres d'attraction. Me faire poser leur belle grosse main sur chacune de mes épaules et entendre: On t'aime bien, grand-père. Ou: C'est à toi qu'on doit tout ça. Ou... Quoiqu'il en soit, c'était toujours merveilleux ce qu'ils m'exprimaient par gestes ou paroles. Les yeux me démangeaient, je ne m'habituais jamais à la reconnaissance. Ils se mouillaient de sève comme au printemps et parfois échappaient quelques gouttes à l'entaille de leur affection. Mais dès qu'on entrait dans la maison, les sentiments se raisonnaient, les regards s'assagissaient. Pourquoi blesser pour rien la femme de Guy? Quant à Claudine, elle parlait toujours avec respect des gais. Elle connaissait son homme, savait sa fidélité et ses besoins. Ils en avaient assez discuté: jamais avec une autre femme mais avec un ami, à l'occasion... Concession. Sans cela, elle n'aurait rien eu, ni Francis, ni enfants, ni grand-papa. Elle comprenait son homme qui aspirait à une autre tendresse, avec d'autres mots, d'autres gestes. Elle savait que le coeur a ses raisons, la nature, ses mystères. Claudine avait du coeur. Ensemble, en parlant et par l'usage, ils avaient établi une paix douce, tranquille, tolérante.

D'ailleurs Claudine pouvait de son côté rencontrer, à l'occasion elle aussi, une femme ou un autre homme. Francis et Claudine se le disaient toujours. Pas en aveux, en amour. Je les voyais s'embrasser: ils me rendaient heureux. Et les enfants donc! Claudine était le genre de femme que j'aurais pu épouser si elle avait été un homme. De mon côté, moi, je voyais à ce qu'il ne manque jamais de condoms à la maison. Ça peut sembler simpliste, mais je savais que ça rendait service. Il aurait peut-être été gênant pour eux, couple marié ou presque, rangé, acheter des préservatifs. Mais moi, vieux vicieux reconnu, dépravé, corrupteur de la jeunesse dans l'opinion de ceux qui ont plafonné avant l'âge de raison, je pouvais me permettre. Et c'est toujours avec un beau sourire que je constatais le besoin de refaire les provisions. Était-ce un autre but de leur visite?... J'avais d'abord laissé les condoms bien à la vue sur mon bureau, puis les avais toujours rangés à la même place. Que ça serve, nom d'une pipe!... Et tacitement, on faisait l'économie de la maladie, au moins de l'inquiétude.

Incidemment, un jour où nous étions tous les quatre, Guy et Jean-Guy, Francis et moi, Francis nous avait donné sa position d'être bisexuel.

– Jean-Guy, c'est vrai, m'a recueilli, sauvé: je suis son petit Moïse. Mais je n'oublie pas Claudine. L'une va-t-elle sans l'autre? Suis-je infidèle à l'une en étant fidèle aux deux?... Je fais l'amour avec Claudine, je suis heureux avec elle. Mais bientôt un goût, un besoin me rappelle mon copain. Ses bras si forts et si doux, tout son corps un peu plus rude, sa tige qui me rejoint, fascine, ses mots si différents, toute cette ressemblance qui nous fait nous sentir entre nous, me ramène vers lui. Encore, après un moment, mon autre pôle m'appelle et je reviens vers elle. Elle sait, mais n'est pas à l'aise. Claudine essaie de comprendre, se débat, craint. Se demande comment me retenir, satisfaire mes besoins, n'ayant pas les attributs masculins. Ce qu'elle se sent démunie! Elle m'en parle, mais on n'arrive à rien, moi-même ne me comprenant pas toujours. Je lui sers souvent l'argument:

– Au moins, je ne te trompe pas avec une autre femme.

– Oui, je sais, mais tu me trompes avec un autre homme.

– Faire l'amour avec toi, Claudine en pensant à Jean-Guy, c'est te tromper aussi. Quand son besoin s'impose, je vais le voir et nous passons de merveilleux moments ensemble. Nous sommes très heureux et je crois que nous ne pouvons nous en passer, lui et moi. Puis je te reviens et suis encore très heureux avec toi. Même, plus heureux parce que plus dégagé, libéré d'une pulsion. Si je ne pouvais jamais rencontrer Jean-Guy ou Sylvain, je finirais par me sentir prisonnier de toi, l'esclave de celle qui m'empêche d'être moi-même. La pression monterait puis je te haïrais. Je ne peux pas vivre sans homme dans ma vie et je ne peux pas vivre seulement avec lui.

– C'est un peu compliqué pour moi qui ne voudrais vivre qu'avec toi.

– Il est un plan, un niveau où seul un autre homme peut nous comprendre totalement, des sensations qui ne peuvent être données et reçues que par une personne du même sexe. C'est la même chose pour la femme. Tu ne me diras pas, Claudine, qu'il n'est pas quelques petits secrets que tu partages seulement avec Marie et auxquels je n'ai pas droit.

– Je reconnais, Francis, une complicité entre Marie et moi. Mais ça ne va pas aussi loin que toi et Jean-Guy, toi et Sylvain.

– Es-tu sûre que ça ne te tenterait pas, des fois?...

– Ah ben là!...

– En tout cas, moi, je le sais pour moi, je le reconnais et je ne peux m'en passer. Tu le sais d'ailleurs, j'ai déjà essayé. Puis je n'étais plus du monde dans la maison, je ne me supportais même plus moi-même.

– Oui, je m'en souviens!... N'empêche que se disperser intimement fait perdre conscience de soi-même. C'est l'autre qui nous révèle à nous-mêmes. Avec la dispersion, on finit par ne plus savoir qui on est. Tandis qu'avec la stricte fidélité, l'autre devient un miroir dans lequel on s'habitue à lire et qui nous montre notre vrai visage. La réaction de l'autre nous révèle un peu le sens de notre action, le fond de notre être.

– Mais un besoin aussi fondamental que la sexualité peut-il être étouffé, refoulé?... J'ai besoin d'un homme, j'ai toujours eu besoin d'un homme. ...Et je ne peux pas me passer de toi.

– Je ne sais pas si ton désir peut être refoulé ou doit l'être. Mais moi, je sais que je préférerais être la seule avec toi.

– Puis le ménage à trois?... Gaétan Quesnel est marié et Maurice demeure avec lui. Sa femme s'est accomodée de cela.

– Francis, je t'ai déjà dit que je n'accepterais jamais ça. Être seul, c'est la solitude. Deux, c'est déjà beaucoup. Mais trois, c'est la foule.

– Puis mes fantasmes de vouloir faire l'amour avec deux lesbiennes?

– Encore là, c'est comme si j'étais une incapable, froide, incompétente. Je me sens diminuée avec ces fantasmes.

– Claudine, encore une fois, on parle de cela, encore une fois, je ne veux pas te faire de peine. Tu es une fille épatante que je crois aimer beaucoup. Même si tu es parfaite en ton genre, tu ne peux pas rejoindre, satisfaire totalement le genre de tout le monde. Tous les goûts sont dans la nature. Et il n'y a pas un homme qui est homme à cent pour cent. De même, pour les femmes. Il y a des hommes qui sont soixante pour cent homme et quarante pour cent femme. Et l'inverse. Et dans toutes les proportions possibles. Ce sont des réalités dans la nature et il faut les prendre comme elles sont.

– En tout cas, tout ça c'est difficile à vivre. Je t'aime bien, Francis, et je voudrais être seule avec toi. Parce que j'ai peur qu'un jour, tu partes avec ton quarante pour cent de femme et que je reste seule avec mon soixante-dix pour cent de je ne sais plus qui.

– Je te comprends, Claudine. Moi aussi, je peux craindre que tu partes avec ton soixante-dix pour cent de femme.

– Mais moi, je ne veux pas vivre avec une proportion. Je veux vivre avec un être au complet.

– Oui, ma douce moitié.

– Ah!... Penses-tu qu'on a avancé à quelque chose?

– Pas vraiment... sinon qu'on s'aime différent.

Jean-Guy, les yeux arrondis par la surprise et l'admiration devant son ami, lui donna un beau baiser. Je n'ai pu m'empêcher de commenter:

– C'est merveilleux, Francis. Je t'admire encore plus ainsi que Claudine. Quel couple extraordinaire, vous faites!

– Merci Michel. Et toi, Guy, avec ta Marie?

Guy, mal à l'aise, parfois agressif, s'est défoulé. La nostalgie brûlait en sa paupière. Il raconta que Marie le surveillait souvent du coin de l'oeil. Son regard l'interrogeait ou lui lançait des reproches quand il rentrait des champs avec Francis. Marie lui coupait les ponts avec lui-même. Sa Marie n'avait jamais pu accepter. Elle restait tendue, soupçonneuse. Souvent, elle menait l'examen de conscience de son mari. C'est elle qui tenait le cahier de charges. Au bilan de l'intimité, les entrées et les sorties devaient s'équilibrer. Saine gestion, avait tranché monsieur le Curé, vérificateur des comptes. Indigestion, constipation, avait commenté Francis, entre nous. Guy avait fait son choix: J'aime mieux ça que me faire traiter de tapette. Ses enfants semblaient plus nerveux, la plus jeune communiquait difficilement. Mais monsieur le Curé était content. Le mouton noir de l'Ange-Gardien s'était fait passer à l'eau de javel de Marie en arrivant dans sa paroisse. Ce n'est toujours pas un couple malheureux, des enfants anxieux qui vont passer avant les normes d'une orientation sexuelle préétablie. La pureté d'une race, ça se maintient, les normes, ça se respecte.

Guy, qui avait toujours de la difficulté à s'exprimer, essaya de résumer la conversation que j'avais tenue avec lui au sujet des documents pontificaux sur l'homosexualité. Il s'était senti un peu humilié par la façon dont le Saint-Office de l'Inquisition devenu Congrégation pour la Doctrine traitait les gais. Je lui avais expliqué que le Saint-Office répétait toujours la même erreur: la sexualité n'a pas d'autre but que la procréation. La sexualité est réduite à la seule fonction animale: la reproduction. Il faudrait que l'Église finisse par se rendre compte que des personnes, ce n'est pas d'abord des sexes. La qualité de la relation, de la communication entre deux êtres est bien plus importante que leur sexe. La relation d'être dépasse le corps. L'homme n'est pas que chair. Et que l'être sexué n'est pas seulement un géniteur, une plomberie à bébé...

Je me souvenais que j'avais parlé rapidement, moi aussi choqué par les déclarations pontificales. J'avais continué. La sexualité a une existence propre, contient sa propre finalité comme la recherche de complémentarité entre deux personnes. Elle est un moyen privilégié de communication, voire de communion. Elle est même signe de dépassement du temps et signe d'éternité. Dans ce cas, il faudra reconnaître l'amour gai, car il recèle cette même finalité. L'Église ne peut donc pas reconnaître l'amour gai, car ce serait reconnaître son erreur passée; alors, elle se rabat toujours sur la nécessité de faire des bébés.

La sexualité doit être revue à la hausse par l'Église. Comme l'édition d'une oeuvre, revue et augmentée. C'est à nous de réfléchir notre sexualité, de lui redonner sa valeur première, son sens originel. Humain. Non pas se contenter de sa seule fonction animale. Et on n'a pas besoin d'attendre l'Église pour réfléchir. La sexualité est autrement plus que la procréation. Autrement plus qu'une gymnastique extravagante pour éviter les relations intimes au profit d'une morale aussi extravagante. Un pape s'occupe d'image visible de l'Église, de suivi dans la doctrine, de ne pas perdre la face en acceptant des changements. Il essaie de tenir ensemble dans un si grand corps, un extrême gauche et un extrême droite. L'aumônier, le curé, – du moins, ceux qui respectent la réalité des gens – s'occupent de la vie, de pastorale. Ils sont pris entre le respect des personnes et de principes dépassés. Ce n'est pas facile. Il leur faut manipuler la vérité avec précautions. Le pape, lui, défend la face; le pasteur, protège la vie. Le pape est esclave des positions officielles passées. Que fait le Jésuite américain chassé de sa chaire universitaire parce qu'il n'enseignait pas la morale sexuelle officielle de l'Église?... Mais moi, on ne me chassera pas de ma chair!...

J'avais épelé le mot chair dans les deux cas pour que Guy comprenne bien. Il avait souri. J'avais terminé avec un air amusé en disant que je revendiquais le droit à mon corps, le droit à ma sexualité. ET D'EN JOUIR! Parce que gai, on ne me classera pas comme une vieille chaussette sophistiquée avec un droit de patente desséché. Vivre sa conscience, c'est plus difficile que vivre avec sa conscience. Avec un partenaire, on peut faire des compromis, pas avec son être propre. On est soi-même, ou on n'est rien. Moi, je veux être moi-même et ce n'est pas une petite menace de péché qui va m'en empêcher. Ni l'enfer qui va me refroidir dans ma décision.

À quelques reprises, j'ai aidé Guy dans ce rappel de notre conversation passée. À la fin, c'est Jean-Guy Courchesne qui a conclu en souriant:

— Les documents pontificaux sur l'homosexualité, c'est de la masturbation intellectuelle pour voyeurs myopes.

Nous avons tous bien ri et il a continué en s'adressant à Guy:

— Guy, je te comprends et te respecte, mais je ne suis pas de ton avis quand je te vois te soumettre. Pour moi, le gai doit être lui-même, honnêtement, dans le respect de tous. Sans cachette. De plus, quand les hétérosexuels sont entre eux, c'est à l'un d'eux de prendre la défense des gais. Comme ça se fait pour les femmes discriminées. Uniquement au nom du respect, de la civilisation, de la non discrimination. Il y aura tellement plus de justice et d'harmonie, quand il y aura partout un hétéro pour appeler à la tolérance et faire remarquer que la plupart, sinon tous les détracteurs des gais, sont eux-mêmes des gais qui se camouflent. Des hypocrites, conscients ou inconscients.

Guy n'a rien répondu.

— Maintenant, Michel, c'est à ton tour, dit Francis. Que dit ta famille de ton orientation sexuelle gaie?

— Ma famille est extraordinaire. Ils savent tous que je suis un solitaire, me respectent; gai, m'acceptent. On se mêle de ses affaires, chez nous.

— Chanceux! s'exclama Francis. Les bonnes familles m'ont toujours un peu fasciné.

— Personne n'est venu me poser de questions quand j'ai vécu avec François ou Guy. J'ai fait de même avec mon frère, mes neveux et cousins. Quand ils se sont mariés, je ne leur ai pas demandé, surpris, pourquoi ils avaient choisi une femme. ... Comment allez-vous arriver à faire l'amour? Puis, si vous avez des enfants, qu'est-ce que vous allez faire? T'as pas peur d'attraper des boutons!?...

Francis et Guy riaient à gorge déployée. Francis répétait:

– ... des boutons... des boutons... Oui, elles en ont des boutons!...

Il riait de plus en plus fort. Il semblait chercher, continuer l'inventaire par moi commencé. Puis des: Ah!... Oh la la!... Il ne parlait que par exclamations, coupait tout, jonglait avec des balles invisibles. Il s'amusait comme un petit fou, sans méchanceté. La vieille grange en avait vu bien d'autres. Guy riait de bon coeur. Son rire me faisait du bien surtout parce qu'il libérait mon ami. Ça lui faisait du bien à lui aussi. Des boutons... mais on n'attrappe pas une femme comme une maladie!

– Et un homme? lui ai-je répondu.

– Eee, non plus. Michel, t'es-tu déjà marié?

– Si peu.

– Si peu... tu es meilleur pour nous faire parler de nous que pour parler de toi.

– Dans la famille, on est célibataire de père en fils...

– Quand t'es-tu aperçu que tu étais gai? Qu'ont dit tes amis?

– J'étais dans la trentaine quand je m'en suis aperçu. J'ai tout de suite décidé de ne pas m'en cacher par honnêteté. Même si ça n'a rien changé pour beaucoup, j'ai tout de suite senti un vide autour de moi. On ne me parlait plus, regardait plus comme avant, pour certains. On souriait parfois, mais pas à moi. C'étaient des connaissances, des relations avec qui je m'entendais bien, en qui j'avais confiance. Des amis parfois. Dois-je dire que ça faisait mal? Peut-être qu'on s'y habitue. Ma solitude était déjà profonde!... Parfois, une larme. En cachette, bien sûr. Une larme, que je me disais, ça nettoie, entretient les chemins de la sensibilité. Il en faut un minimum pour lubrifier la vie. Je changeais de côté ma tête sur l'oreiller... et je nettoyais l'autre joue. Le matin, je me levais et mon coeur se gonflait d'affection pour les oiseaux qui mangeaient déjà leurs miettes sur ma galerie. Je caressais le chien, lui parlais en ami. Il comprenait, ses oreilles se coulaient dans son cou, son regard devenait habité, sa tête se relevait: il semblait apprécier. Il ne détournait pas la tête devant mes yeux. N'avait pas honte d'accepter ma caresse et d'être appelé par son nom. Il entendait ma voix, la reconnaissait; il avait confiance en moi, et mon respect. Pourtant, il savait...

Mes amis étaient devenus tout émus. Guy a demandé:

– Et tu as continué à t'afficher, affronter?

– Oui, tu le sais. Je me suis battu. Les minorités, les mal-aimés, les laissés pour compte, j'ai toujours été de leur côté. J'ai toujours essayé de les aider. Sans rien demander de plus. On ne fait pas l'amour avec une classe sociale. On l'aide ou on l'affronte. Je l'ai aidée.

– Et qu'est-ce que ça t'a donné?

– De vous connaître, de vous aimer.

– Encore tes gentillesses. Parle-nous de toi. As-tu haï?

– J'ai souvent haï, j'ai eu souvent pitié. Le soir parfois, je rappelais tout bas aux ennemis: Moi, je ne croîs pas dans votre pot, ailleurs est ma demeure. Si vous m'assassinez, vous n'aurez que ma peau, vous ne connaîtrez pas mon ailleurs, ni ma demeure. Vous ne connaîtrez pas pour qui mon coeur bat, en quel lieu, ni comment. Vous ne connaîtrez jamais ma douleur, mon feu, ma couleur. Vous vous serez privés d'un bonheur.

Jean-Guy m'a demandé:

– Maintenant dans la cinquantaine, comment vis-tu ta vie de gai?

– Je pourrais vivre autrement, mais j'ai cloîtré mon coeur au coeur de quelques amis. Vous, plus Sylvain et quelques autres que vous connaissez. Je n'ai besoin que de vous serrer dans mes bras. Ce faisant, c'est toute ma vie que j'embrasse. L'accolade d'abord à toute ma jeunesse, à tout ce que je n'ai pas su, à tout ce que n'ai pas pu. J'aurais tellement aimé physiquement et si souvent si j'avais voulu! Mais je n'ai travaillé que pour les autres. Pour qu'ils aient la vie, la liberté, je me suis battu. L'accolade ensuite, à tous ces drames à quinze ans et qui font pleurer; à tous ces drames à quarante ans et qui font souffrir. Non, pas de sexe. Seulement votre tendresse... sa caresse sur ma vieillesse, par-dessus la caresse de François. Francis, toi, tu seras le dessert...

Puisses-tu vivre, toi et les autres, ce que j'ai désiré à votre âge. Vivent la liberté que je n'ai jamais eue, le bonheur, même si on me l'a empoisonné! Aujourd'hui, après mes petites batailles, je reste à l'écart et savoure de loin mes humbles victoires. Je me répète encore pour m'encourager: qu'ils soient heureux, qu'ils vivent, ces jeunes, même ces jeunes gais qui se détournent, se moquent quand je passe. Oui, c'est vrai, je suis vieux, j'ai perdu ma beauté. Que mon nom soit oublié: qu'importe, devant l'éternité. Qu'importe, s'ils ont la liberté.

Jean-Guy était encore tout éberlué. Me montrant, il dit à Francis et Guy:

– Je vous envie d'avoir un tel ami.

Guy, devenu tout triste, a penché la tête en s'approchant de nous. Nous nous sommes tous rapprochés en cercle et, plaçant nos mains autour du cou de chacun, avons collé nos têtes ensemble. Guy, supportant si mal sa solitude, a placé sa tête dans mon cou: il pleurait.

Un peu plus tard, on a pris le chemin et Guy m'a demandé:

– Michel, as-tu été heureux?

– J'ai vécu les plus grands bonheurs: tu fus un de ceux-là. Et les plus grands malheurs. D'autres appellent ça: pour le meilleur et pour le pire. Et il n'est pas nécessaire d'être marié pour ça.

Après une longue pause,

– En ce moment, c'est le meilleur. Je crois que le pire est passé à tout jamais: j'ai retrouvé Francis et je vous revois tous, vous que j'aime tant. Revenez souvent.

Guy a continué:

– Michel, ta présence me fait tellement de bien!...

Ce mot peut sembler banal, mais venant de Guy Martel, ce puits de sincérité, de bonté, ce salut de ma vie, j'oubliais mes petits tracas d'homme vieillissant. Mes yeux s'abreuvaient à cette source merveilleuse, refaisaient le plein, nous revoyaient vingt ans en arrière. Je répondais: merci, ou rien du tout. Toujours aussi gauche pour recevoir, plus élégant pour donner. D'ailleurs, il demandait souvent:

– Ta santé?...

Guy n'attendait peut-être pas de réponse précise ou seulement voulait-il s'enquérir d'une éventuelle détérioration. Devant mon silence parfois, c'est Francis qui répondait. C'est le reste qui m'importait, pas les formules de politesse. Je n'en avais que pour les rites célébrant notre grande tendresse: questions et demi-phrases, tapes dans le dos et clins d'oeil, confidences et complicités. Quatre hommes, trois générations, mais un seul coeur. Du cep principal, fécondé par notre amour: François. François d'où descendaient toutes ces grappes offertes, ces promesses célestes. Leur coeur battait-il aussi vite que le mien? La chaleur à leurs yeux me répondait: oui.

chapitre XXVI

Il m'est arrivé en catastrophe, tout excité, blême, hors de lui.

– Michel, tu es mon ami?...

Je ne répondais pas, tellement surpris. Il me regardait nerveux, impatienté.

– Tu es mon ami?...

J'ai dû acquiescer.

– Si tu es mon ami, tu vas respecter ma décision.

– Bien sûr, Francis!

Je voyais bien qu'il fallait l'accompagner sur un bout de son chemin afin de connaître son secret. Lui donner la main. Puis le drame éclata.

– Michel, je ne veux pas mourir seul.

Mon coeur s'arrêta. Combien de temps suis-je resté sans respirer? Il enchaîna:

– Si tu es vraiment mon ami, tu vas me respecter et me laisser aller. Je veux seulement ne pas mourir seul. Veux-tu rester mon ami?

Le souffle coupé, je cherchais à m'accrocher. Quoi? Qui? Comment?... Encore une catastrophe dans ma vie. Télescopage de deux volontés. Jusqu'où va sa liberté? Et la mienne? Où commence sa liberté?... et mon respect de la vie?...

– Mais veux-tu bien me dire ce qui t'prend!

– Ma femme m'a quitté. Mon enfant aussi. Je les ai battus. Claudine a voulu protéger le petit... Sa bouche saignait. Je ne la ferai plus jamais saigner! Je ne frapperai plus jamais d'enfant!...

– Mais Francis, c'est arrivé très rarement depuis les Parents Anonymes.

– Plus souvent que tu penses. Beaucoup trop souvent. Ma honte m'étouffe.

– Francis...

J'essayais de le caresser de la main, le consoler. Je cherchais des mots, l'atteindre. Peine perdue: peine capitale. Il voulait mourir, j'avais les mains nues. Comment le sauver?... Francis, tremblant, à bout de nerfs, continua:

– Mon coeur est pourri. J'ai honte. J'ai honte comme jamais je n'ai eu honte. Ça a trop duré: c'est fini.

– Mais Francis, on en a assez souvent parlé. Ce sont tes émotions qui sont malades, pas ton coeur. C'est ton enfance qui fut pourrie, pas ta vie.

– Michel, je ne veux pas continuer la chaîne du malheur. Parce que j'ai été violenté par mes parents, je violente ma femme et mon enfant. Mon fils en fera autant. Non! Cette souffrance s'arrêtera avec moi.

– Non Francis, ne commets pas cette injustice contre toi-même. Tu retournes cette violence contre toi. Tu te fais ta propre victime. Ce n'est pas plus juste que de la passer sur ton fils. Raisonne-toi.

– Jamais je n'accepterai de faire à mon fils ce que les Labrecque m'ont fait!

– Non Francis!...

– Je m'en veux trop. J'ai trop honte. Ils sont partis, c'est fini.

– Où sont-ils?

– À la maison Entr-Elles. Claudine va dire à tout le monde ce que j'ai fait. J'ai trop honte. Je ne suis pas capable d'aimer: j'm'en vais.

– C'est pas vrai: tu es capable d'aimer! Ce que tu ne veux pas, c'est de te laisser aimer, te laisser aider. Parents Anonymes, moi, Claudine...: on veut t'aider. Laisse-toi donc aider, laisse-toi donc aimer. Aie le courage de te laisser aider, la simplicité de te laisser aimer.

– C'est trop tard. Je me le suis trop souvent promis: mes enfants ne vivront pas ce que j'ai vécu! Point. Il n'y a plus à revenir là-dessus.

– Puis moi, tu me laisses tomber?

Suppliant, il insista:

– Respecte ma liberté.

– Il y a quelque chose qui ne va pas en ce moment. Si on attendait à demain? Si on en parlait en attendant?

– J'ai ramassé toutes les pilules dans la maison. D'ailleurs, j'en ai déjà assez pris. Mais je vais continuer. Si tu m'aimes, tu vas me laisser faire. S'il te plaît, accompagne-moi. Je ne veux pas être seul.

– Je veux bien t'aider, mais pas à te tuer!... Qu'est-ce que tu penses que je ressens?... Ça me fait bien plaisir que tu aies pensé à moi en ce moment, que tu m'appelles encore ton ami. Mais ce que tu me demandes est déchirant!

Francis, la respiration bruyante et rapide, comme un tic tac tragique, annonçait une grosse charge émotive: bombe à retardement. Comme parfois devant son enfant. La voix brisée par l'émotion, se démolissait.

– Mon fils pleurait si fort!... Je l'ai déraciné de la vie. De mon coeur. J'ai fait vivre à mon fils enfant mes vendredis soir. Les taloches que j'ai reçues de ma mère et de mon père, je les lui ai rendues. C'est répugnant. Jamais, je ne me pardonnerai.

Suppliant comme un enfant qui appelle à l'amour, à la vie,

– Michel, laisse-moi m'en aller.

Sur le même ton, j'ai ajouté:

– Francis, laisse-nous t'aimer. Encore. Laisse à ton enfant le temps de te pardonner, le temps de continuer à t'aimer. Retrouve le goût de toi-même!

— Je ne suis plus digne d'avoir un enfant.

— Le drame épouvantable de ton suicide va seulement empirer l'état psychologique de ton fils et de ta femme. Ils se sentiront si coupables le reste de leurs jours. Si tu ne veux pas les briser, sépare-toi d'eux, s'il le faut. N'empoisonne pas le reste de leur vie en te suicidant. C'est si difficile à accepter. Si tu savais ce que j'ai vécu... à la mort de ton père. Ne me fais pas revivre...

Ce fut à mon tour d'être brisé par mes pensées, mes émotions. Mais on dirait que Francis échappait aux raisonnements. Sa décision avait été prise et le moyen pour y arriver semblait maintenant irréversible. Ses yeux devenaient vitreux, ses gestes imprécis.

— Michel, je ne t'en veux pas. C'est à moi que j'en veux. Ne parle plus d'ça. D'ailleurs, je recommencerais avec d'autres. Je suis un enfant maudit.

— Veux-tu, on va appeler ta femme à la Maison Entr-Elles? Je suis sûr qu'elle comprendra.

Un non sec coupa court.

— Michel, laisse-moi tranquille. Reste seulement avec moi... mon seul ami...

— Mais tu veux me détruire, Francis. Ta vie, c'est ma vie.

Il ne m'entendait plus. Il marmotta quelque chose que je ne compris pas. Oh! Francis, pas ça! Ah non!... en me parlant plus à moi-même qu'à lui, en m'adressant au destin plus qu'à la justice. Francis!... Il semblait n'entendre qu'un vague écho.

J'essayais de le distraire, de l'éloigner de lui-même. Trouver quelqu'un, quelque chose, l'éloigner de son problème. Il était à la dérive: comment le retenir? Un manque de sens à la vie peut-il donner un sens à la mort?... Il nous vient tant de questions en ces moments! Et si peu de réponses. Je tenais à deux mains son bras. Le retenir? Il était déjà parti. Je le sentais déjà comme un esprit. Évanoui. Je parlais dans le vide. Seule une image vacillait devant moi titubant ses derniers pas.

– Voyons, reprends-toi!

Il ne m'entendait pas. Blême, nerveux:

– Ne me laisse pas. Tu me mettras une couverture sur les pieds, si tu pars. J'ai peur d'avoir froid. Je vois des couleurs... Des vertiges...

– Ah non! pas lui aussi.

D'un coup est remontée dans ma mémoire toute ma lutte avec François. Notre lutte contre la mort. François avait fait son choix. Dans une même vie, peut-on vivre le Calvaire deux fois?... Tout s'est fait, s'est dit en l'espace de quelques minutes, deux, peut-être. Oui, l'éternité existe, l'absence de temps. Ce fut si long, si lourd en quelques instants! L'éternité serait-t-elle toute dans l'intensité? Quoiqu'il en soit, je sentais François. Sa vie, sa mort, sa lutte, mon désarroi. Il m'envoyait son fils, – lui aussi – pour me sauver ou le sauver? Devoir à reprendre... J'ai jailli de mon passé, ai saisi sa main. Main de François. Vingt-quatre décembre.

– Pas toi aussi!?...

– Reste avec moi.

Que c'est rapide pour sauver un être! On cherche de l'air, un espace pour réfléchir. Si on prend le temps d'aller prier, consulter, il est certain qu'on n'aura plus le courage de revenir. D'ailleurs, l'autre serait déjà parti. Quoiqu'il en soit, j'aiguisais mes réflexes, cherchais à le rattraper. Sauver du temps, que je me disais. Le temps de le sauver! que je priais... pendant que mon ami se perdait.

J'ai eu la présence d'esprit de ne pas l'inviter à s'asseoir. Nous restions toujours debout l'un près de l'autre. Le faisais marcher. J'avançais de trois pas, l'entraînant. Il me suivait, lancinant. Si je le devançais un peu trop, il sortait de sa poche une poignée de pilules qu'il se lançait dans la gorge. J'accourais, prenais son bras:

– Voyons, qu'est-ce que tu fais?

– Michel, respecte-moi. Ma décision est prise: c'est terminé.

– Non, que j'te dis!

Je tirais sur son bras pour le faire avancer, le soutenais, faiblissant sous son poids.

– Veux-tu, je vais téléphoner à ta femme, on pourrait en parler tous ensemble?

– Non, on vient de se quitter et se dire le fond de notre pensée. Il y a trop longtemps que ça dure! Laisse-moi m'en aller.

– Non, ça n'a pas de bon sens!

– Si tu ne veux pas, je prends la camionnette et je vais partir... seul.

– Non! Arrête de prendre ces pilules. Tu en as déjà bien assez. Donne-moi ça!

J'ai beaucoup insisté pour tout lui enlever. Mais il était encore très résistant.

– Si tu es mon ami... Tu es le seul ami que j'ai. C'est avec toi que je veux partir. Laisse-moi mes derniers moments. Je veux un ami, au moins pour mourir.

N'en pouvant plus, j'ai commencé à sangloter. Quand même je tirais son bras qui ne suivait pas. Puis, sa main.

– Viens.

Il faisait deux pas, allait tomber. Je m'approchais pour corriger l'équilibre.

– Appuie-toi sur moi.

– Michel... Tu as toujours été si bon avec moi.

– Je voudrais l'être encore, ne t'en va pas comme ça. Viens avec moi à l'hôpital.

Je me dirigeai lentement vers la porte chargé de mon précieux fardeau. Mais il résistait toujours. De nouveau, nous avons refait la longueur de la cuisine puis le salon. Son estomac se révoltait. Des rapports douloureux grimaçaient sur sa figure. Il essayait d'avaler sa salive dans sa bouche desséchée. Ses lèvres blêmissaient. Ses yeux se révulsaient. Le poids de sa plaie s'appesantissait de plus en plus au creux de mon épaule. Sa langue cherchait toujours une avare salive dans sa bouche et ses lèvres séchées. Essayait de ravaler: néant. Il s'en allait. Et la mort qui rôdait!... Non, que je me suis dit, là, c'est assez. Je peux l'emporter. Ses yeux se révulsaient toujours. Il devenait de plus en plus lourd, mais sa résistance faiblissait. En silence, l'ai dirigé vers la porte, l'ai presque traîné jusqu'à mon auto puis roulé sur la banquette. Suis parti. La course contre la mort venait de commencer. Elle est toujours si rapide. Et j'étais si défait.

Je me sentais comme Tobie. Tobie enterrait les morts qu'on lui apportait la nuit, que lui apportait la nuit. Il les cachait chez lui. Le soir, il les lavait, embellissait pour la grande cérémonie. Puis, seul dans le secret, creusait des tombes dans les ténèbres, y enfouissant ses mystères. Il est impur de toucher à un mort, tranchaient les interdits. Et Tobie s'activait. Serai-je toujours ce Tobie qu'on démolit sous le poids de la vie qui s'enfuit?... Et je m'activais.

J'ai si souvent passé ma main sur son front moite. Pâle? Jaune. D'un jaune profond, épais, insidieux. Jaune-maladie. Malheureux. Des tuyaux le pénétraient, le vidaient. Des secousses l'agitaient. J'étais maintenant seul avec lui dans la chambre des mourants.

– Francis, Francis, ne dors pas!

Ses belles lèvres si pâles, charnues, un peu enflées peut-être? remuaient avec sa langue séchée, cherchant le baume d'un peu de salive. Avec une ouate mouillée, je les humectais. Sa langue venait s'y coller quelques instants, immobile. Je prenais sa tête à deux mains, serrais ses tempes dans mes paumes attendries. Francis, que je disais. François, que je pensais. Même calvaire, même agonie. Quelle est cette fatalité de la vie? L'un crucifié à un lit d'hôpital, l'autre à une grosse épinette. Même chagrin, même destin. Francis, François, deux lèvres d'une même plaie. Entre les deux, je saignais.

Il semblait s'engourdir.

– Francis, je suis ici: reste avec moi. Francis!...

Je le bousculais. Il prenait parfois un petit moment avant de répondre à mon attente. Mon coeur se serrait: l'ai-je échappé, laissé aller? Je le violentais un peu plus. Puis sa langue s'agitait, cherchait un puits dans son désert. Une femme l'avait laissé. Un enfant qui pleurait... Il les avait frappés.

– Je pensais être aimé, m'avait dit un jour Francis, au moins, je croyais m'aimer.

L'ai encore secoué. Je bougeais ses mains, ses bras. Je lui frappais maintenant la figure avec ses propres mains. Je le caressais?... Je sentais ses bras si forts, si musclés. J'aimais toujours son père. Me suis penché, ai embrassé son visage. Puis j'ai collé ma joue sur sa joue. L'ai aimé.

– Bouge, Francis, bouge, dis-moi quelque chose.

Je le bousculais de plus en plus. C'étaient maintenant les épaules. Elles étaient si lourdes, épaisses, dures malgré la mollesse de tout son corps. Je plaçais son bras sur sa poitrine et à deux mains soulevais son épaule que je laissais retomber. Son bras suivait et tombait sur le lit. Mouvements. Je devais l'empêcher de rêver. Rêver à la fin. Au lendemain. Et moi qui y rêve si souvent!...

– Non, Francis! Je suis là. M'entends-tu?

Trois fois ma question. Trois fois, mauvaise réponse. À la fin, un vague petit râle.

Francis, je ne vis que pour toi. Dans mon grand champ, tu es semence qui a poussé, espace qui s'est habité. Tu remplis ma vie comme grand arbre au-dessus de petite fleur. Tu habites mon ciel, je ne vois que ton feuillage. Tu m'égrennes quelques rayons de soleil: ils me suffisent, venant de toi. M'arroses de quelques gouttes, celles qui t'ont caressé du haut jusqu'en bas, puis sur moi s'égouttent. Dans les grands vents, c'est toi que me protèges, dans les sécheresses, me couvres de ton ombre. Mon grand arbre, j'ai poussé sur tes racines; aujourd'hui, je les défends. Je veux te partager mon eau, sucs, humidité. Sens-tu que je t'aime?... Si tu meurs, je meurs aussi.

J'ai passé ma main sur toute sa figure, ses belles joues rondes, son menton; j'ai frôlé ses lèvres. Une caresse. Comment ne pas l'aimer? J'ai serré ses tempes, contourné ses oreilles, rejoint, palpé sa nuque. Humide sous ma main caressante, j'ai senti son coeur sous mon pouce. Appuyé sur sa gorge, mon pouce buvait ses palpitations, partageait son combat. Quelles étaient douces à savourer, rassurantes; pour moi, nécessaires. Il était le sens de ma vie: aurais-je pu lui survivre?... Si fragile, comment ai-je pu vivre jusqu'ici? Je sentais que Francis avait besoin de moi. Je l'attendais. François me l'avait confié, j'en étais sûr. Au seuil de la nuit, sous le réverbère, je l'avais cueilli, lui aussi petit oiseau tombé du nid. Comme son père, avait besoin d'appui. Sur la branche maintenant, Francis menaçait de tomber. Je le soutenais, m'attachant autant que lui à la vie qui s'agrippait. S'il devait tomber, il m'écraserait. Sa vie, c'est la mienne. Après lui, ce serait fini.

– Francis, j'ai besoin de toi. Réveille-toi. Parle-moi. M'entends-tu?...

Bien sûr que non. Je le secouais. Je soulevais une épaule le plus que je pouvais puis la laissais retomber. Lourdement. Le lit geignait. Après quelques reprises, un petit grognement que j'ai cru deviner d'impatience. C'est bien, que je me suis dit.

– Francis, ça va bien? Comment te sens-tu? Parle-moi.

J'ai tellement besoin de toi, petit oiseau perché sur ma plus haute branche. Amuse-toi dans mon feuillage, fais-y ton nid. Te protégerai toute ma saison. Après, autonome, tu t'envoleras. Je laisserai tomber mes feuilles et t'ouvrirai tout l'horizon. Tu t'envoleras, vivant. Tu t'envoleras, vivant. Vivant. Francis toujours vivant! J'ai posé mes doigts sur sa gorge, puis mes lèvres brûlantes; me suis ennivré de ses battements. Comme les battements d'ailes de l'oiseau qui vient d'échapper au chasseur. Merci Francis d'être là. Merci à ton coeur qui bat. Et j'ai dit encore plus bas: Je t'aime, Francis. Puis, entre mes deux mains étendues à plat sur sa poitrine comme un pansement de baume, de soulagement, ai posé ma joue. J'ai ausculté tous ses battements, analysé ses entrées et sorties de sang, désiré en suivre chaque goutte. Me répandre en ses veines, visiter en ami tout son territoire, admirer son paysage. Peut-être y planter de grands arbres, y semer une multitude de fleurs. L'embaumer d'une profonde amitié. Je lui offrirais aussi de visiter mon coeur, de partager mon bonheur, de transformer ma vie. Par sa vie.

– Francis, tu ne m'as encore parlé. Francis!

Je l'ai encore secoué. J'en profitais pour le caresser. Je n'osais pas trop bouger sa tête à cause des tuyaux qui traversaient son nez. Peur de le blesser. Mais ses épaules, ses bras! Tout était si beau, si fort!

Je n'arrêtais qu'à un signe de conscience, une idée d'impatience.

– Tu ne peux pas dormir, Francis; tu ne peux pas partir. Je te tiens par la main; ne crains rien. Parle-moi.

Il restait coi mais son coeur battait. En cette nuit, j'ai bu tout son sang, je ne sais combien de fois. L'ai caressé, caressé; je sentais bien que ce serait la seule nuit. L'infirmière venait, vérifiait, s'informait.

– S'il ne dort pas, tout est possible. S'il dort, c'est le coma et...

... Et je m'activais. De caresses en brusqueries et de brusqueries en caresses, j'agitais la conscience de Francis. Je lui parlais mais n'avais jamais de réponses. La tête me grossissait, la fatigue s'appesantissait. Je le secouais, je me secouais. Et la nuit avançait.

Guy ne m'avait-il pas sauvé de même façon? Il m'avait pris dans ses bras, porté toute la nuit. Jusqu'au matin. Toute ma nuit, avait veillé sur mon empoisonnement. Au matin, ne s'était pas couché mais avait tout remis en ordre chez moi pour préparer mon retour. Heureux retour des choses. Je rapporte à Francis le salut apporté par Guy. Puisse-t-il en profiter! Je secouais toujours Francis, l'aimais, sauvais.

Francis, te souviens-tu à seize ans quand tu m'arrivais, comme je te serrais dans mes bras! Mes lèvres coulaient dans ton cou. Le collaient, t'aimaient. Tu me serrais si fort! Je sentais tes pectoraux si durs, j'entendais battre ton coeur. Je sentais tes biceps si développés sur le haut de mes bras; tu sentais battre mon coeur. Je sentais tes hanches, tes cuisses, on sentait notre sexe. Tu étais si beau, je t'aimais. Tu étais mon fils, je t'adorais. La plupart du temps, tu voulais te baigner.

– Dans la rivière, c'est si rare pour moi.

Tout nus, nous entrions dans l'eau. Elle était tiède, le courant léger. Le soleil s'y mirait, nos corps s'y baignaient. Lentement, dans un léger corps à corps avec l'eau, nous avancions comme un seul nageur: d'une seule main, l'autre autour du cou. Au milieu de la rivière, à ce havre de gravier, en retraite, séparés du quotidien, nous nous retrouvions assis sur une grande pierre à fleur d'eau, nous tenant toujours la main. Assis dos au courant, il nous massait doucement. Notre coeur se débattait.

– Tu es si beau, Francis!

– Tu es si bon, Michel!

C'est au niveau du coeur que l'eau nous contournait, caressait. Mobile, souple, transparente, elle se soumettait à notre présence, chantait au détour. Une fois passée, elle s'unifiait à nouveau dans un petit remous qui s'égalisait aussitôt: l'eau s'adapte si bien.

Assis côte à côte, le bras autour de la taille, on regardait couler l'eau, emportant dans son courant, de grands morceaux de malheurs. Parce qu'on vivait le bonheur. Fragile. Parce qu'on ne se demandait rien, ne se promettait rien. Parce qu'on était bien ensemble. Gratuitement. En confiance. Fragiles. Parce que ça ne durerait pas longtemps. Ici, tout était vrai, naturel. Bientôt, tu retournerais au tape-à-l'oeil, à l'artificiel. Je te serrais bien fort, me disant ta bouée, pour que toujours tu te souviennes de la pression de ma main à la taille de ta fragilité. Te souviendras-tu, dans le besoin, de cet oasis pas loin?...

Oui, tu t'en es souvenu puisque tu es venu cette nuit partager avec moi les ténèbres de ta vie. Merci, mon enfant! ...Puis, de toutes mes forces, t'envoyais mes ondes les plus positives. Ondes blanches, affection, espérance. Francis, jouis de ce repos, de cette halte dans ton long voyage en dehors du chemin. N'oublie jamais cette pierre au milieu de la rivière, ce haut-fonds où se soulèvent et se décollent les gales de nos misères. Souviens-toi de cette délicieuse sensation de la vérité de l'eau qui caresse ton dos, mouille et fraîchit tes hanches, ton ventre. Surtout de mon bras te chantant mon coeur.

Ma main fortement fermée, serrait ton côté, j'y sentais déjà tes abdominaux. Puis descendait jusqu'au haut de ta cuisse. Mais s'arrêtait là. Ma tête se penchait sur ton épaule. Tous mes oiseaux chantaient, mon soleil, mon champ s'offraient. Je priais tout bas: Francis, si tu voulais... si tu pouvais... Encore parti, assis sur une roche plate, tu m'offrais l'image de l'absence. Une très lente respiration, un vague dans les gestes, un voile dans le regard, tu me répétais parfois: C'est *tripant*. C'est *tripant*. Je te sentais si loin. Puis, tu te refermais sur ton silence. Tu semblais perdu dans un grand rêve, regardant très loin. Le passé? le futur? le vide sans doute?...: je n'en savais rien. Parfois ta tête se tournait un peu, fixait ailleurs ses yeux. Et tu repartais pour un autre voyage silencieux. D'autres fois, tu me disais:

– C'est super. C'est super, Michel!

– C'est beau la nature. C'est beau le paysage quand tu es là.

Là, tu te tournais vers moi. Des étoiles brillaient dans tes yeux, coulaient sur tes joues, glissaient dans l'eau. Le courant illuminé semblait sillage de bateau sur mer d'étoiles. Tu me serrais dans tes bras, petit satellite si heureux de tourner autour de ma terre.

On se couchait à plat ventre sur le rocher. Notre seule tête hors de l'eau, nous voyions venir le courant. Je te disais parfois, l'air de rien: Ne pas trop regarder derrière; vaut mieux regarder devant. Le courant, demain, le vent. Nous collions nos tempes ensemble et, complices pour le jeu, enfoncions notre tête sous l'eau. À ce beau contact, on sentait battre notre coeur. Sous l'effort, il semblait parti au front. Calme, détendu, je ne craignais rien; je tenais ta taille, retenais mon souffle. Puis tu t'agitais dans ton insécurité, vie asphyxiante, manque d'air. Tu sortais ta tête inquiétée, je m'entêtais sous l'eau. Pas trop longtemps pour ne pas t'humilier. En sortant, je passais mes mains sur ma figure pour chasser l'élément. Après, seulement, je respirais. Je voulais d'abord te regarder. Ta figure toute rouge, ruisselante d'eau et de plaisir. Les merveilleuses petites gouttelettes du bonheur ruisselaient sur ton front, frissonnaient sur tes tempes, enjolivaient tes joues. Tes cils détrempés retenaient les étoiles qui se bousculaient au coin de tes yeux. Les aisselles de ton nez regorgeaient d'eau pure. Tes cheveux très longs, en longues traînées, libéraient leur trop plein. Toute ta figure rayonnait des joies simples de l'enfance retrouvée, des plaisirs purs de la nature.

Avec un ami qui joue à nos jeux, la confiance, le calme. Désintéressé. Non pour tes faveurs, ton sexe, tes services. Seulement par amour. Fidélité.

Sur une roche, au milieu d'une rivière, deux grands coeurs battaient.

Nous quittions notre grosse pierre, une main autour du cou, l'autre à la nage. En tête à tête, en coeur à coeur, chacun sauvant la moitié de l'autre. Quittant le lit de la rivière, nous revenions à la maison, nos vêtements à la main. À la main, parce que je tenais ton autre main. Le soleil nous caressait; une caresse étant toujours utile, elle nous séchait. Puis nous réchauffait. Mon sexe en demi érection regardait parfois le tien. Excité, le tien?... je ne savais trop, il était toujours si gros. En silence. Pourquoi parler quand on s'aime tant?... Sommes entrés, avons bu et mangé.

– Si tu veux coucher... tu connais ici ta liberté.

– Et ta bonté, ajoutais-tu.

Je n'ai jamais touché ton sexe, je n'ai jamais rien demandé. Je t'ai seulement serré dans mes bras, dans mon coeur. Mes lèvres dans ton cou, ma main dans ta main. Même si je te désirais, je ne m'en sentais pas digne.

– FRANCIS!!!...

Un grand cri. J'ai dû réveiller tout l'étage.

– FRANCIS!

Son coeur ne battait plus. Une garde est arrivée, un infirmier, un médecin. Une armée n'aurait pas suffi à ma détresse. Je tenais sa main, caressais son front,

– Francis...

désespéré.

– Éloignez-vous, dit le médecin.

Aveuglé par la rage, écrasé par le désespoir, fou, je me suis jeté sur le mur de la chambre, l'ai défoncé d'un coup de poing. À mon front, une entaille profonde, à mon coeur, un gouffre sans fond. Je tremblais de tout mon corps aux mains de l'infirmier. Je voyais si peu le médecin essayant de ranimer.

– Francis...

que je pleurais maintenant. Il ne me fallait qu'un souffle: le sien. Sur sa poitrine, les grands coups de poing, les chocs, la piqûre, ce n'était rien. Je ne voulais qu'un souffle: le sien.

– Je voudrais mourir à ta place. Te laisser ma vie, ma terre... Francis, reviens!

Francis n'entendait rien. Je sentais une profonde torpeur m'envahir, m'engourdir. Lui aussi?... Ce serait trop. Je n'accepterais jamais, cette fois. Pour moi, ce serait la fin.

– Francis, ne me fais pas ça!

ai-je crié dans de grands sanglots déchirants. Je voyais son beau corps tressauter sous les chocs électriques. Il restait indifférent, retombait lourdement. Un grand voyage attirait ses regards au loin, là-bas. Des lumières l'appelaient peut-être, mais moi, je n'acceptais pas et n'accepterai jamais!

Francis ne répondait pas. Mon coeur se tordait.

– Maudite vie! Chienne de vie!

Ma gorge brûlait sous les cris de rage. Le sang me coulait dans les yeux, me dégouttait au bout des doigts. Je voulais mourir, je voulais mourir. Immédiatement! si Francis ne voulait revenir. Je voulais, je voulais et Francis ne revenait pas. Il était pâle, bouche entr'ouverte, les yeux mi-clos. Francis avait-il ouvert ses ailes pour de bon? Était-il déjà trop loin?... La terreur maintenant me paralysait. Je le fixais, sentais son âme s'éloigner. François n'était sûrement pas loin. Je me suis jeté à genoux: j'ai prié! Sauvagement! À la fin, un peu calmé, mais suppliant de désespoir:

– Francis, s'il te plaît, fais-le pour moi!... Peut-être seras-tu plus heureux qu'avant...

M'ouvrant les yeux, il respirait.

J'ai bondi de joie, j'ai crié, j'ai pleuré, j'ai sauté sur ses pieds et les ai embrassés par dessus les couvertures. Une voix:

– S'il vous plaît...

Je me suis jeté à plat ventre sur le lit d'à-côté. La tête dans l'oreiller, je pleurais à torrents. Tout mon corps se soulevait en soubresauts convulsifs, en sanglots arrachés du fond de mon être. Tout mon corps, revenant des limites du désespoir, se vidait dans mes yeux. Je m'écoulais tout entier, me déshydratais. Je n'étais plus que réflexes, instincts, incohérences. Mes nerfs s'énouaient des tortures tantôt imposées. Puis je me suis senti étouffé, pâmé. Ils ont dû m'aider, apaiser. Ils avaient maintenant deux mourants. Ils m'ont donné un léger sédatif, qu'ils ont dit et demandé de rester sur le lit.

– Mais Francis?!

– Je m'en occupe, je vais rester près de lui.

Je regardais Francis qui semblait encore jaune en profondeur, tellement il était blême. Sa respiration était lente, semblait voguer au fil de l'eau. Très mou, détendu, vivait son plus long et pénible voyage. Où irait-il accoster?... Une plage perdue? Robinson Crusoé. Un autre port de la drogue, où l'on part si souvent mais revient si rarement? À la grande patrie, accueilli par François, son père, Jonathan le Goéland?...

Francis, je pars, moi aussi. Je sentais une grande chaleur, comme main d'ami sur ma poitrine, douce pesanteur. Son autre main fermait mes paupières. Mes épaules, mes bras s'apesantissaient. Des nuages m'emplissaient la tête. Je me suis encore tourné vers Francis. Il respirait. L'infirmière qui me regardait,

– Ne vous inquiétez pas, je reste près de lui.

Je me suis endormi. Un profond sommeil, vide, bête, sans rêves. Quand je me suis réveillé, Francis geignait, se plaignait; je jubilais. Je me suis appuyé sur mon coude pour mieux le regarder et me suis écroulé au fond de mon lit. J'ai demandé:

– Comment va-t-il?

– Il va très bien: il est sauvé.

– Gargouille, bougonne, Francis, plains-toi, peu importe! Tu es sauvé!

Le ciel peut disparaître, la rivière cesser de couler, mes animaux mourir, mon puits se tarir, peu importe, Francis est sauvé! Mon fils qui était mort, voici qu'il vit. Il était perdu et je l'ai retrouvé. Mon enfant est ressuscité... Alleluia, chantait mon coeur!... À plat ventre dans mon lit, au travers des barreaux, ai tendu ma main vers lui. Ah! lui toucher la main, la figure, le caresser de ma reconnaissance!...

– Pourriez-vous rapprocher mon lit?

– Dormez encore un peu, monsieur.

chapitre XXVII

Mon front était suturé, ma main pansée. Dans le grand silence de la chambre désertée, un grand calme après l'épouvantable bataille...

– Francis...

humblement comme une supplique, tout doucement comme une caresse. J'étais tout saisi, ému, très impressionné: il avait vu l'au-delà. S'en souviendra-t-il comme tant d'autres avant lui?... J'avais contré son projet et il se retrouvait encore de ce côté-ci: m'en voudra-t-il? Ses yeux fermés, sa figure détendue, respirait calmement. Dormait-il? Inconscient?... Que se passait-il dans sa tête, en son coeur?...

– Francis...

en espérant ne pas le réveiller. Il a ouvert les yeux, regardé au-dessus de lui. Ses yeux m'ont cherché puis sa tête s'est légèrement tournée. Un regard très douloureux a rejoint le mien, une grande douceur, tendresse filtrait au-travers de sa souffrance. Ses yeux me fixaient intensément. Il n'avait pas besoin de parler. Je saisissais sa douleur, lassitude; recevais sa reconnaissance, ses regrets. De grosses larmes ont commencé à couler, ont augmenté, puis le flot s'est accéléré. Un trop plein. Tout doucement, comme le surplus qui coule dans le fossé, l'eau qui suit sa pente au lendemain d'un dur hiver. Il pleurait tellement qu'il ne me voyait plus. Il a tendu la main vers mon lit, j'ai tendu la mienne vers lui. Nos doigts se sont rejoints, caressés par le bout seulement. Une seule phalange, mais quel contact! Il soulevait fortement l'extrémité de ses quatre doigts sur les miens qui recevaient sa caresse. Quelle chaleur, quel feu courait au bout des doigts! Quel message! Il avait replacé droite sa tête et fixait le plafond sans le voir sûrement. Il continuait à pleurer. Et sa main dans le silence tâtonnait quatre petits bouts de doigts qui le déchargeaient d'une trop grande pression. Une grande émotion titillait, frémissait à bout de bras dans le silence de la sincérité. Puis son bras est tombé, épuisé. Quand même, une flamme sautait entre deux lits d'hôpital, bobine de Romkov. Et je pleurais, moi aussi. De tendresse.

J'ai glissé au pied de mon lit, me suis assuré de pouvoir tenir debout et me suis approché de mon enfant. J'ai abaissé le côté du lit, ai pris sa main, l'ai portée à mes lèvres. J'ai déposé ma joue sur sa poitrine, ma figure tournée vers la sienne. Il ne bougeait pas; seuls sa respiration et le débit de ses larmes se sont accélérés. J'ai murmuré:

– Merci Francis. Merci d'être là. Ah merci!...

Comme on était bien! De ses deux mains, il est venu chercher ma tête, délicatement l'a rapprochée de sa figure et placée tout près de ses yeux, m'a regardé. Jamais je n'avais vu un tel regard d'humain. Profond, habité de feu, exprimant une tendresse, un amour, exprimant je ne savais plus trop quoi tellement j'étais ému. Mais c'était chaud, intense, pénétrant, sincère, me fouillait les entrailles. Je fondais en vivant la même extase que lui. Il a peu à peu baissé ma tête, regardé attentivement mon front où le sang séché recouvrait plusieurs points de suture. En soutenant ma tête, il baisait tendrement mon front tout autour de ma plaie. Il a fini par placer ma joue sur sa joue et l'a collée avec une force si délicate! Une de ses mains me couvrait la moitié de la figure, toute sa paume la réchauffait. Ses doigts caressaient ma tempe. Son autre main, grande ouverte, recouvrait tout l'arrière de ma tête. Que j'étais bien! Couvert, caressé, recouvert, protégé. Je sentais qu'il me prenait sous sa garde, se consacrait à moi.

Un tel reflux de bonté, reconnaissance, un tel surplus d'émotions m'interrogeait sur son changement d'attitude. Que s'était-il passé, qu'avait-il vu?... Ce n'était pas seulement reconnaissance de lui avoir sauvé la vie. Au contraire, aurait-il dû m'en vouloir un peu?... Il n'avait pas encore prononcé un seul mot. Semblait réfugié à l'intérieur, encore plongé dans l'essentiel. Aurait-il vu?... Ma joie ne connut plus de bornes. Serions-nous assez privilégiés pour qu'il se souvienne de ses rencontres au-delà du monde des vivants?... Ma joue restait fortement collée à la sienne, ma tête entre ses mains. Ma main droite s'est posée à plat sur sa poitrine; la gauche, sur le haut de sa tête. Les deux pôles étaient rejoints, je me suis recueilli. La chaleur qui m'a pénétré! La profondeur qui m'a remué! Je partageais son extase. Oui, que je me suis dit, il a vu. Action de grâces. Intense émotion. Oui, Francis, pénètre-moi de ta grâce, répands en moi tes bénédictions. Mon champ s'offre tout entier à la pluie de tes lumières. Inonde-moi, je reste ouvert à ta vérité. Que la vie peut nous gâter parfois! Que la joie peut être limpide, le bonheur intense, l'amour profond! Francis ne disait toujours rien, semblait parti. Quand j'ai commencé à bouger à cause de la fatigue de ma position tordue contre son lit, il a desserré son étreinte, a baissé les mains, mais n'a pas ouvert les yeux. Ni la bouche. Francis contemplait.

J'ai approché une chaise près du lit, me suis assis. Sous sa main droite, je tenais la mienne; sur le verso, j'ai placé ma joue. Ma main gauche caressait son gros poignet, mes doigts s'émouvaient à son pouls. Francis me gâtait, Francis me partageait sa nouvelle vie, son espérance, sa joie. Quelque chose était changé. Quand il sera prêt, il le dira. En cette douce caresse, tout bas, l'ai quand même prié. Je sais qu'il me comprendra.

– Francis, j'ai saisi ton souffle au dernier instant. L'ai tenu dans ma main, ai crié ton nom. Ai crié si fort que tous les échos de l'univers m'en renvoient des bribes encore. Ma gorge souffre toujours de mes cris déchirants, mon coeur pourra-t-il s'en remettre? On ne revient pas facilement d'un si profond voyage. Aujourd'hui, te tends la main. J'ai l'impression que tes yeux ont vu la lumière et me tiens coi près de toi afin de partager son mystère. Afin que tu m'éclaires. Car vérité non partagée n'est pas entièrement vérité. As-tu vu François? Dis-moi François!... Je reste recueilli au pied de ton rêve et attends la vérité. Toutes mes antennes sont tournées vers toi, auscultent ton silence; je reste recueilli, ouvert, accueillant. Je veux rester patient, humble, persévérant. Au pied de celui qui a vu la lumière, on ne peut être arrogant, impatient. Si tes yeux ont vu, je sais qu'un jour, tu m'éclaireras, me partageras. Avec coeur. Pour la Vie, François, pour toi.

Détendu à passer à travers l'oreiller, Francis respirait l'extase. En sa mouvance, je me sentais pousser des ailes; voulais partir au fil de son courant. Je me sentais plus léger, désirais m'élever. Je respirais déjà plus haut, j'étais plus heureux.

– Le repos s'est fait chair. Il est là, étendu parmi nous. Je l'ai reconnu.

Puis le miracle se produisit. Sans bouger, ni lui, ni moi, Francis dit:

– Michel, il faut que je te dise. Je ne peux plus garder ça pour moi. En toi, ai toute confiance. Tu ne me croiras peut-être pas...

Il hésitait.

– Je devine, Francis; vas-y. Je te crois avant même de commencer.

– Je crois avoir vu ce qui se passe après la mort. Car j'ai été mort, n'est-ce-pas?

– Oui, bien sûr. Et je me doutais que tu avais vu l'au-delà. À ton silence, ton émotion. Le silence épaissit le mystère, lui donne profondeur. En témoigne.

– Michel, jusqu'après ma mort, tu m'auras deviné, accompagné. Qui suis-je donc pour t'avoir mérité?...

– Tu es mon fils. C'est François, ton père, qui te renvoie dans mes bras.

J'ai collé si fort ma joue sur sa main, mes doigts sur son pouls, dans un beau silence si tendre.

– Francis, me dirais-tu ce que tu as vécu?

Je me suis tu. Lui ai laissé encore le temps d'apprivoiser le mystère. Tutoyer l'au-delà est bien audacieux.

Moi, ayant beaucoup lu sur ce sujet de la vie après la mort, je me sentais plus préparé que lui. Francis finit par commencer, hésitant.

– Tout à coup, j'ai eu l'impression de retenir mon souffle. Sans effort, sans douleur. Comme en tombant dans le vide. Déséquilibre, inconfort. Une grande noirceur, un tunnel; à la fin, une lumière. J'avais perdu le souffle. Comme sous l'effet de la surprise, sans m'en rendre compte. Comme en m'enfonçant sous l'eau, ma tête collée à la tienne. Comme sous l'effet d'une trop grande joie, un trop grand mystère. J'a vu ma vie passer devant mes yeux. J'ai tout vu, tellement vu! En si peu de temps. Ne m'est resté qu'une impression: satisfait de mes bons coups, déçu de moi pour mes méchancetés, fuites, démissions. Je me suis reconnu, j'ai compris les pourquoi. Des présences m'environnaient, chaudes, accueillantes, aimantes. Ne me jugeaient pas, ne me rejetaient pas. Je sentais seulement au fond de moi-même, dans la lucidité, le sens de ma vie, le poids de mes échecs, le non sens de mes haines, la douce tendresse de mon coeur. Ces lumières habitées évoluaient autour de moi. N'ai reconnu personne en particulier, mais me sentais tellement aimé, accueilli, respecté. Personne pour me juger, condamner, essayer de m'humilier, me rendre malheureux. C'est par moi-même que j'ai vu, compris le mal que j'avais fait, ses causes, ses conséquences pour moi et pour les autres. C'est par moi-même que j'ai saisi les raisons du mal que les autres m'ont fait. N'en voulais à personne. J'ai vu le bien, le mien, celui des autres, ...le tien. Comme tu m'as aimé! Comme tu m'as fait confiance, aidé! Je flottais dans la reconnaissance. La lumière me pénétrait, une chaleur: merveilleux état d'euphorie, calme, délivrance. Sérénité profonde. Ces présences lumineuses ne faisaient que présenter des scènes, des circonstances que je pénétrais moi-même, sans contrainte, pour en saisir le sens profond, le sens de mes réactions. Je pouvais sentir un peu de regrets mais pas assez pour chasser ma paix. Je comprenais et mes présences aussi comprenaient. Ne me jugeaient pas, exprimaient beaucoup de sympathie, d'empathie. Je voyais bien ce que j'aurais dû faire mais n'en souffrais point. Je voyais ce que les autres auraient dû faire, mais ne leur en voulais point. Je voyais quoi réparer, comment; je voyais que j'avais beaucoup à reprendre. Un jour ou l'autre. Puis j'a vu les grands champs que j'aimais tant, mais sans imperfections. Rien pour me bloquer la vue, des fleurs, encore plus que je n'en avais jamais admiré. Les champs en étaient recouverts. Une douce lumière illuminait le tout. Des petits animaux couraient ici et là, lièvres, petits lapins. Un frisson dans l'herbe: une couleuvre passait. Des oiseaux chantaient partout, planaient, enrubannaient le ciel. Et une rivière coulait. J'ai senti, en la voyant, tout le bien que tu m'as fait et l'inconscience dont je souffrais. J'ai senti, senti par l'intérieur, sans effort, tant de choses, j'ai compris tant de causes. Comment en vouloir à quelqu'un, surtout à moi-même? Non, rien qu'une lumière douce, éblouissante, mais ne blessant pas. Et toujours cette chaleur. Quelle légèreté, douceur, tendresse! Puis une présence chaude, aussi convaincante que respectueuse, aimante – comme notre meilleur ami qui ne nous veut que du bien – m'a montré cette chambre d'hôpital d'où je venais. J'ai vu mon corps entre les mains du médecin, l'infirmière, les chocs, leur fébrilité. Mon corps me laissait indifférent comme une étape tout à fait dépassée. Comme l'ancienne peau de la couleuvre dont elle s'est débarrassée. Sans intérêt, sans utilité pour rien, ni personne. T'ai vu dans le mur. Un choc violent et, te retournant lentement aux mains de l'infirmier accouru, t'ai vu tellement malheureux! Vrillé par le chagrin. Mais tellement malheureux! Ton front ouvert, ta main sanguinolente. Hébété, dépassé par les événements, te cherchais, te brûlais à regarder mon corps. Tu tremblais de tous tes membres, paniquais. Quand tu t'es jeté à genoux, l'infirmière est partie pour revenir aussitôt une seringue à la main. Toi, tu priais. J'entendais tes mots, compatissais à ta douleur. N'as-tu pas dit: Fais-le pour moi! Tu seras peut-être plus heureux qu'avant?... Que tu faisais pitié, que tu étais malheureux! Bien plus que moi n'ai jamais été. Tu m'appelais, désespéré. Une inspiration venant de mes présences lumineuses sans doute, m'a fait voir tout ce que je n'avais pas accompli, tout ce qui me restait... tout ce que j'aurais pu faire et, surtout, le reste de ma vie que j'avais tranchée volontairement. Et ton appel. Si pathétique. J'avais vu ma vie: tellement d'échecs. Ai vu ta peine: tellement d'amour. L'inspiration suggérait: pourquoi tu ne retournes pas dans ton corps, pourquoi ne pas finir ce qui t'était préparé?... Tu es libre, mais vas-y donc. Avec lui, ce sera plus facile. Tu auras maintenant un père. Retourne, insistait la lumière. Puis je te voyais toujours; j'ai hésité, combattu. Je t'ai fait confiance et suis revenu. Je me sentais pourtant si libre, délivré, léger. Mais j'avais tant à réparer, aider, aimer, me faire pardonner. C'est les yeux fixés sur ta blessure que j'ai réintégré mon corps. J'ai tout de suite senti la morsure de la douleur et repris ma respiration comme si de rien n'était. Mais la pesanteur, le froid le dégoût du poison répandu partout: tout me brûlait. Ah que c'était difficile, pénible après avoir vécu une telle sérénité, joie, une telle liberté, légèreté! Avant, tout n'était que beauté, calme, douceur, l'esprit si ouvert, j'avais l'impression de presque tout comprendre. Et revenir souffrir, languir, revenir risquer de faire du tort, du mal, risquer te décevoir, être malheureux encore... ah que ce choc fut difficile! Sans doute comme l'action de naître. Tout me faisait mal. Mon estomac se révoltait, mon coeur paniquait, ma tête éclatait, toute ma chair brûlait. Malgré d'affreuses nausées, je ne pouvais restituer. Mais je gardais vivace ce grand mystère qui m'était apparu, cette grande grâce qui m'avait transformé. Je voyais un sens à mes douleurs bien méritées. Me soumettais, les sachant bien passagères. Et je savais que tu étais là, tout près. Et je sentais que tu étais plus pour moi que personne n'avait jamais été. Malgré mes douleurs, ma faiblesse paralysante, je t'offrais déjà mon coeur, désirais ta caresse apaisante. Laisse faire Michel, tu ne regretteras plus jamais de m'avoir tendu la main, emprunté mon chemin, partagé mon destin. Ton coeur torturé m'a sauvé la vie, ton front déchiré m'a ramené ici. Nous serons de grands amis. Ce n'était pas dit, perçu en des mots comme ceux-ci. Tout n'était qu'impressions, sensations. Très rapides, un peu floues, mais sincères. Rien n'était acte de volonté, efforts, pénibles résolutions, mais évidences absolues pénétrées de lumière. Michel, je te reviens aujourd'hui, libéré. Le passé est bien terminé. Mes yeux s'attacheront à tes gestes, mes pas, à ton exemple. Je veux maintenant te connaître, suivre ton modèle. C'est terminé ce que j'ai vécu parce que j'ai vu. Parce que je t'ai connu, aimé. Michel, je te promets de te faire oublier le mal que je t'ai fait. Suis revenu et ne le regrette pas. Le choc passé, on s'habitue, reprend goût à la vie. Je te retrouve et te dis merci. L'abondance des mots maintenant importe peu.

Il a encore serré très fort ma tête entre ses deux mains. N'ayant plus de mots, se servait de son coeur.

Je suis retourné à la ferme pour le travail essentiel puis j'ai téléphoné à la Maison Entr'Elles et laissé un message pour Claudine.

– Qu'elle me rappelle!

Quelques minutes seulement, et d'une voix fatiguée, triste à mourir, elle finit par demander:

Est-ce toujours les meilleurs qui souffrent le plus?

– Francis a souffert plus que tout ce qu'on peut imaginer. La honte, le désespoir, il a tout épuisé au gouffre du malheur.

– Je crains pour lui. Je crains qu'il ne retrouve plus sa fierté, son respect de lui-même.

– Ne crains plus rien, Claudine: c'est fini. Francis est sauvé. Où puis-je te rencontrer?

Dans un petit restaurant tranquille, elle et moi avons parlé. Peu, mais l'essentiel fut abordé.

– Francis est sauvé, répétais-je, Francis vient d'échapper à une vie et une mort sans signification. Francis a compris. Tu peux retourner chez toi. Cet après-midi, je ramène Francis chez moi. Un peu de repos et il te téléphonera quand il sera prêt. Laisse-le récupérer, se préparer. Tu n'as plus rien à craindre, Francis est sauvé.

Claudine devinait un événement déterminant, hésitait, me croyait, mais ne se sentait toujours pas prête.

– Il est arrivé quelque chose d'important? questionna-t-elle.

– Oui, l'essentiel. Le dire appartient à Francis. À toi et à lui.

– Laisse-moi la journée pour y penser, m'habituer à l'idée. Pour le petit encore traumatisé.

– Je te comprends Claudine, mais prends ma parole: tu peux espérer.

Puis je suis allé chez Guy. C'est dans le hangar que je l'ai trouvé. Grave, on s'est assis. Ai pris sa main... ne pouvais parler. Voyant mon front, ma main,

– Michel, t'es-tu blessé?

– Guy, je te remercie. Francis te remercie.

Des sanglots dans la voix nous ont rapprochés. Je me revoyais dans les bras de Guy, vingt ans plus tôt, où il m'avait sauvé d'une pareille tentative de suicide. J'ai continué:

– Francis s'est empoisonné avec des pilules, est venu me voir pour ne pas mourir seul. J'ai fini par le traîner à l'hôpital: il est sauvé. Guy, je te remercie.

Guy, les yeux pleins d'eau revivait le passé. On s'est levé et jeté dans les bras. Je sanglotais doucement sous les assauts répétés et de la fatigue et des récentes émotions. Il m'a invité:

– Viens à la maison prendre quelque chose: ça te fera du bien.

On a traversé le chemin main dans la main et sommes entrés.

– Michel, tu t'es blessé, s'inquiéta Marie,

– Ce n'est rien, répondis-je, agacé.

Guy lui fit signe de se taire, je crois, et m'offrit un cognac.

– Le cognac, c'est pour fêter cette fois, non pour oublier, précisa Guy.

– C'est pour ne jamais oublier. Ta bonté, ton coeur, la vie que tu m'as donnée et que j'ai transmise cette nuit.

On a bu lentement, presqu'en silence. Seuls nos yeux parlaient.

Les miens disaient:

– Tu avais vingt ans.

Les siens répondaient:

– Tu en avais trente-cinq.

– Tu étais jeune, beau, si fort. Tes parents, merveilleux.

– Tu étais bon, d'une bonté à faire pleurer. Tu avais tout donné.

Et en même temps, nos yeux disaient: Quel temps inoubliable nous avons passé ensemble! Le lit, les champs, les fleurs, les animaux, les soirées, les caresses, l'amour tendre. Je plaçais parfois ma main en caresse furtive sur sa main. Sur le point de partir, après quelques consommations, Guy m'a dit avec une flamme pétillante dans le regard:

– Buvez encore un peu, monsieur.

Je suis retombé sur ma chaise et nous avons éclaté de rire comme lors de notre première nuit d'amour. Ce soir-là, il m'avait lavé de tant de souffrances, désespoirs, m'avait tellement sauvé. Ce midi, il me ramenait en surface tout notre amour, se donnait encore à moi dans la coupe des souvenirs. Notre rire s'est bientôt apaisé, remplacé par une sourire si chaud, si tendre. Un sourire à faire pleurer. On s'est embrassé sur les deux joues.

– Je vais chercher Francis cet après-midi et l'amène chez moi. J'essaierai de lui transmettre au souffle de la vie, un peu de ce que tu m'as laissé, transmis. Merci pour lui.

J'ai salué la femme et les enfants, laissant à Guy le soin de leur expliquer tous ces mystères et suis parti.

Francis encore très blême, faible et douloureux, est arrivé à la maison. Je l'avais mis au courant de ma démarche auprès de se femme et son enfant. D'accord et rassuré, il a marché quelque peu, respiré profondément.

– Michel, où est le livre FRANÇOIS? Je veux relire comment Guy t'a sauvé la vie, ton retour et tes communications avec l'esprit de mon père.

Francis s'est couché, a lu un peu et médité beaucoup. Il s'est endormi comme un bébé. J'ai laissé la porte entr'ouverte parce que je voulais le surveiller. En tout cas. À son réveil, il a préparé le souper et j'ai fait le train. En soirée, avons fait quelques pas dehors. Assis près du puits, à ma demande, Francis m'a encore parlé de son voyage, ses nouvelles convictions, partagé son émoi.

– Michel, aide-moi.

– Je crois tout ce que tu m'as dit. Ça ne fait que confirmer ma foi. Ne crains pas ce monde entrevu, ne t'inquiète pas. Beaucoup d'autres ont vécu cette expérience avant toi.

– Ma vie vient de changer parce que j'ai vu des esprits, senti des esprits. C'est extravagant. As-tu déjà fait cette expérience auparavant?

– Non, mais avec l'étude, le temps, la réflexion, je me suis habitué à ce monde étrange qui nous entoure. Je ressens l'appel de cet ailleurs qui soupire aux replis de ma nuit. Me suis familiarisé avec cet univers qui respire, lui lance des sondes, lui jette des amarres... pour voir. Me recueille, ausculte le silence, attends des réponses. Une inspiration, un souffle ride la surface; une respiration, une brise répond à ma demande; une idée, une émotion habite ma solitude. Non, je ne suis pas seul. Des présences grouillent sur mon seuil. Je ferme les yeux, ouvre mon coeur. Je me laisse imprégner par ces présences qui se laissent parler. J'écoute à la porte et j'entends des messages. Je ne fuis pas ce monde étrange et transparent. Au contraire, comme page blanche, m'offre à son impression. Je reçois images et caractères, sens et intuitions. Que voulez-vous?... Je vous accueille. Dites-moi. Je veux vous recevoir, aidez-moi. Un être puissant mais exigeant remue dans le silence. Il se tient à ma porte, indique des directions, pénètre ma conscience. Je retiens mon souffle, essaie d'être fidèle. Je me sens peu à peu pénétré d'une impression. Détendu, accueillant, recueilli, orant; une douce chaleur pénètre mon esprit, réchauffe mon coeur. Une plus grande détente engourdit doucement tous mes membres, une douce légèreté m'appelle hors d'ici, de là... et me voilà parti.

Francis me regardait, surpris, s'interrogeait. Puis me donna sa position.

– Je ne comprends pas tout ce que tu dis, mais j'ai compris qu'un sens a changé ma vie. J'ai tellement pleuré mon passé, tellement souffert quand j'ai compris que je ne pourrais jamais reprendre l'amour enfui, j'ai tellement trouvé léger mon voyage au-delà de moi, ce corps que j'habite, cette écorce qui flotte au gré des flots et du vent, et j'ai trouvé si exaltant ce grand départ pour ce nouveau Nouveau Monde que j'ai choisi aujourd'hui la liberté profonde qui échappait tellement à mon ancien monde.

– Francis, nous sommes tellement sur la même longueur d'ondes: nous sommes pris pour nous aimer...

– Michel, parle-moi de tout ça: l'esprit, le voyage astral...

– Avant notre naissance, nous choisissons notre destinée par karma. Il n'y a pas là de fatalisme. L'esprit choisit lui-même de se perfectionner. Seule la vie de l'âme est atteinte, l'évolution de l'esprit visée. Les détails du quotidien, le matériel n'a pas d'intérêt dans les grandes décisions cosmiques. Ta liberté, tu la gardes: ta conscience pèse, évalue, choisit. Tu es libre, ton esprit décide. Que tu gagnes le gros lot ou souffres des reins, que tu vives de grands plaisirs sexuels ou un accident d'auto, c'est du matériel, passager, secondaire. Tout ce qui compte, c'est le sens que tu lui donnes librement. C'est ta réflexion, l'utilisation spirituelle que tu lui réserves. C'est ce sens que tu as choisi; quant au matériel, tu l'organises ou tu le subis. Tes retours, réflexions, voyages astraux dans le passé ne toucheront jamais l'histoire, les événements, le matériel. Seulement le spirituel. L'émotion sera retrouvée, revécue, libérée. Le coeur parlera plus fort que la raison. La raison composera davantage avec le coeur. Et un sens plus précis, clarifié, élevé éclairera de son apaisante et douce lumière la lourdeur des gestes quotidiens. Et bienheureux serons-nous quand nous pourrons communiquer avec nos guides, ces êtres supérieurs qui nous appellent sur d'autres chemins. Plus légers, plus hauts: allez, allez, montez.

Laissez la pesanteur à la pesanteur, l'apparence aux mirages, le matériel à la rouille et aux vers. Élevez-vous devant le miroir, accrochez-vous aux reflets puis, montez hors de vous vers ces lumières libérantes au-delà du hasard. Vous y trouverez des courants chauds, des attirances magnétiques, des couleurs ennivrantes. Vous serez tellement bien, libérés, reposés! Ce qu'un corps peut être étroit, lourd, emprisonnant! Ce qu'on peut désirer repartir aussitôt revenu!

– Michel, c'est moi qui ai reçu la vision et c'est toi qui m'instruis.

– Demain, je t'apporterai des livres: la vie de l'au-delà, les enfants du verseau, l'ésotérie. Et on invitera Claudine pour dîner...

– Hein?

Francis eut un petit sursaut. Je n'ai rien ajouté, attendant sa réaction. Devant son silence, j'ai terminé ma phrase:

– ... si tu veux. Tu pourrais l'inviter par téléphone demain avant-midi. Je la prendrais après mes courses.

– Je suis d'accord si elle est prête. Et je veux que tu sois témoin de mes excuses, de mon engagement. À l'avenir, tu ne sortiras plus jamais de ma vie.

Après le dîner où ils se sont réconciliés, j'ai offert au couple:

– Je me fais vieux, fatigué:... voulez-vous acheter ma terre?

L'éclair bleuté en même temps que ce coup de tonnerre les a fait sursauter. Pris de court, Francis qui devait répondre quelque chose, hésitant...

– On va y penser un peu. C'est toute une...

– Il n'y a rien de mieux pour un couple qu'un beau projet.

Leurs yeux pétillaient ne voyant pas leur bouche grande ouverte de surprise, muette de plaisir. Même s'ils en avaient plus qu'ils ne pouvaient assimiler entre les oreilles, j'ai continué:

– Vous pourriez venir rester ici. À l'avenir, c'est moi qui vous aiderai. Il n'est plus prudent pour moi d'être seul. J'ai besoin de vous. J'ai toujours eu besoin de vous.

Épilogue

Je leur ai vendu ma terre, juste assez cher pour ne pas les humilier. Ils me payeraient deux fois par année. Je demeurerais chez Francis jusqu'à ce que les médecins... On s'était compris comme un père, un fils... Francis vivait maintenant un grand amour avec une femme charmante, dans la nature qu'il adorait, entouré de divers petits animaux me semblant parfois un peu inutiles: moutons, chèvres, abeilles – pas de poules – mais une multitude de petits lapins.

Francis avait retrouvé le goût de la terre et ses responsabilités, son amour des animaux et le respect de la vie. Il suivait tous les cours d'agronomie possibles, participait à une foule d'associations d'agriculteurs et producteurs de lait, miel, sirop d'érable, etc... Il revenait toujours avec quelques connaissances de plus, théories à essayer. Il ne me bousculait pas mais prenait sa place d'homme. Il disait simplement: On va faire ceci... On va faire cela... J'étais dans le on, non dans la décision. Il ne s'en rendait pas compte. J'appréciais son enthousiasme; au moins, il sait, il veut, il peut. Au moins, il a un but, est rescapé. Qu'il continue! Mais le soir, à la tendresse, me parlait tout bas, racontant sa joie, la multitude de ses pas, ses espoirs, la profondeur de sa reconnaissance. Il disait souvent de différentes façons:

– Tu m'as donné plus qu'une terre, tu m'as rendu à moi-même.

Alors mon coeur s'élevait vers une étoile et perdait la suite de ses déclarations. On marchait encore et toujours aux abords de la nuit, moins longtemps mais plus loin en hauteur, avec moins de mots mais avec encore plus de profondeur. Une grande amitié dispense de mots. Me tenait toujours la main. C'est lui maintenant qui me dirigeait, sauvait. Il me rappelait François parfois, à sa manière d'être distrait. Je crois qu'il figurait ses travaux, élaborait ses plans, traçait des itinéraires. Rêvait à Claudine et à son fils quand il sera grand.

Francis s'était inséré dans le roulement de la ferme, de la société, de l'amour. Francis s'était acclimaté à la vie que des parents indignes avaient essayé de lui empoisonner. Il avait développé les contre-poisons parce qu'un jour, il avait rencontré un grand amour qui s'offrait, fruit d'une grande fidélité. Un jour, il s'était senti aimé. C'est vrai, je l'avais tellement aimé!... Non seulement parce qu'il était beau, bon, mais parce que fils de mon ami. Parce que j'avais tellement investi en lui: espoir, énergie, vie. Francis, caresse sur ma joue, tendresse dans ma main. Ça ne voulait pas dire qu'on était de grandes écervelées évaporées, qu'on couchait avec tous ceux qui passaient dans le chemin, qu'on violait tous les enfants du rang; ça ne voulait même pas dire qu'on était gai tous les deux. Cette caresse sur sa joue, cette tendresse dans ma main voulait seulement dire qu'on n'avait pas peur de notre corps et de ses sensations, pas peur de notre coeur et de ses affections, pas peur de briser les interdits qui défendent d'être soi-même, authentique et spontané. Sa caresse dans mon cou, ma tendresse dans sa main disaient seulement que nos mots restaient muets devant l'émotion qui nous battait la poitrine, que les mots sont bien humbles véhicules du coeur et de la pensée, que les mots s'effacent souvent devant l'expression corporelle libérée. Homosensualité. Humble caresse, aimable tendresse, merci de parler pour nous si fort.

Francis, un dernier merci, ce soir du 28 octobre 1987, en terminant l'histoire de ta vie que tu m'as permis de publier. À titre d'exemple, m'as-tu dit, pour aider. Mais tu n'aides pas seulement parents, intervenants, enfants. Tu m'aides, moi aussi, plus que tu crois. Je me sentais fatigué, parfois attristé à force d'inquiétudes. Et tu es venu sur mes terres, as fortifié ma vie. Ai repris le collier pour revivre le passé. J'ai erré: on n'entre pas dans le sein de sa mère, ni dans celui de son père. Mais grâce à ta présence, ai retrouvé mes racines, le sens de mon attente. Si le blé a changé de champ, sa couleur, son odeur, sa beauté ont de nouveau bercé ma vie et retrouvé l'émoi du passé. La vie a repris ses droits dans la main de mon enfant. De cet unique enfant qui a réjoui mon coeur.

Francis, une seule fleur me suffit; cinq mille, me distraient. C'est l'unicité qui fait la richesse et la beauté. C'est l'amitié que nous avons partagée, la mutuelle sensibilité qui nous ont soudés. Maintenant que tu as étalé toute ton âme par confidences offertes, maintenant que tu t'es livré, démuni, sans défense: plus de cuir, de gestes calculés, plus de bravades, d'effets provoqués, maintenant que tu as reconnu n'être que toi-même, as recherché un appui, compris le besoin d'un autre, même si c'est seulement de moi, c'est que tu es sauvé. Plus tard, reconnaîtras le besoin d'un autre et par la médiation de quelques autres encore, à la fin, t'abandonneras à l'Autre. Qui est celui que se suffit à lui-même, n'a pas besoin d'une rose, d'une goutte d'eau, d'un rayon de soleil, et qui trouve son origine et sa fin dans son propre terreau? Qui est-il celui qui n'espère pas d'amour sans lendemain, de suite à sa fin? Qui est-il...?

Francis s'est soumis, a reconnu. Francis peut aimer. L'amour est reconnaissance de l'autre, sortie de soi-même. Francis est sauvé.

Aujourd'hui, 28 octobre 1987, jour mémorable: naissance de Mélodie. Claudine et Francis s'étaient promis deux enfants: les voici. Mélodie sera fille de la réconciliation, du bonheur retrouvé, durable, solide. Francis, je sais que tes enfants seront heureux. Entre les mains de tels parents, je ne crains rien pour leur coeur. Je sais que tu leur parleras, les caresseras. Peut-être même, chanteras-tu pour eux? Je sais que tu les aimeras. Que tu leur parleras de tendresse, respect, de la douceur des moments passés dans l'eau. Tu leur diras la fraîcheur de la vie, la douceur de la nature respectée. La joie de la joie partagée, le soulagement des peines confiées. Tu leur diras le besoin de paternité et de filiation, et que personne ne peut s'en passer. Leur diras-tu le besoin d'une épaule condescendante pour recueillir secrets et confidences, épaule d'homme ou de femme, quelle différence, même d'enfant ou de vieillard, qui n'en a pas besoin, qui peut refuser la sienne?... Leur diras-tu, Francis? Leur diras-tu tout ce que la vie peut leur donner ou leur enlever, tout le plasir et toute la peine qu'ils peuvent multiplier, toute la tendresse à partager, les sueurs, le labeur à goûter, la vie à sauver afin de la transmettre?

Tu leur diras que des hommes peuvent s'aimer, des femmes aussi, que les enfants ont besoin de parents, la nature, de respect, le coeur, de bonté. Tu leur diras que seul compte le témoignage, l'authenticité, le vécu, non les paroles creuses, les gestes hypocrites, résine de l'enfer. Tu leur diras que des gens ont vécu dans le silence et l'humilité – peu importe le sexe – des amours que tous les orages ne sauraient dire assez fort, des symphonies chanter assez haut, des siècles assez longtemps raconter. Seule, peut-être, pourrait le dire une goutte d'eau partagée... avec un petit prince qui s'enfuira lui aussi dans les étoiles. Pas pour abandonner, mais pour mieux voir et partager ses rayons. Il agitera son petit grelot de lumière et scintillera les soirs d'accueil, de tendresse offerte et goûtée. Tes enfants sauront qu'au large de l'azur, de grandes caresses sont offertes: il n'est qu'à ouvrir leur coeur, leur esprit et que tout le ciel pourra s'y déverser d'étoiles.

À Mélodie et Jonathan, aux enfants de Guy, Daniel et Sylvie, ainsi qu'à tout autre enfant, je laisse le témoignage de ta vie, espérant pour eux une place un peu plus chaude, un nid un peu plus soyeux. Qu'aucun coin ne les écorche, aucune écharde ne les blesse. Qu'ils ne pleurent que des larmes de joie. Je leur souhaite espace chaleureux, afin qu'ils puissent entendre l'oiseau chanter et ne pas détruire son nid arrondi au coeur de la vie. Qu'ils puissent au jour du paroxysme des abus, entendre le cri de leur ami et, souvent inarticulé, l'appel de sa vie. Pour qu'ils puissent sentir le pommier en fleurs, la marguerite des champs, le foin coupé; sentir ces grandes poussées de la vie qui s'élancent du coeur des autres. Et la bonne tiédeur des bras ouverts. Pour qu'ils puissent goûter la saveur du fruit, surtout défendu, la pêche fondante, la poire arrondie; le résultat de leur bonté, leur accueil. Qu'ils connaissent tous les mercis. Pour qu'ils puissent donner de leurs mains, force et beauté, chaleur partagée. Jamais violence de leurs mains fermées, poings assénés, douceurs refoulées, tendresses trahies. ...Pour qu'ils puissent aimer et être aimés... et connaître l'importance d'un père... et des réverbères.

Merci, Francis. À bientôt, François.

Terminé ce 28 octobre 1987,
anniversaire de sa Libération.

Table des matières

ACHEVÉ D'IMPRIMER
EN DÉCEMBRE 1987
SUR LES PRESSES DE
PAYETTE & SIMMS INC.
À SAINT-LAMBERT, P.Q.